#홈스쿨링
#혼자공부하기

똑똑한
하루 사회

Chunjae
Makes
Chunjae

똑똑한 하루 사회

기획총괄	박상남
편집개발	조미연, 윤순란, 김민경, 박진영
디자인총괄	김희정
표지디자인	윤순미, 박민정
내지디자인	박희춘, 한유정, 우혜림
제작	황성진, 조규영

발행일	2023년 1월 15일 2판 2023년 1월 15일 1쇄
발행인	(주)천재교육
주소	서울시 금천구 가산로9길 54
신고번호	제2001-000018호
고객센터	1577-0902

※ 정답 분실 시에는 천재교육 홈페이지에서 내려받으세요.

※ KC 마크는 이 제품이 공통안전기준에 적합하였음을 의미합니다.

※ 주의

책 모서리에 다칠 수 있으니 주의하시기 바랍니다.

부주의로 인한 사고의 경우 책임지지 않습니다.

8세 미만의 어린이는 부모님의 관리가 필요합니다.

똑 똑 한

하루 사회

4-1

쉬운 용어 학습
교과 용어를 쉽게 설명하여
교과 이해력 향상!

재미있는 비주얼씽킹
만화, 사진으로
흥미로운 탐구 학습!

간편한 스케줄링
하루 6쪽, 주 5일, 4주 학습
한 학기 공부습관 완성!

똑똑한 하루 사회
어떤 책인지 알면 공부가 더 재미있어.

똑똑한 하루 사회 구성과 특징

핵심 용어

- 핵심 용어만 쏙!
- 한자와 예문으로 이해 쏙쏙!
- 그림으로 기억력 UP!

개념 동영상

빠른 정답 보기

❶ 개념 만화

❷ 개념 익히기

❸ 개념 확인하기

- '❶ 개념 만화 → ❷ 개념 익히기 → ❸ 개념 확인하기' 3단계로 하루 학습
- 하루 6쪽, 4주면 한 학기 공부 끝!

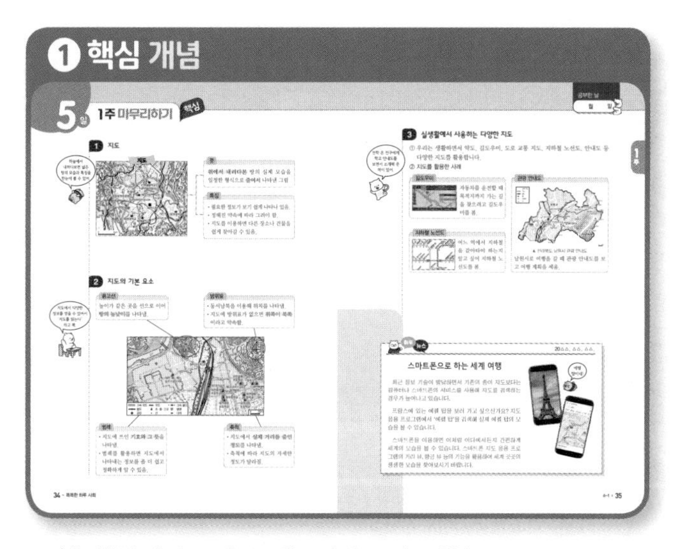

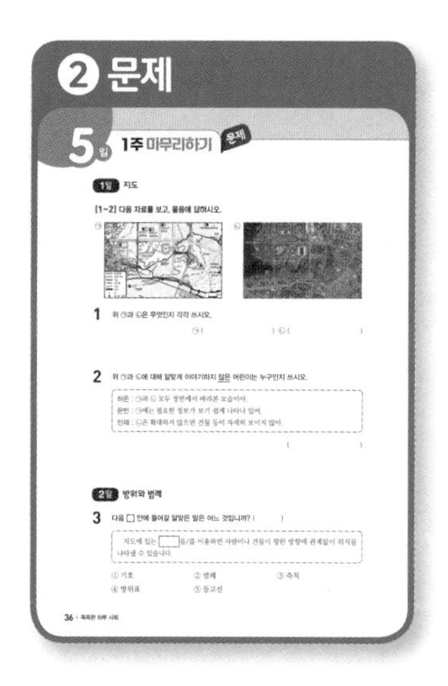

• '❶ 핵심 개념 → ❷ 문제' 2단계로 하루 학습

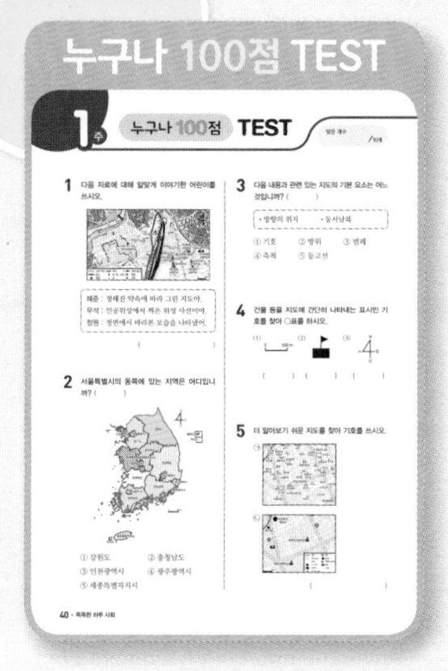

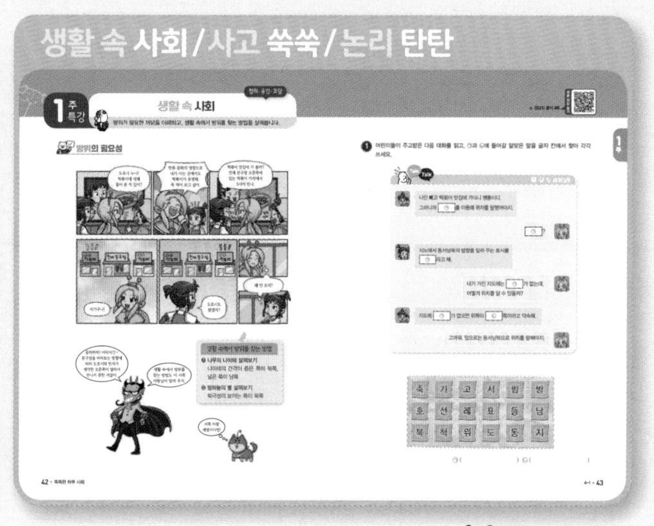

• 한 주에 배운 내용을 확인하는 누구나 100점 맞는 TEST
• 재미있고 새로운 유형의 특강으로 창의력, 사고력, 논리력 UP!

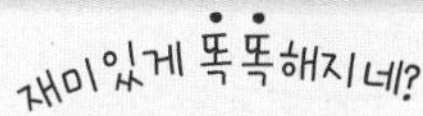

하루하루 조금씩 기초부터 쌓다 보면 어느새 자신감이 생겨.

똑똑한 하루 사회 **차례**

1주 지도로 본 우리 지역

2주 중심지와 문화유산

우리 지역의 역사적 인물

공공 기관과 주민 참여

똑똑한 하루 사회를 함께할 친구들

도로시

지구에 불시착하여 도남매의 도움을 받는 소녀

도민지

호기심이 많고 상상력이 풍부한 소녀

도민준

누나를 쫓아다니는 귀여운 동생

서쪽 마왕

도로시를 괴롭히는 허술한 악당

1주 지도로 본 우리 지역

이번 주에는 무엇을 공부할까? ①

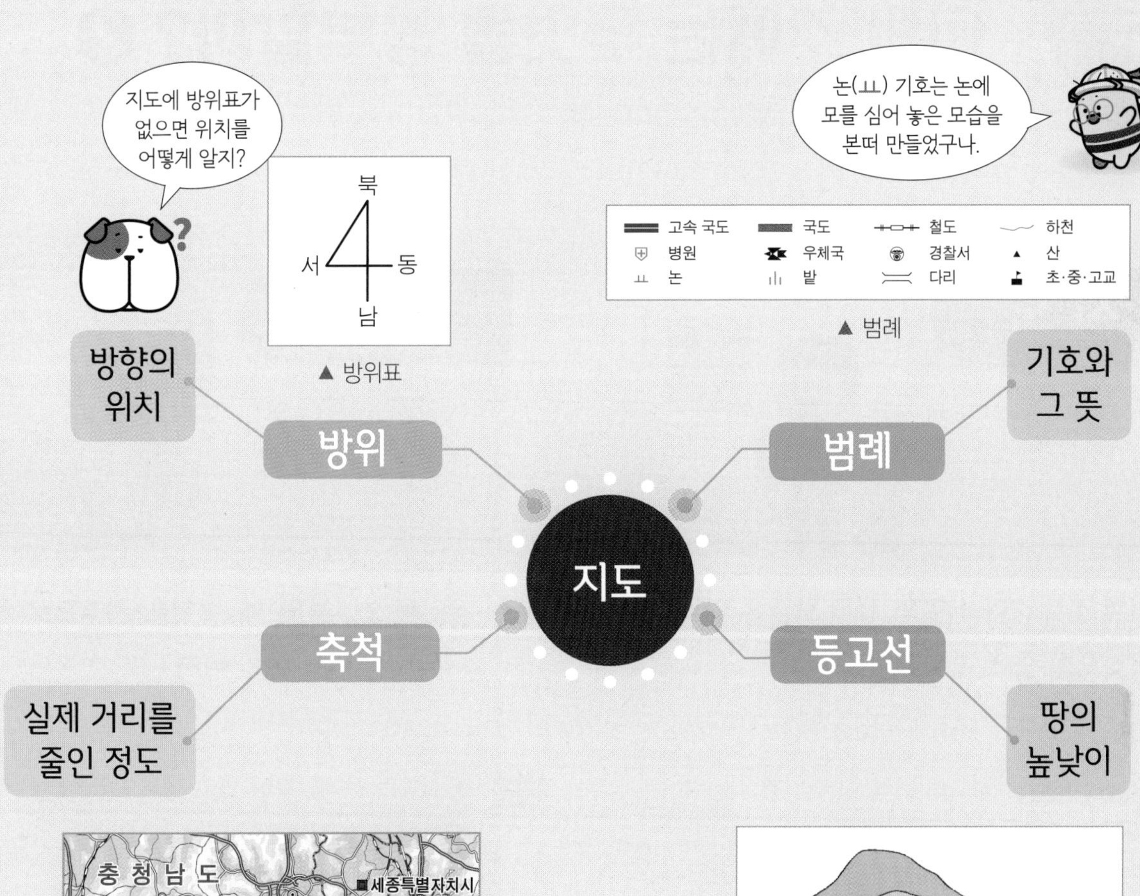
지도에 방위표가 없으면 위치를 어떻게 알지?
북
서
동
남
▲ 방위표
논(ㅛ) 기호는 논에 모를 심어 놓은 모습을 본떠 만들었구나.
고속 국도
국도
철도
하천
병원
우체국
경찰서
산
논
밭
다리
초·중·고교
▲ 범례
방향의 위치
방위
범례
기호와 그 뜻
지도
축척
등고선
실제 거리를 줄인 정도
땅의 높낮이

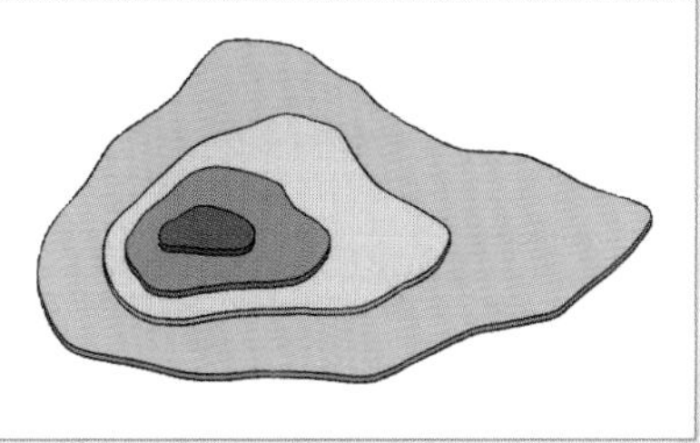

▲ 등고선 모형

충청남도
세종특별자치시
청양군
공주시
보령시
대전광역시
부여군
계룡시
논산시
서천군
전라북도
군산시
익산시
0
20km

◀ 축척

이번 주에는 지도의 기본 요소를 알아보고 실제 생활에 지도를 활용하는 능력을 길러 볼까?

1주 핵심 용어

이번 주에는 무엇을 공부할까? ❷

나를 기준으로 동쪽에 학교가 있어.

지도

地 圖

땅 지 그림 도

뜻 **위에서 내려다본 땅의 실제 모습을 일정한 형식으로 줄여서 나타낸 그림**

예 **지도**에 나타난 정보로 우리 지역의 특징을 알 수 있다.

방위

方 位

방향 방 자리 위

뜻 **동, 서, 남, 북의 네 방향을 기준으로 하여 나타내는 어느 쪽의 위치**

예 **방위**에는 동서남북이 있고 방위표를 이용해 나타낸다.

기호에는 모양을 본떠 만든 것과 약속으로 만든 것이 있어.
안녕? 난 우체국이야.
난 병원이야.

기호

記 號

기록할 기 이름 호

뜻 **도로, 하천, 학교, 우체국, 병원 등을 지도에 간단히 나타내는 표시**

예 땅이나 건물의 모습을 지도에 나타낼 때에는 약속된 **기호**를 사용한다.

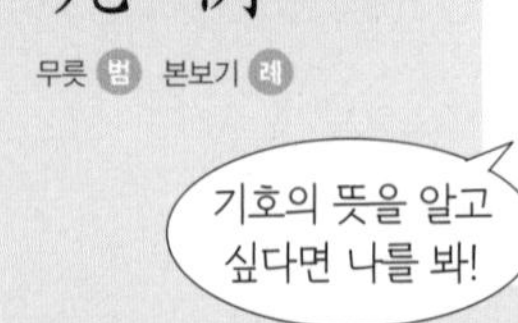

기호의 뜻을 알고 싶다면 나를 봐!

범례

凡 例

무릇 범 본보기 례

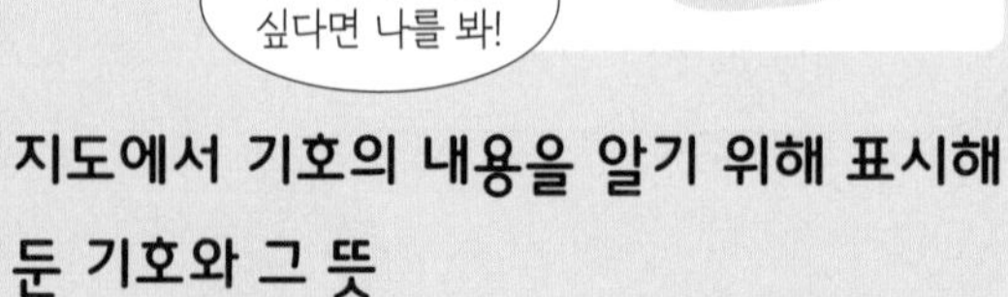

뜻 **지도에서 기호의 내용을 알기 위해 표시해 둔 기호와 그 뜻**

예 지도에 있는 **범례**를 먼저 읽으면 기호를 쉽게 파악할 수 있다.

지도의 기본 요소에는
방위, 범례, 축척, 등고선 등이 있어.
지도와 관련된 이 용어들은 꼭 기억해!

축척

縮 尺

줄일 축 길이 척

나타낸 거라
좀 더 가야 해.

뜻 **지도에서 실제 거리를 줄인 정도**

예 **축척**에 따라 지도의 자세한 정도가 달라지는데, 실제 거리를 조금 줄이면 지역을 자세히 볼 수 있다.

등고선

等 高 線

무리 등 높을 고 줄 선

지도에 나무의
나이테 같은

뜻 **지도에서 높이가 같은 곳을 연결하여 땅의 높낮이를 나타낸 선**

예 **등고선**이 나타난 지도를 보고 지도에서 가장 높은 곳을 찾을 수 있다.

우리는 생활하면서
약도, 안내도, 길도우미
등을 활용해.

약도

略 圖

간략할 약 그림 도

찾아가야지.

뜻 **간단히 줄여 중요한 부분만 대략적으로 그린 지도**

예 청첩장에 있는 **약도**를 보고 결혼식장에 쉽게 찾아갈 수 있었다.

우리 지역을 실제 크기
그대로 지도에 그린다면
A4 용지가 얼마나

종이가 너무 많이 필요해서
그릴 수 없을 거야.
그래서 축척이 중요해.
축척 말고도

범례, 등고선 등도
중요하다멍!

1일 지도

저곳을 어떻게 찾아가지?

용어 체크

항공 사진

비행 중인 항공기에서 성능이 좋은 사진기로 땅의 모습을 찍은 사진

예 사람이 접근하기 어려운 지역의 모습은 ❶ [　　　　] 을 이용하면 알 수 있다.

정답 ❶ 항공 사진

지금은 지도가 필요해!

용어 체크

지도

위에서 내려다본 땅의 실제 모습을 일정한 형식으로 줄여서 나타낸 그림

예 산의 위치와 이름, 건물의 위치와 같은 다양한 정보를 ❶ ______ 에서 찾을 수 있다.

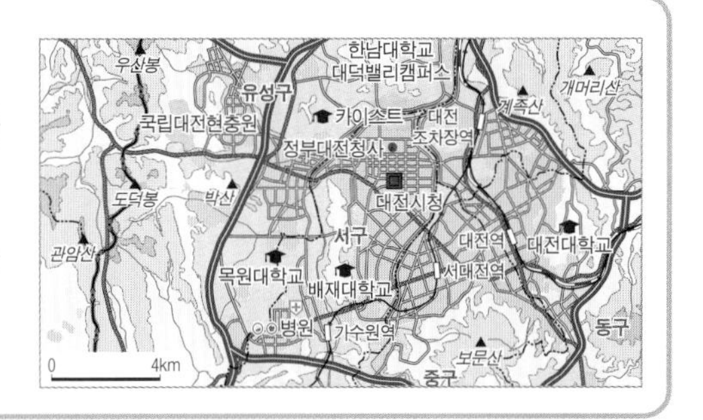

정답 ❶ 지도

1일 개념 익히기

1 친구 집을 찾아갈 때 어느 그림을 이용하는 것이 더 편리할까?

정면에서 바라본 아파트 모습

아파트 단지를 위에서 내려다보면 쉽게 찾을 수 있어.

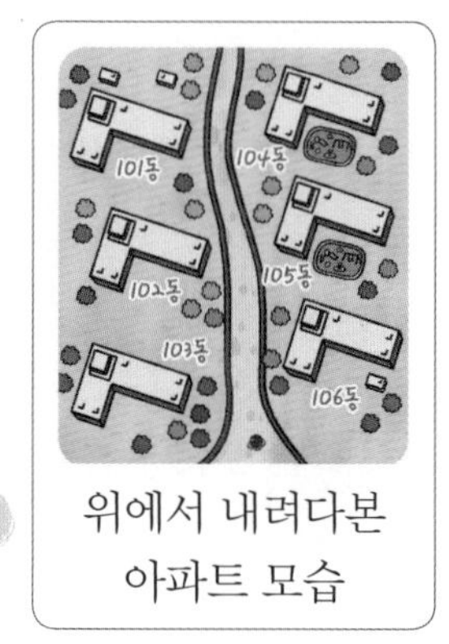

위에서 내려다본 아파트 모습

길을 찾을 때 [1](정면 / 위)에서 내려다본 그림을 이용하면 더 쉽게 찾을 수 있습니다.

2 항공 사진과 지도를 비교해 볼까?

항공 사진

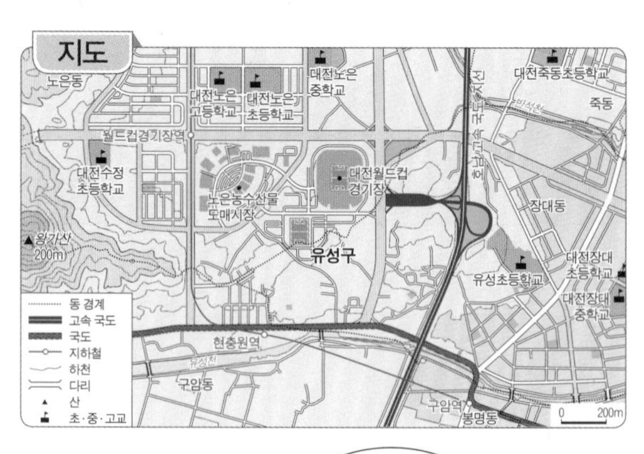

공통점	위에서 내려다본 모습임.
차이점	• 항공 사진 : 모든 것이 다 나타나 있지만, 확대하지 않으면 건물 등이 자세히 보이지 않음. • 지도 : 필요한 정보가 보기 쉽게 나타나 있음.

항공 사진에는 건물 등의 이름이 나타나 있지 않아.

항공 사진과 달리 지도를 이용하면 건물 등의 위치를 찾기 [2](쉽습니다 / 어렵습니다).

3 위에서 내려다보고 그린 그림은 모두 지도라고 할 수 있을까?

지도 위에서 내려다본 땅의 실제 모습을 일정한 형식으로 줄여서 나타낸 그림

같은 지역을 위에서 내려다본 모습

그림

위에서 내려다보고 그린 그림을 모두 지도라고 한다면 보는 사람마다 지역을 다르게 이해할 거야.

그림을 그리는 사람의 마음대로 지역을 표현할 수 있음.
➡ 지도라고 할 수 없음.

지도

정해진 약속을 바탕으로 지역을 한눈에 알아보기 쉽게 나타냄.

☑ 지도는 ③(정해진 약속 / 그리는 사람의 마음)대로 그려야 합니다.

정답 ❶ 위 ❷ 쉽습니다 ❸ 정해진 약속

개념 체크

정답과 풀이 1쪽

1 넓은 땅의 모습과 특징을 한눈에 보려면 ☐☐에서 내려다봅니다.

2 항공 사진과 지도는 ☐에서 내려다본 모습을 나타냅니다.

3 정해진 약속에 따라 정확하게 그려야 하는 것은 ☐☐입니다.

보기
- 정면
- 하늘
- 위
- 옆
- 그림
- 지도

개념 확인하기

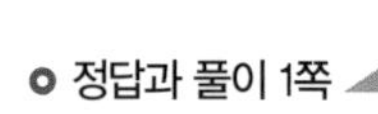

정답과 풀이 1쪽

1 다음과 같은 상황에서 이안이는 어떤 그림을 이용하는 것이 더 편리할지 기호를 쓰시오.

> 이안이는 ○○아파트 104동에 사는 하율이의 초대를 받아 하율이네 집을 처음 방문하게 되었습니다.

㉠ 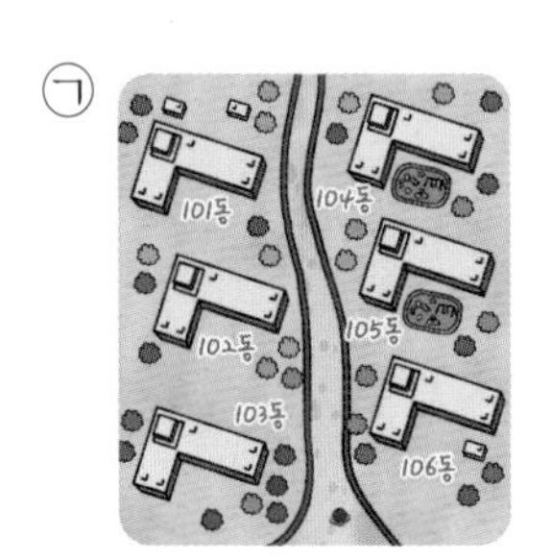

㉡ 

( )

2 다음과 같이 위에서 내려다본 땅의 실제 모습을 일정한 형식으로 줄여서 나타낸 그림을 무엇이라고 합니까? ( )

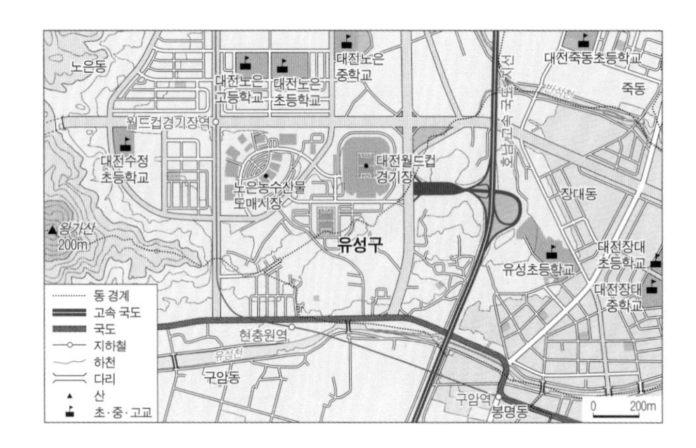

① 지도
② 그래프
③ 풍경화
④ 위성 사진
⑤ 항공 사진

3 항공 사진과 지도의 공통점으로 알맞은 것은 어느 것입니까? ( )

① 정보가 담겨 있지 않다.
② 위에서 내려다본 모습이다.
③ 아래에서 올려다본 모습이다.
④ 다른 장소나 건물을 찾는 데 도움이 되지 않는다.
⑤ 주요 건물이나 지하철역 등의 이름이 나타나 있지 않다.

4 같은 지역을 나타낸 다음 자료 중 지도라고 할 수 <u>없는</u> 것을 찾아 기호를 쓰시오.

㉠ 

㉡ 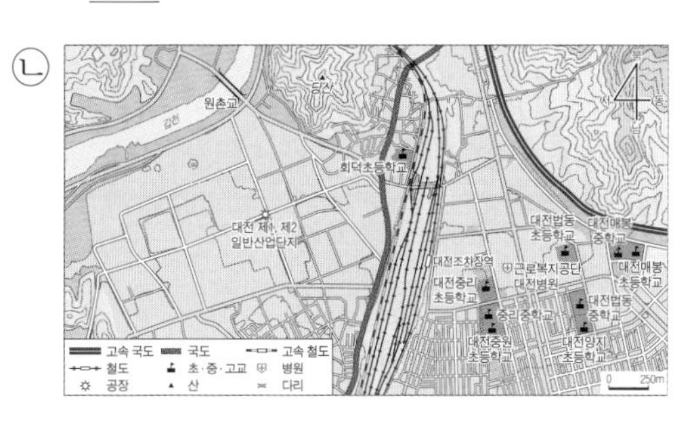

( )

5 위 **4**번 답을 쓴 까닭에 대해 알맞게 이야기한 어린이를 쓰시오.

시후 : 지역을 한눈에 알아보기 쉽게 나타내서 지도가 아니야.
나은 : 위에서 내려다본 모습을 나타내서 지도라고 할 수 없어.
민혁 : 그리는 사람의 마음대로 지역을 표현할 수 있어서 지도라고 할 수 없어.

( )

6 다음 네 고개 퀴즈의 정답을 찾아 기호를 쓰세요.

 우리 생활에서 많이 활용해.

 산이나 강, 건물의 위치를 알 수 있어.

 건물이나 지하철역 등의 이름이 나타나 있어.

 정해진 약속에 따라 나타냈어.

㉠ 
▲ 풍경화

㉡ 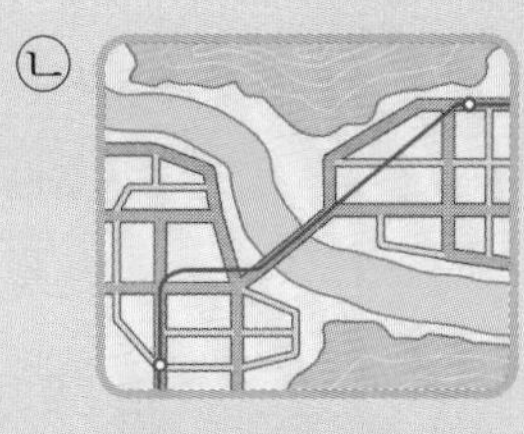
▲ 지도

㉢ 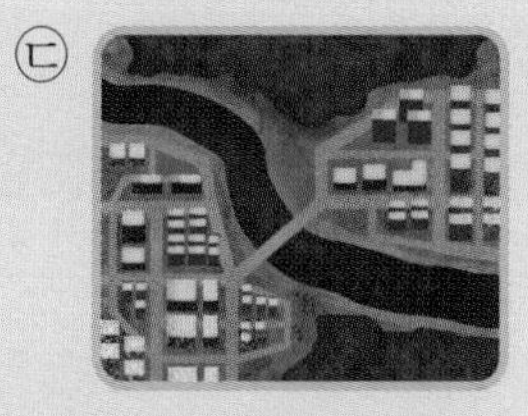
▲ 항공 사진

( )

2일 방위와 범례

어느 쪽으로 가야 해?

용어 체크

방위

기준에 따른 일정한 방향 또는 그 방향에서 측정한 다른 방향

예 지도에서는 동서남북을 이용해 위치를 나타내는데 이것을 ❶ ______ 라고 한다.

방위표

지도에서 동서남북의 방향을 알려 주는 표시

▲ 4방위표

예 지도에 있는 ❷ ______ 를 보고 위치를 파악할 수 있다.

정답 ❶ 방위 ❷ 방위표

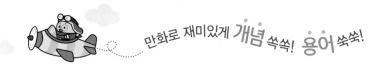

 이 지도에 우체국이 어디 있어?

 용어 체크

기호

땅 위에 있는 건물이나 도로와 같은 것들을 지도에 간단하게 그린 그림

예 지도에는 학교, 병원 등을 간단히 나타낸 ❶ ☐ 가 있다.

▲ 학교 모습

태극기 모양 + 학교 건물

▲ 학교 기호

정답 ❶ 기호

2일 개념 익히기

1 여러 장소의 위치를 어떻게 설명할 수 있을까?

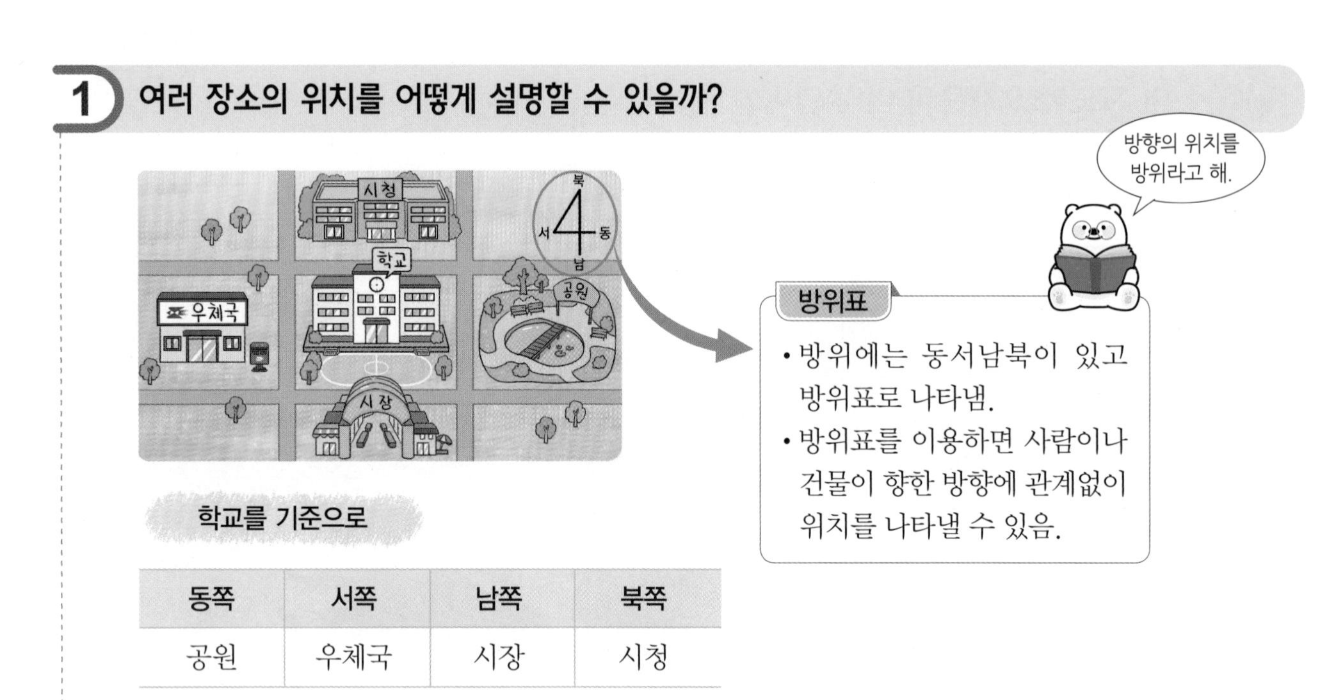

방위표

- 방위에는 동서남북이 있고 방위표로 나타냄.
- 방위표를 이용하면 사람이나 건물이 향한 방향에 관계없이 위치를 나타낼 수 있음.

학교를 기준으로

동쪽	서쪽	남쪽	북쪽
공원	우체국	시장	시청

지도에서 한 곳을 기준으로 정해 ❶(방위표 / 등고선)에 따라 여러 장소의 위치를 설명합니다.

2 지도에 방위표가 없다면 위치를 어떻게 알 수 있을까?

지도에 방위표가 없는 경우

오른쪽이 동쪽, 왼쪽이 서쪽, 아래쪽이 남쪽, 위쪽이 북쪽이라고 약속함.

지도에 방위표가 없으면 위쪽이 ❷(남 / 북)쪽이라고 약속합니다.

3 지도에서 나타내는 정보를 좀 더 쉽고 정확하게 알 수는 없을까?

개념 동영상

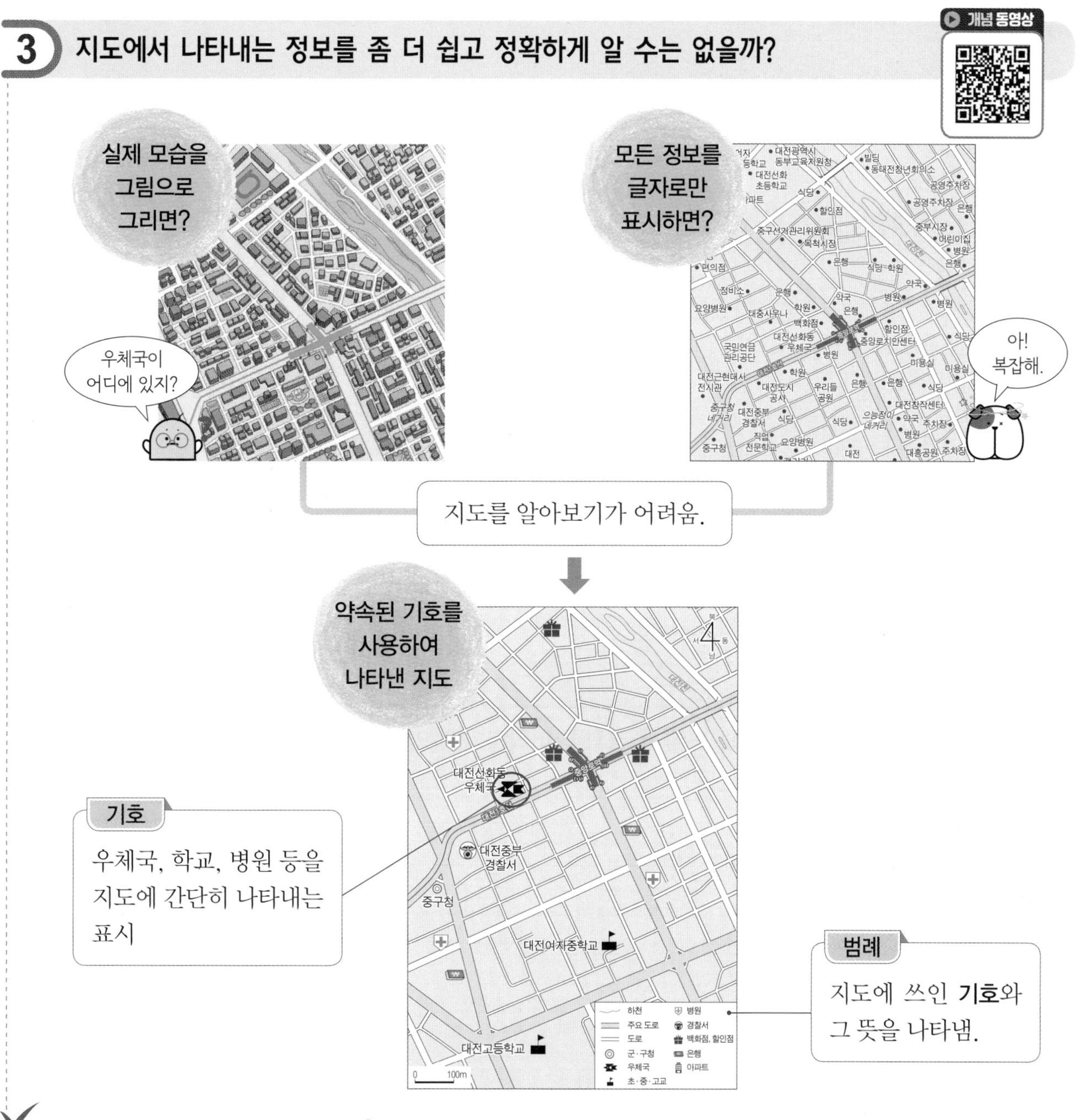

지도에서 기호의 뜻을 나타내는 ❸ (방위 / 범례)를 활용하면 정보를 쉽고 정확하게 알 수 있습니다.

정답 ❶ 방위표 ❷ 북 ❸ 범례

개념 체크

정답과 풀이 1쪽

1 방위는 ☐☐☐를 이용해 나타냅니다.

2 지도에 방위표가 없으면 오른쪽이 ☐☐입니다.

3 지도에 쓰인 ☐☐와 그 뜻을 나타내는 것을 범례라고 합니다.

보기
- 기호표
- 방위표
- 동쪽
- 서쪽
- 기호
- 방위

2일 개념 확인하기

○ 정답과 풀이 1쪽

1 다음 □ 안에 들어갈 지역으로 알맞은 곳은 어디입니까? (   )

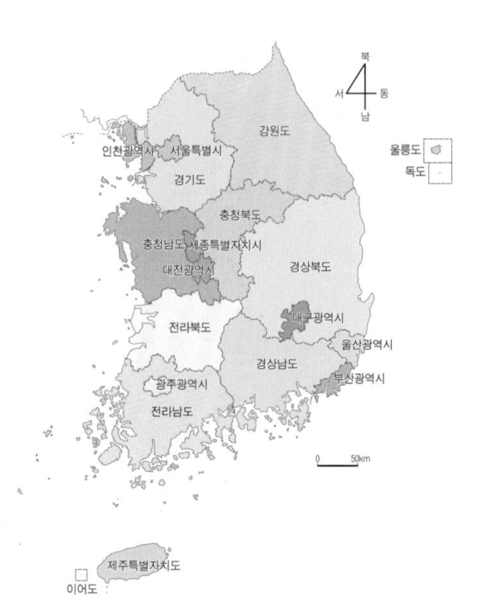

> 전라북도의 북쪽에는 □ 등의 지역이 있습니다.

① 경상남도
② 충청남도
③ 광주광역시
④ 울산광역시
⑤ 제주특별자치도

2 지도에 방위표가 없을 때 어떻게 위치를 파악하기로 약속했는지 관련 있는 것끼리 줄로 이으시오.

(1) 위쪽 •　　(2) 아래쪽 •　　(3) 오른쪽 •　　(4) 왼쪽 •

• ㉠ 동쪽　　• ㉡ 서쪽　　• ㉢ 남쪽　　• ㉣ 북쪽

3 다음과 같이 학교, 우체국, 병원 등을 지도에 간단히 나타내는 표시를 무엇이라고 하는지 쓰시오.

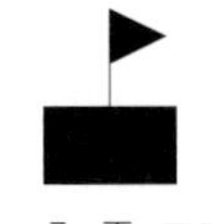
▲ 초·중·고교

▲ 대학교

▲ 우체국

▲ 병원

(   )

4 다음 밑줄 친 '이것'에 해당하는 것은 무엇입니까? (　　　　)

- 지도에 쓰인 기호와 그 뜻을 나타내는 것을 '이것'이라고 합니다.
- '이것'을 활용해 지도를 보면 지도에서 나타내는 정보를 좀 더 쉽고 정확하게 알 수 있습니다.

① 방위　② 범례　③ 축척
④ 방위표　⑤ 등고선

집중 연습 문제 방위표를 이용해 위치 찾기

5 다음 지도에서 방위표를 찾아 ○표를 하시오.

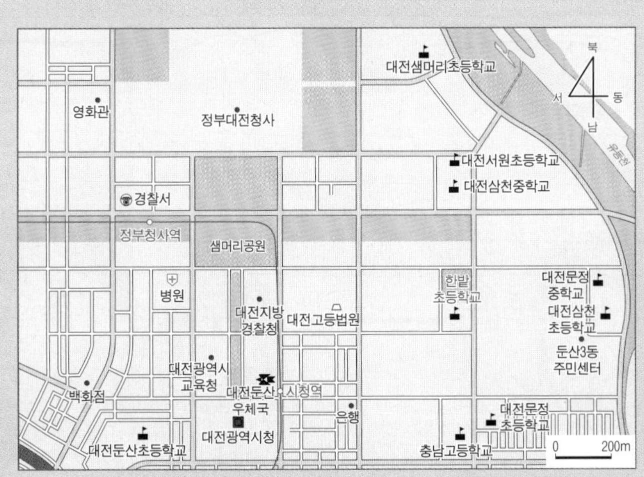

방위에는 동서남북이 있고, 방위표로 나타낸대.
㉠~㉣은 한밭초등학교의 어느 쪽에 있는지 써 볼까?
• ㉠ ➔
• ㉡ ➔
• ㉢ ➔
• ㉣ ➔

6 위 **5**번 지도를 보고, 한밭초등학교의 남쪽에 있는 것을 보기에서 찾아 기호를 쓰시오.

보기
㉠ 충남고등학교　㉡ 대전고등법원
㉢ 대전삼천중학교　㉣ 대전삼천초등학교

(　　　　　　　　)

3일 축척

보이는 것만큼 가깝지 않다고?

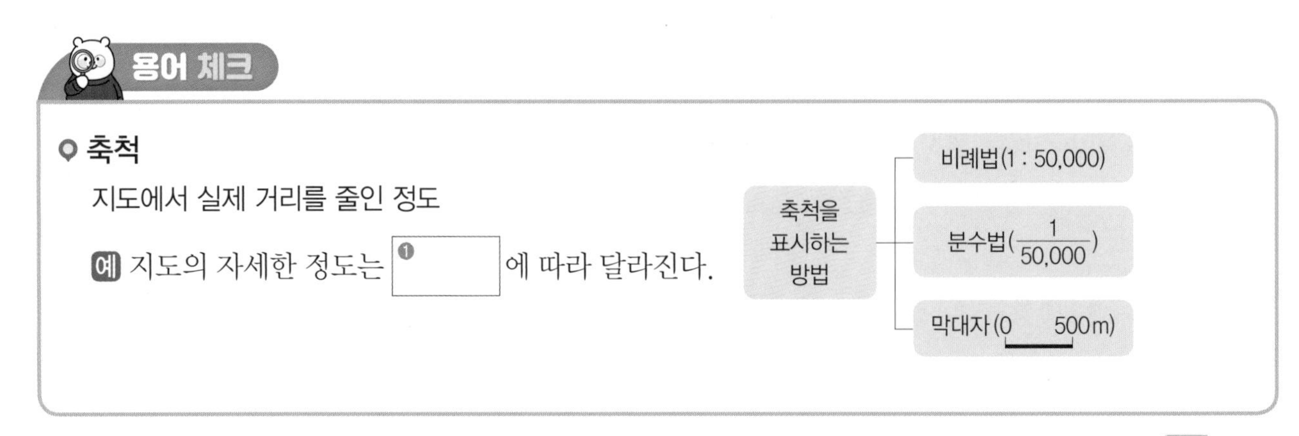

용어 체크

축척

지도에서 실제 거리를 줄인 정도

예 지도의 자세한 정도는 ❶ ______ 에 따라 달라진다.

정답 ❶ 축척

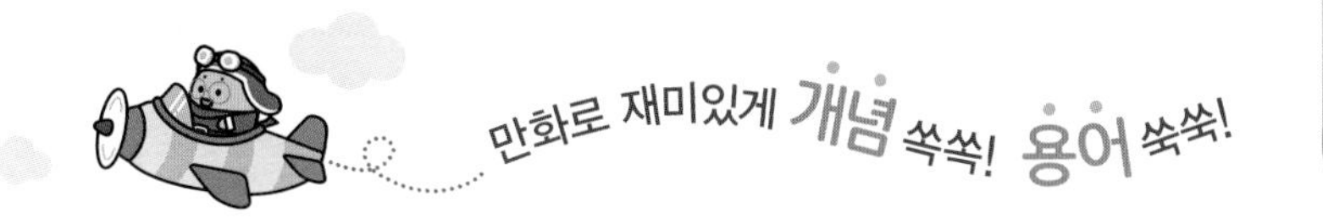

1주

더 넓은 지역을 보여 주는 지도가 필요해.

용어 체크

대축척 지도

지도의 축소율이 작은 지도로, 더 자세한 것을 보여 줌.

예 대축척 지도와 소축척 지도 중 지역을 자세히 볼 수 있는 것은 ❶ ______ 지도이다.

소축척 지도

비교적 넓은 지역을 간략하게 나타낸 지도

예 넓은 지역을 관찰할 수 있는 대한민국 전도, 세계 전도 등은 ❷ ______ 지도이다.

정답 ❶ 대축척 ❷ 소축척

3일 개념 익히기

1 지도의 자세한 정도는 왜 다른 걸까?

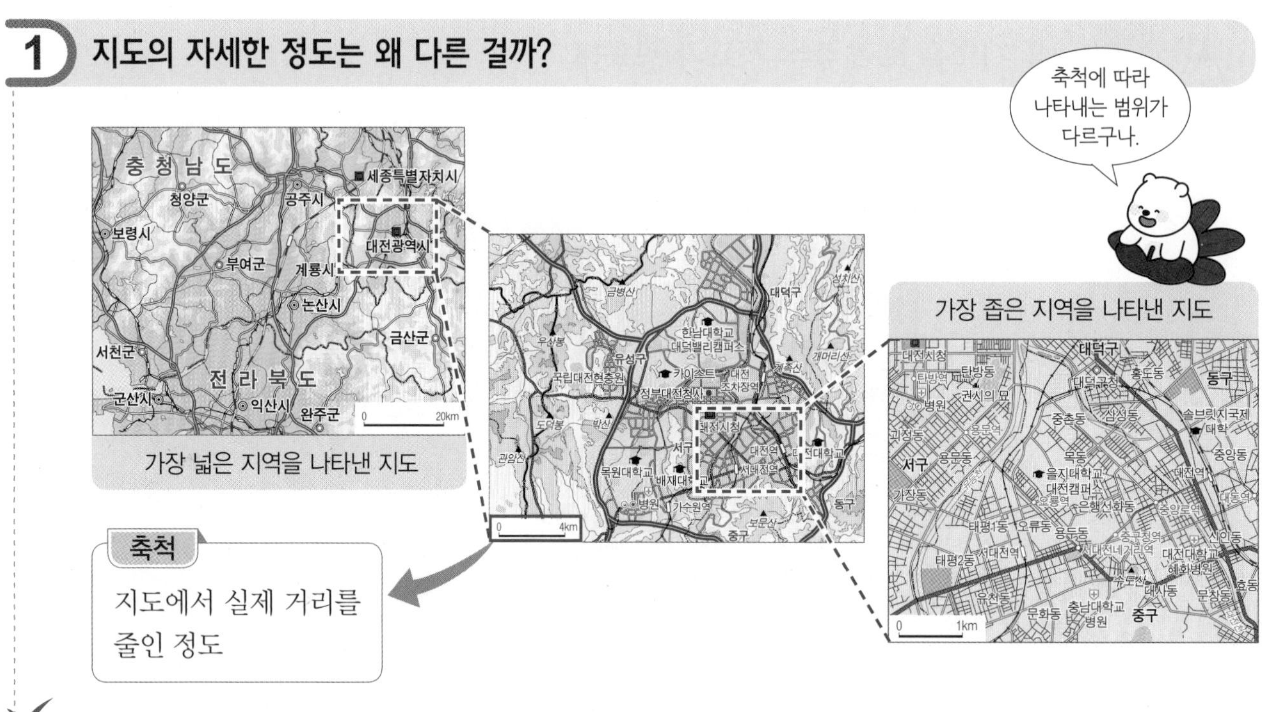

축척

지도에서 실제 거리를 줄인 정도

✔ 지도의 자세한 정도는 ❶(방위 / 축척)에 따라 달라집니다.

2 축척이 다른 두 지도를 비교해 볼까?

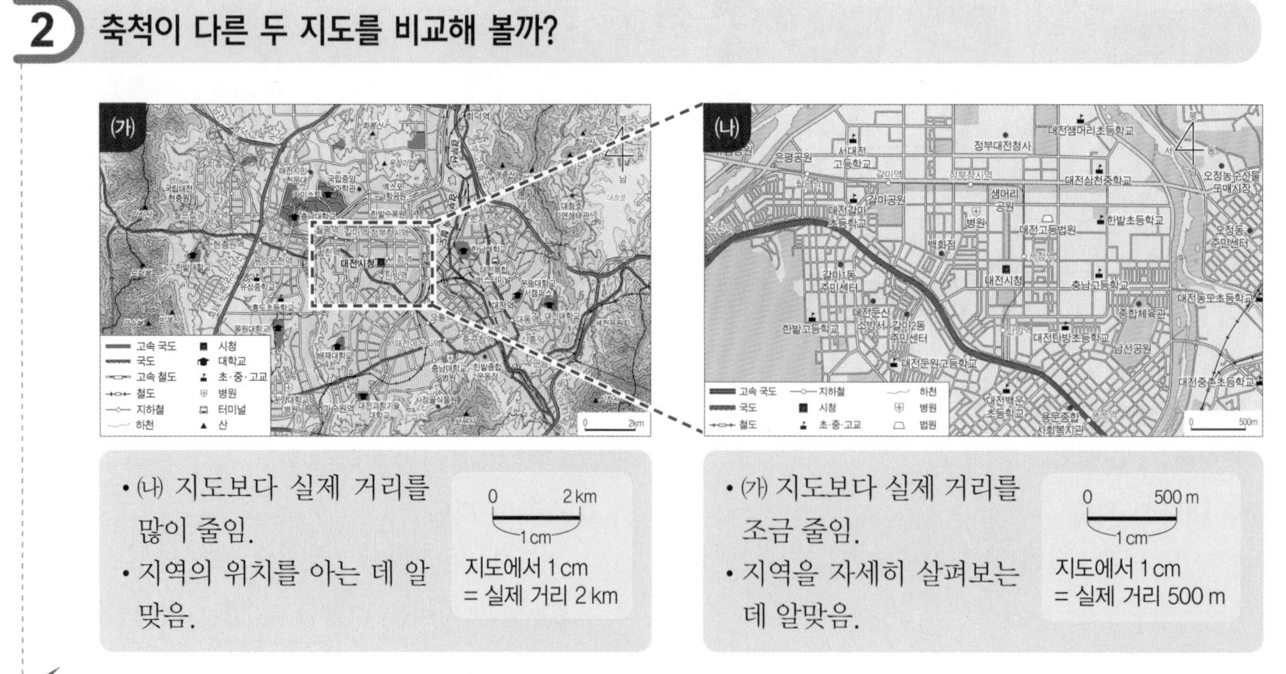

- (나) 지도보다 실제 거리를 많이 줄임.
- 지역의 위치를 아는 데 알맞음.

0 2 km (1 cm)
지도에서 1 cm = 실제 거리 2 km

- (가) 지도보다 실제 거리를 조금 줄임.
- 지역을 자세히 살펴보는 데 알맞음.

0 500 m (1 cm)
지도에서 1 cm = 실제 거리 500 m

✔ (가) 지도는 ❷(좁은 / 넓은) 지역을 간략하게 보여 주고, (나) 지도는 ❸(좁은 / 넓은) 지역을 자세하게 보여 줍니다.

3 지도에 표시된 두 지점 사이의 실제 거리를 어떻게 알 수 있을까?

축척 막대자

지도상의 거리와 실제 거리를 동시에 표시하여 지도에 나타난 두 지점 사이의 실제 거리를 쉽게 알 수 있음.

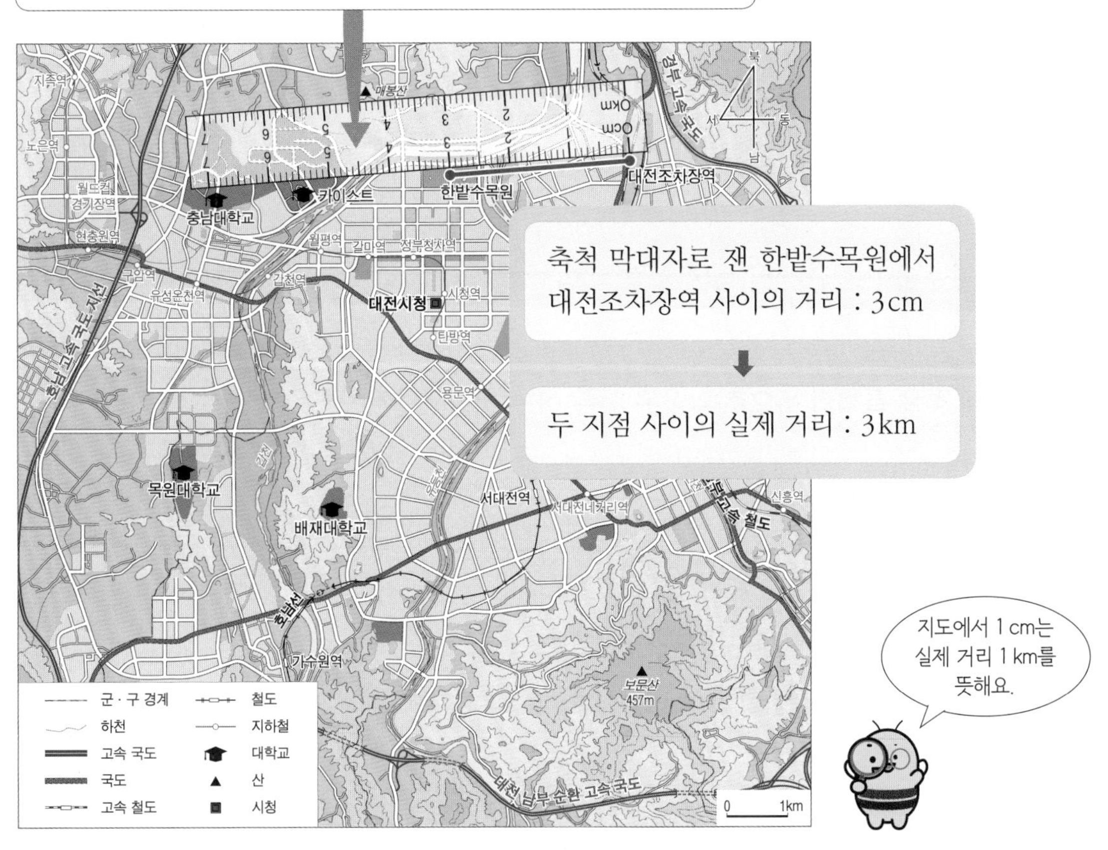

✔ 축척 막대자를 사용하면 지도에 표시된 두 지점 사이의 실제 ❹(거리 / 높이)를 쉽게 알 수 있습니다.

정답 ❶ 축척 ❷ 넓은 ❸ 좁은 ❹ 거리

개념 체크

정답과 풀이 2쪽

1 지도에서 실제 거리를 줄인 정도를 □□(이)라고 합니다.

2 실제 거리를 □□ 줄여 지도에 나타내면 지역을 자세히 볼 수 있습니다.

3 축척 □□□로 거리를 재면 지도에 표시된 두 지점 사이의 실제 거리를 쉽게 구할 수 있습니다.

보기

- 범례
- 축척
- 조금
- 많이
- 막대자
- 방위표

3일 개념 확인하기

정답과 풀이 2쪽

1 가장 넓은 지역을 나타낸 지도를 찾아 기호를 쓰시오.

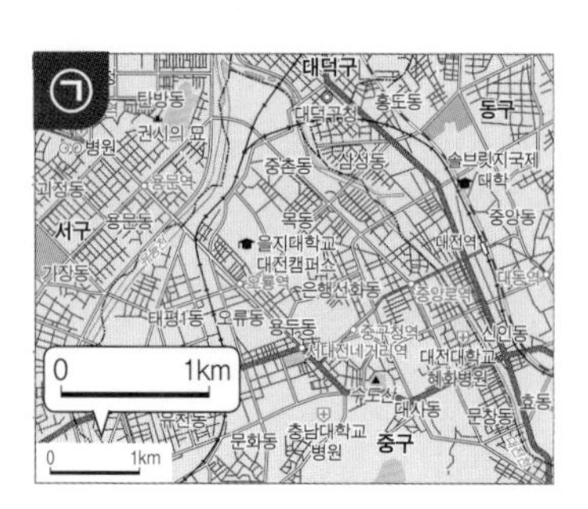

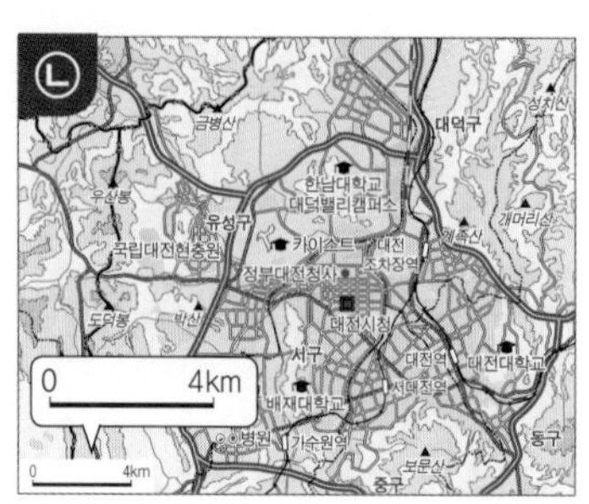

( )

2 사전에서 찾은 축척의 뜻으로 알맞은 것은 어느 것입니까? ( )

① 방향의 위치

② 지도에 쓰인 기호와 그 뜻

③ 지도에서 실제 거리를 줄인 정도

④ 높이가 같은 곳을 선으로 이은 곡선

⑤ 논, 학교 등을 지도에 간단히 나타내는 표시

3 다음 지도에 대해 알맞게 이야기한 어린이를 모두 쓰시오.

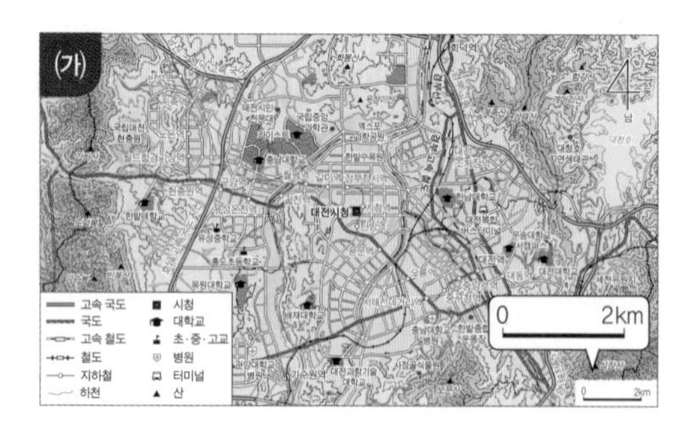

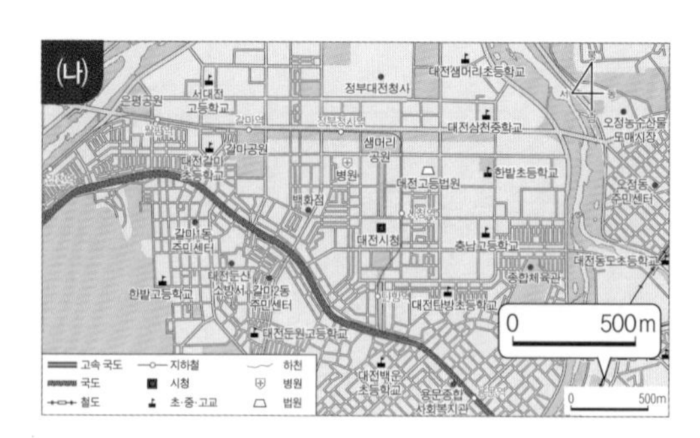

이현 : ㈎와 ㈏ 지도는 축척이 달라.
시영 : ㈎ 지도에서 1cm는 실제 거리 1km를 뜻해.
지원 : 두 지도 중 좁은 지역을 자세하게 보여 주는 것은 ㈎ 지도야.
혜준 : 두 지도 중 실제 거리를 조금 줄여서 나타낸 것은 ㈏ 지도야.

(,)

4 다음 밑줄 친 부분에 들어갈 말로 알맞은 것은 어느 것입니까? (　　　　)

> 오른쪽과 같은 축척 막대자를 사용하면 지도에 표시된 ＿＿＿＿＿을/를 쉽게 알 수 있습니다.
>
> 0cm 1 2 3 4 5 6 7
> 0km 1 2 3 4 5 6 7

① 땅의 높낮이
② 바다의 깊이
③ 여러 장소의 위치
④ 땅이나 건물의 모습
⑤ 두 지점 사이의 실제 거리

5 대전시청과 한밭수목원 사이의 거리를 축척 막대자로 재어 보니 2cm입니다. 이때 두 지점 사이의 실제 거리는 몇 km인지 쓰시오.

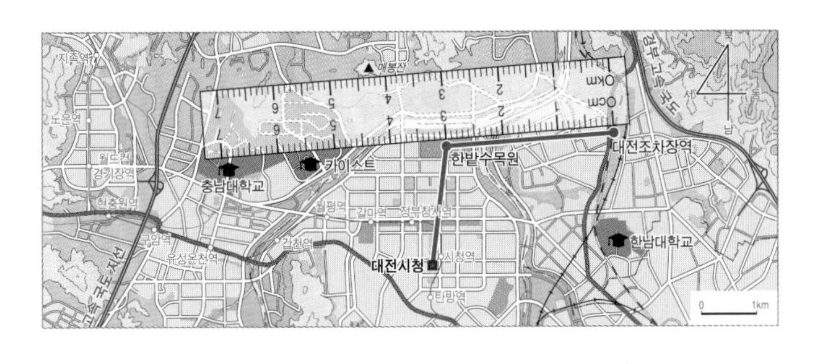

(　　　　　　　　　　)km

6 다음 지도 퍼즐을 완성하려면 ㈎ 부분에 축척을 나타낸 퍼즐 조각을 끼워 넣어야 합니다. ㈎에 들어갈 퍼즐 조각을 보기 에서 찾아 기호를 쓰세요.

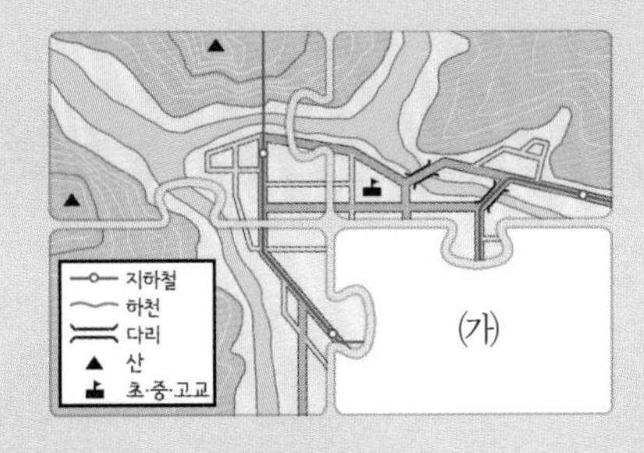

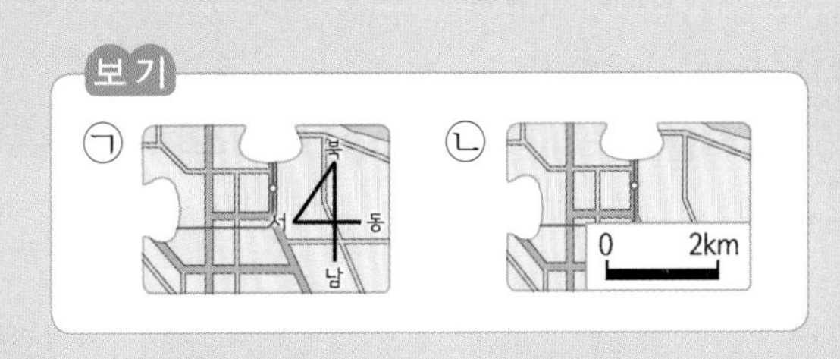

(　　　　　　　　　　)

4일 등고선과 다양한 지도

지도를 보고 땅의 높이를 알 수 있다고?

용어 체크

등고선

지도에서 높이가 같은 곳을 연결하여 땅의 높낮이를 나타낸 선

예 지도에서 ❶ (　　　) 간의 간격이 좁을수록 경사가 급하다.

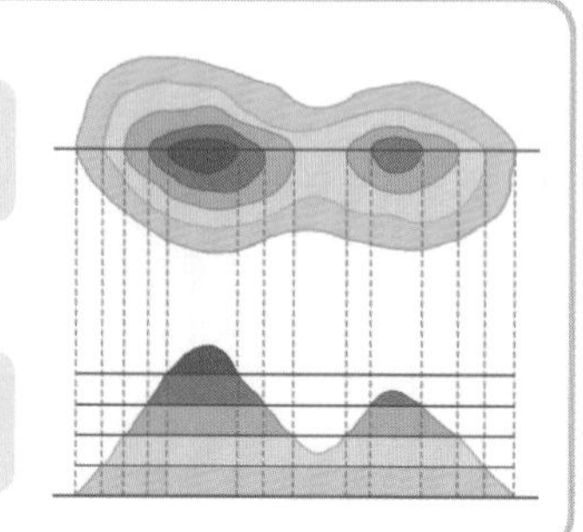

정답 ❶ 등고선

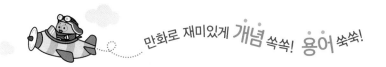

지도가 생활에서 다양하게 쓰이고 있어!

용어 체크

안내도

안내하는 내용을 그린 그림

예 관광 ❶ [ ] 를 보고 여행 계획을 세웠다.

노선도

버스, 기차, 지하철 등이 거쳐 지나는 곳을 표시한 지도

예 버스가 운행하여 다니는 길을 표시한 지도를 버스 ❷ [ ] 라고 한다.

▲ 버스 노선도

정답 ❶ 안내도 ❷ 노선도

4일 개념 익히기

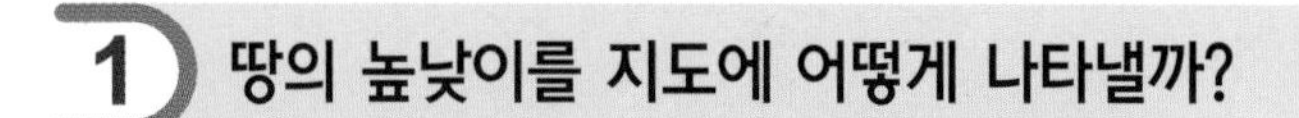

1 땅의 높낮이를 지도에 어떻게 나타낼까?

지도에서 땅의 높낮이를 나타내는 방법

▲ 보문산(대전광역시)

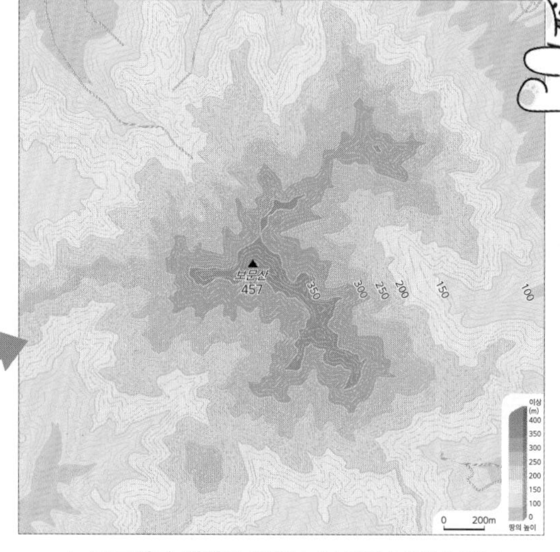

▲ **등고선**과 **색깔**로 땅의 높낮이를 나타낸 지도

등고선	• 높이가 같은 곳을 선으로 이어 땅의 높낮이를 나타냄. • 등고선 간의 간격이 넓을수록 경사가 완만하고, 간격이 좁을수록 경사가 급함.
색깔	땅의 높이가 높을수록 색이 진해짐.

등고선 모형

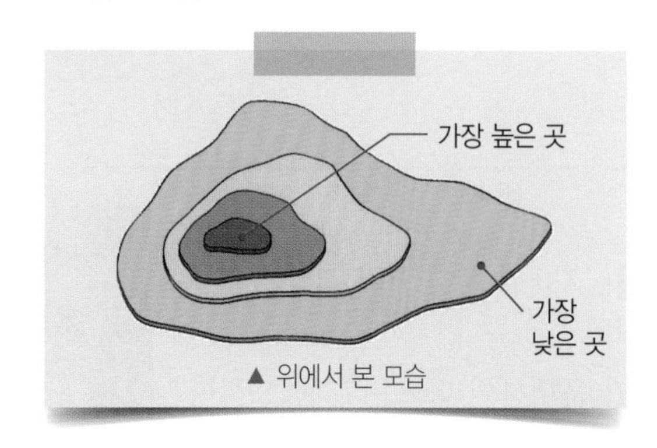

▲ 위에서 본 모습

▲ 옆에서 본 모습

☑ 지도에서는 땅의 높낮이를 등고선과 ❶(색깔 / 방위)로 나타냅니다.

2 우리 생활에서 어떤 지도를 사용하고 있을까?

중요한 것만 간략하게 나타냄.

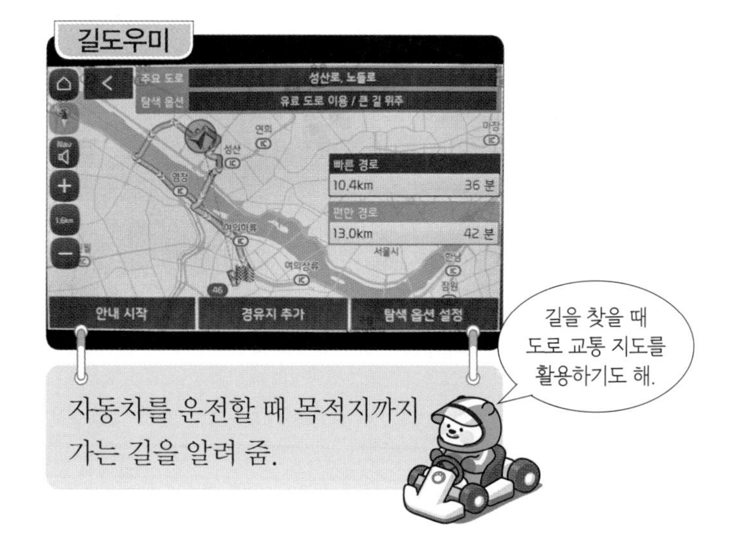

자동차를 운전할 때 목적지까지 가는 길을 알려 줌.

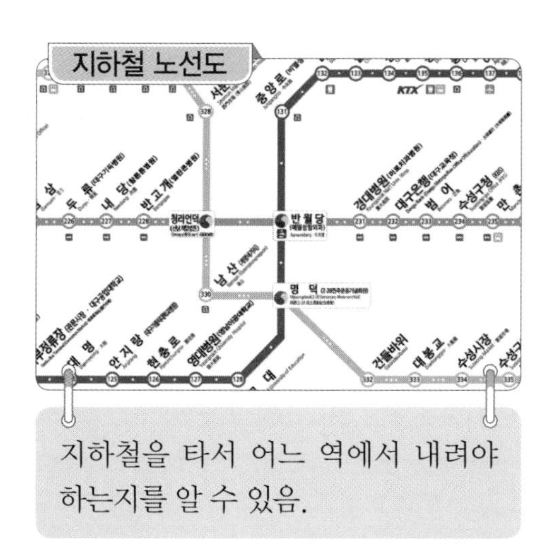

지하철을 타서 어느 역에서 내려야 하는지를 알 수 있음.

안내도에는 알리고자 하는 내용이 자세히 표시되어 있음.

우리는 생활하면서 ❷(사전 / 약도), 길도우미, 노선도, 안내도 등 다양한 지도를 사용합니다.

정답 ❶ 색깔 ❷ 약도

개념 체크

정답과 풀이 2쪽

1 지도에서 땅의 높낮이를 나타낸 선을 ☐☐☐이라고 합니다.

2 지도에서 땅의 높이가 높을수록 색이 ☐☐집니다.

3 자동차를 운전할 때 주로 ☐☐☐☐를 활용합니다.

보기
- 등고선
- 등온선
- 진해
- 연해
- 그림지도
- 길도우미

개념 확인하기

정답과 풀이 2쪽

1 다음 □ 안에 들어갈 알맞은 말은 어느 것입니까? (   )

승후 : 오른쪽 지도를 보면 보문산 주변에 선이 있는데 무슨 선일까?
소율 : 그 선은 지도에서 높이가 같은 곳을 연결하여 땅의 높낮이를 나타낸 □(이)야.

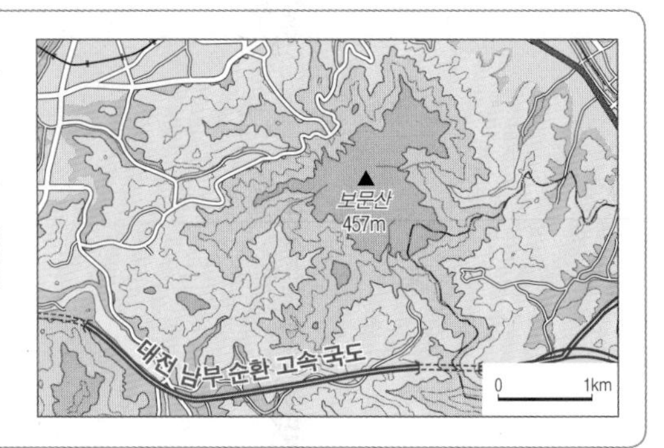

① 기호 ② 방위 ③ 범례
④ 축척 ⑤ 등고선

2 지도에서 땅의 높낮이를 나타내는 방법을 보기 에서 찾아 기호를 쓰시오.

보기
㉠ 등고선과 색깔로 땅의 높낮이를 나타냅니다.
㉡ 땅의 높이가 높을수록 연한 색으로 표현합니다.
㉢ 축척 막대자를 사용하여 땅의 높낮이를 나타냅니다.

(   )

3 다음 어린이들이 이야기하고 있는 지도로 알맞은 것은 어느 것입니까? (   )

지도에 중요한 것만 간략하게 나타나 있네.

결혼식 청첩장에서 이 지도를 본 적이 있어.

① 약도 ② 기후도 ③ 백지도
④ 길도우미 ⑤ 세계 전도

4 오른쪽 지도를 활용하는 경우로 알맞은 것은 어느 것입니까? (　　　)

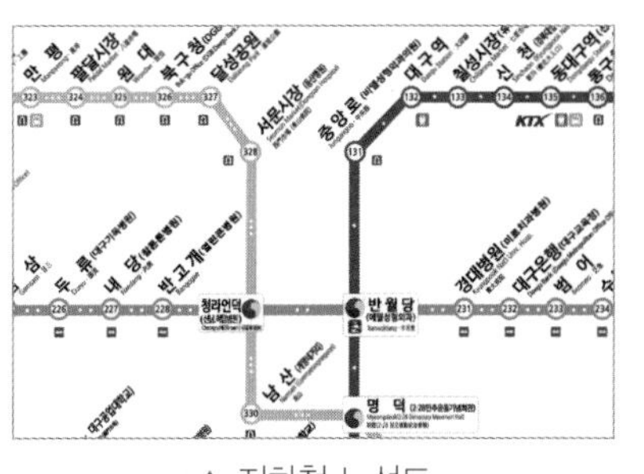
▲ 지하철 노선도

① 지하철 요금이 궁금할 때
② 지하철이 오는 시간을 알고 싶을 때
③ 어느 도로가 막히는지 알고 싶을 때
④ 어느 지하철역에서 내려야 하는지 알고 싶을 때
⑤ 자동차를 운전하면서 목적지까지 가는 길을 찾고 싶을 때

집중 연습 문제 등고선

5 다음 지도의 ㉠~㉢ 중 가장 높은 곳을 찾아 기호를 쓰시오.

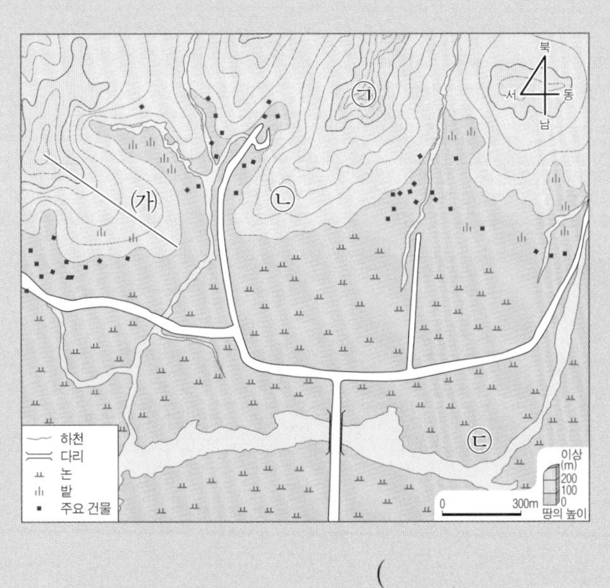

(　　　　　　　　　　)

㉠~㉢ 중 가장 높은 곳과 가장 낮은 곳을 찾아 써 볼까?

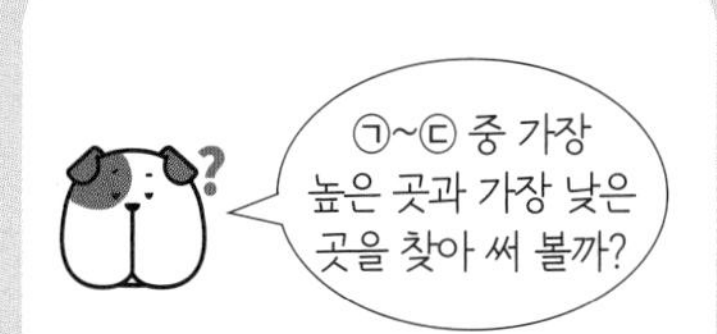

6 위 **5**번 지도를 보고, (　　) 안의 알맞은 말에 ○표를 하시오.

㈎와 같이 등고선 간의 간격이 넓으면 경사가 (급 / 완만) 합니다.

등고선 간격으로 경사도 알 수 있어.

5일 1주 마무리하기 핵심

1 지도

하늘에서 내려다보면 넓은 땅의 모습과 특징을 한눈에 볼 수 있어.

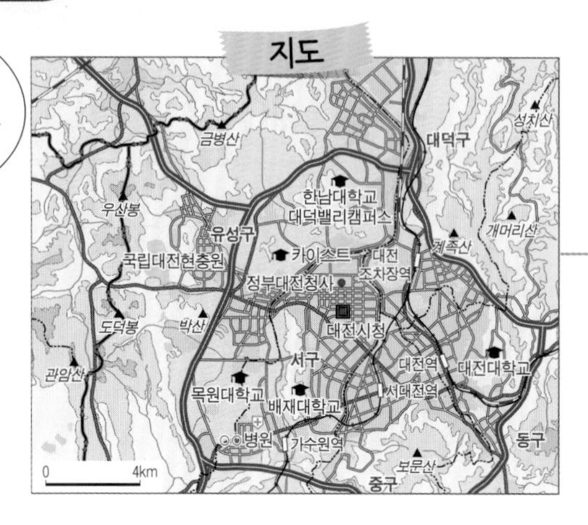

뜻

위에서 내려다본 땅의 실제 모습을 일정한 형식으로 줄여서 나타낸 그림

특징

- 필요한 정보가 보기 쉽게 나타나 있음.
- 정해진 약속에 따라 그려야 함.
- 지도를 이용하면 다른 장소나 건물을 쉽게 찾아갈 수 있음.

2 지도의 기본 요소

지도에서 다양한 정보를 얻을 수 있어서 '지도를 읽는다' 라고 해.

등고선

높이가 같은 곳을 선으로 이어 땅의 높낮이를 나타냄.

방위표

- 동서남북을 이용해 위치를 나타냄.
- 지도에 방위표가 없으면 위쪽이 북쪽이라고 약속함.

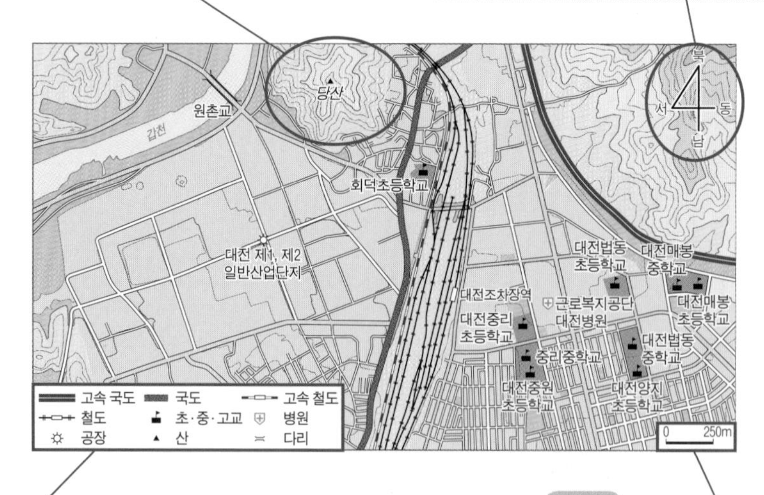

범례

- 지도에 쓰인 기호와 그 뜻을 나타냄.
- 범례를 활용하면 지도에서 나타내는 정보를 좀 더 쉽고 정확하게 알 수 있음.

축척

- 지도에서 실제 거리를 줄인 정도를 나타냄.
- 축척에 따라 지도의 자세한 정도가 달라짐.

3 실생활에서 사용하는 다양한 지도

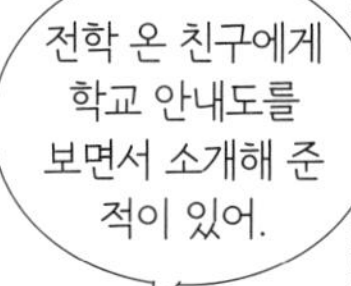

① 우리는 생활하면서 약도, 길도우미, 도로 교통 지도, 지하철 노선도, 안내도 등 다양한 지도를 활용합니다.

② 지도를 활용한 사례

길도우미

자동차를 운전할 때 목적지까지 가는 길을 찾으려고 길도우미를 봄.

지하철 노선도

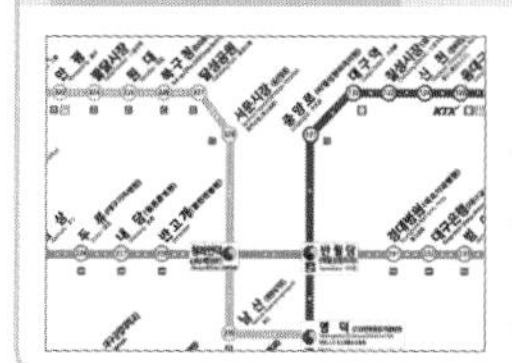

어느 역에서 지하철을 갈아타야 하는지 알고 싶어 지하철 노선도를 봄.

관광 안내도

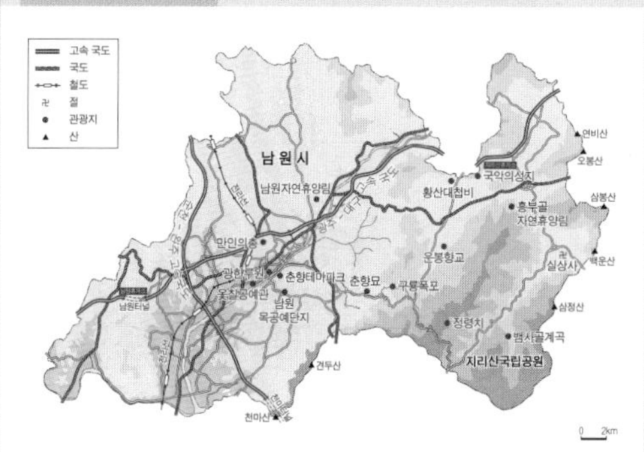

▲ 전라북도 남원시 관광 안내도

남원시로 여행을 갈 때 관광 안내도를 보고 여행 계획을 세움.

20△△. △△. △△.

스마트폰으로 하는 세계 여행

최근 정보 기술이 발달하면서 기존의 종이 지도보다는 컴퓨터나 스마트폰의 서비스를 사용해 지도를 검색하는 경우가 늘어나고 있습니다.

프랑스에 있는 에펠 탑을 보러 가고 싶으신가요? 지도 응용 프로그램에서 '에펠 탑'을 검색해 실제 에펠 탑의 모습을 볼 수 있습니다.

스마트폰을 이용하면 이처럼 어디에서든지 간편하게 세계의 모습을 볼 수 있습니다. 스마트폰 지도 응용 프로그램의 거리 뷰, 항공 뷰 등의 기능을 활용하여 세계 곳곳의 생생한 모습을 찾아보시기 바랍니다.

5일 1주 마무리하기

1일 지도

[1~2] 다음 자료를 보고, 물음에 답하시오.

㉠

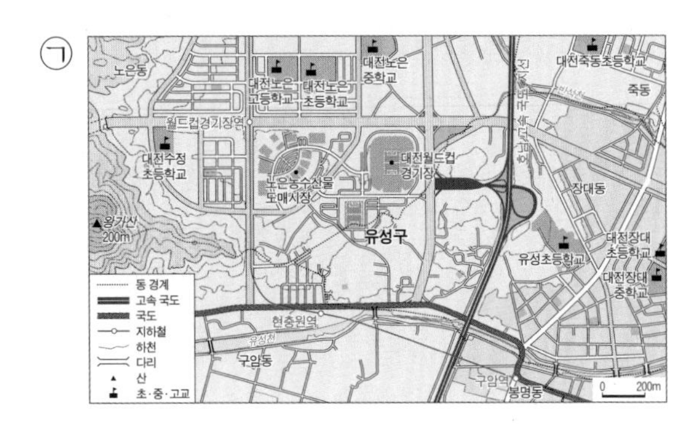

㉡

1 위 ㉠과 ㉡은 무엇인지 각각 쓰시오.

㉠ (　　　　　　　　) ㉡ (　　　　　　　　)

2 위 ㉠과 ㉡에 대해 알맞게 이야기하지 않은 어린이는 누구인지 쓰시오.

> 하온 : ㉠과 ㉡ 모두 정면에서 바라본 모습이야.
> 은빈 : ㉠에는 필요한 정보가 보기 쉽게 나타나 있어.
> 민재 : ㉡은 확대하지 않으면 건물 등이 자세히 보이지 않아.

(　　　　　　　　)

2일 방위와 범례

3 다음 □ 안에 들어갈 알맞은 말은 어느 것입니까? (　　　)

> 지도에 있는 □ 을/를 이용하면 사람이나 건물이 향한 방향에 관계없이 위치를 나타낼 수 있습니다.

① 기호　② 범례　③ 축척
④ 방위표　⑤ 등고선

○ 정답과 풀이 3쪽

빠른 정답 보기

1주

4 다음 그림지도에서 학교를 기준으로 서쪽에 있는 것은 무엇입니까? (   )

① 공원
② 시장
③ 시청
④ 공터
⑤ 우체국

5 다음 ㈎와 같이 지도에 쓰인 기호와 그 뜻을 나타내는 것을 무엇이라고 하는지 쓰시오.

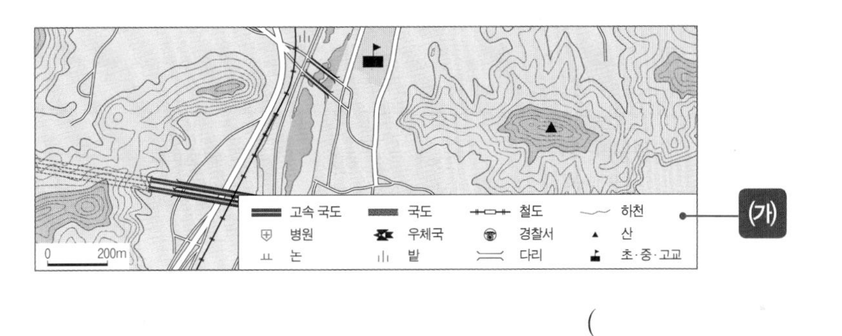

(   )

3일 축척

6 좁은 지역을 자세하게 보여 주는 지도를 찾아 ○표를 하시오.

(1)

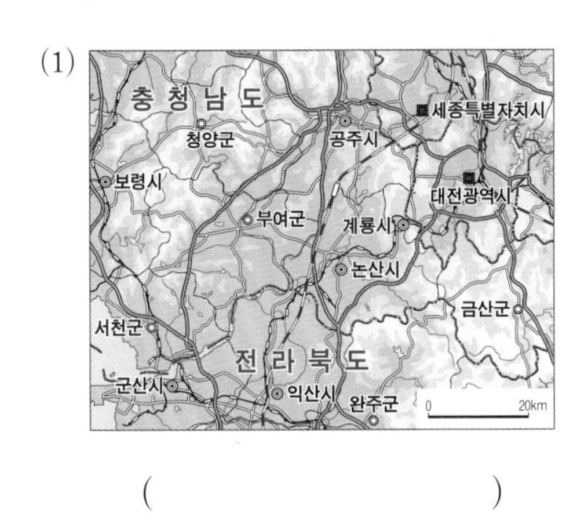

(   )

(2)

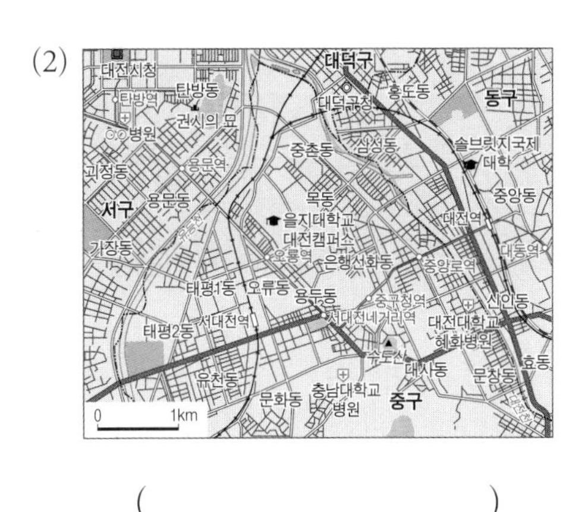

(   )

7 축척에 대한 설명으로 알맞은 것을 보기 에서 모두 찾아 기호를 쓰시오.

보기
㉠ 지도에서 실제 거리를 줄인 정도를 말합니다.
㉡ 지도에 나타난 축척을 보고 실제 거리를 알 수 있습니다.
㉢ 축척이 달라도 지도의 자세한 정도에는 차이가 없습니다.
㉣ 건물의 모습을 지도에 간단히 나타낼 때 사용하는 표시입니다.

(,)

8 한밭수목원에서 대전조차장역 사이의 실제 거리는 몇 km인지 쓰시오.

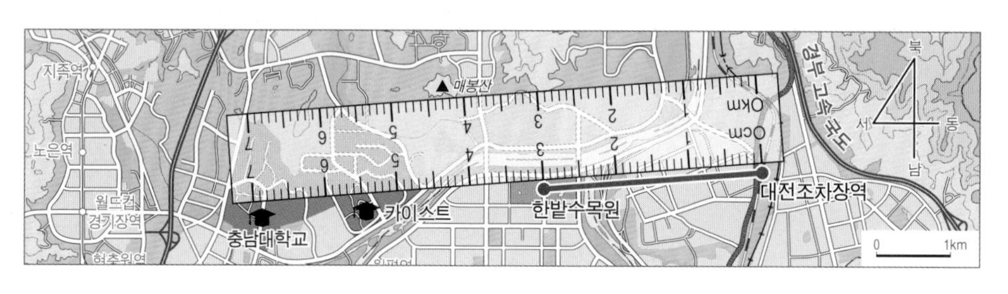

( )km

4일 등고선과 다양한 지도

9 지도에서 땅의 높낮이를 나타내는 방법을 두 가지 고르시오. (,)

① 기호 ② 색깔 ③ 방위
④ 축척 ⑤ 등고선

10 오른쪽 등고선 모형에서 가장 높은 곳을 찾아 기호를 쓰시오.

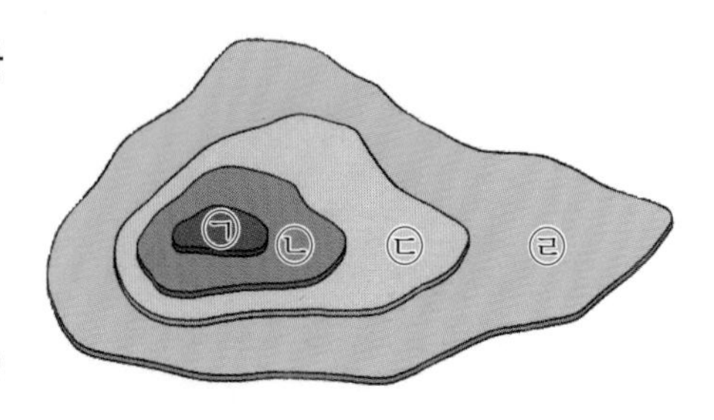

( )

서술형

11 오른쪽 질문에 대한 댓글을 지도와 관련해서 한 가지만 쓰시오.

질문
자동차를 운전하면서 목적지까지 가는 길을 찾고 싶은데, 어떻게 하면 좋을까요?
댓글 입력 [　　　] 등록
완료

---

12 다음 □ 안에 공통으로 들어갈 알맞은 말은 어느 것입니까? (　　　)

• 관광 □를 보면서 여행 계획을 세웠습니다.
• 다양한 지도 중 □에는 알리고자 하는 내용이 자세히 표시되어 있습니다.

① 약도　② 노선도　③ 안내도
④ 백지도　⑤ 기후도

13 다음에서 설명하는 낱말을 말 상자에서 찾아 모두 ○표를 하세요. 말 상자의 낱말은 가로, 세로, 대각선에 숨어 있어요.

방	범	례	축	척
후	위	성	★	소
기	사	진	대	등
호	연	지	도	고
우	★	리	노	선

1. 위에서 내려다본 땅의 실제 모습을 일정한 형식으로 줄여서 나타낸 그림
2. 방향의 위치
3. 건물, 도로 등을 지도에 간단히 나타낸 표시
4. 지도에서 높이가 같은 곳을 연결하여 땅의 높낮이를 나타낸 선

1주 누구나 100점 TEST

맞은 개수 /10개

1 다음 자료에 대해 알맞게 이야기한 어린이를 쓰시오.

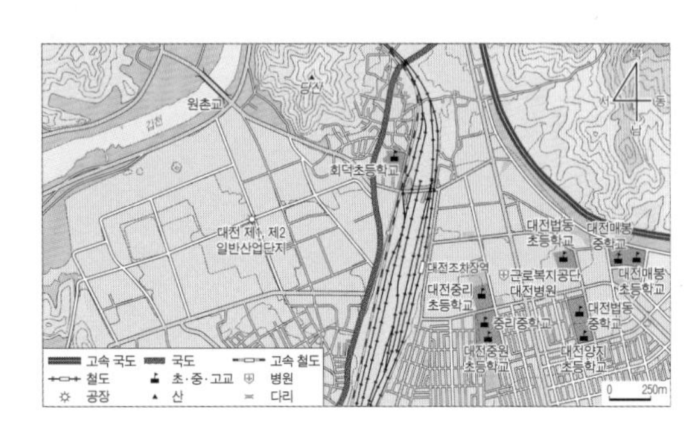

혜준 : 정해진 약속에 따라 그린 지도야.
우석 : 인공위성에서 찍은 위성 사진이야.
정원 : 정면에서 바라본 모습을 나타냈어.

( )

2 서울특별시의 동쪽에 있는 지역은 어디입니까? ( )

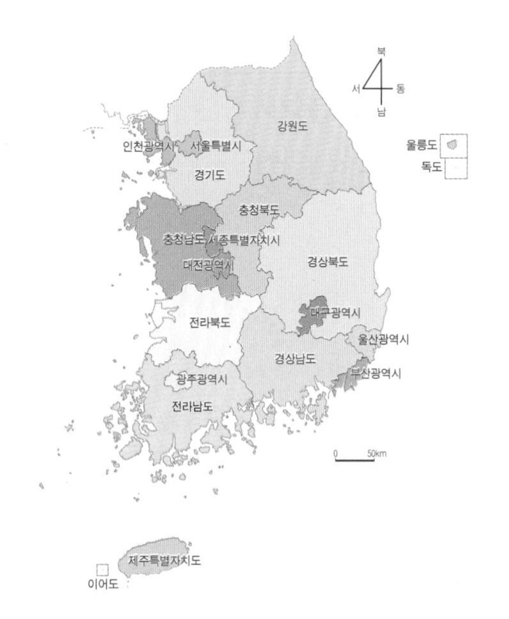

① 강원도 ② 충청남도
③ 인천광역시 ④ 광주광역시
⑤ 세종특별자치시

3 다음 내용과 관련 있는 지도의 기본 요소는 어느 것입니까? ( )

• 방향의 위치 • 동서남북

① 기호 ② 방위 ③ 범례
④ 축척 ⑤ 등고선

4 건물 등을 지도에 간단히 나타내는 표시인 기호를 찾아 ○표를 하시오.

(1) 0 500 m (2) (3) 북 서 동 남

( ) ( ) ( )

5 더 알아보기 쉬운 지도를 찾아 기호를 쓰시오.

㉠

㉡
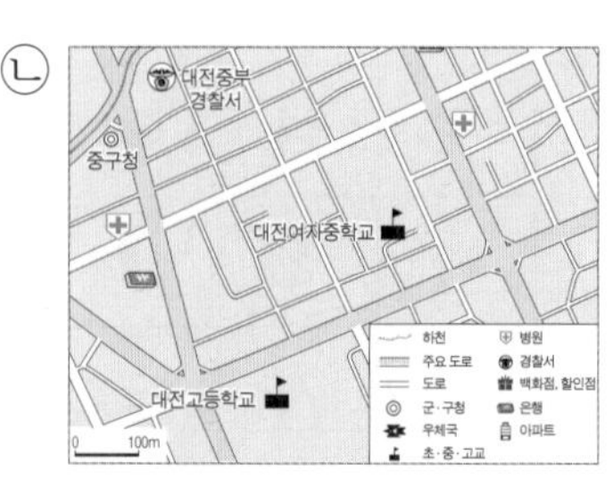

( )

6 범례의 뜻으로 알맞은 것은 어느 것입니까? ( )

① 기준에 따른 일정한 방향
② 지도에 쓰인 기호와 그 뜻
③ 지도에서 실제 거리를 줄인 정도
④ 병원, 학교 등을 지도에 간단히 나타내는 표시
⑤ 지도에서 높이가 같은 곳을 연결하여 땅의 높낮이를 나타낸 선

7 다음 중 넓은 지역을 간략하게 보여 주는 지도를 찾아 기호를 쓰시오.

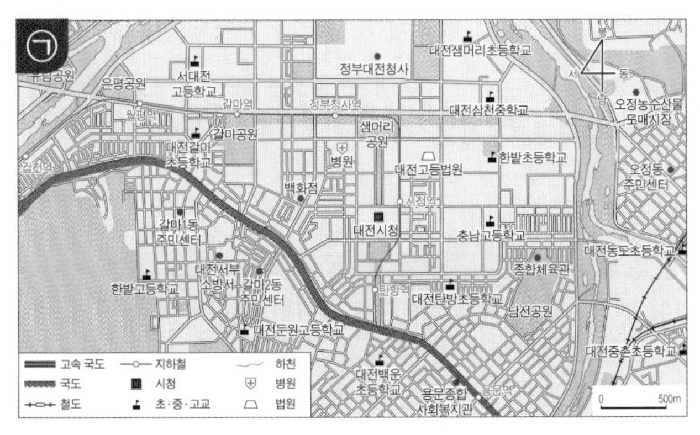

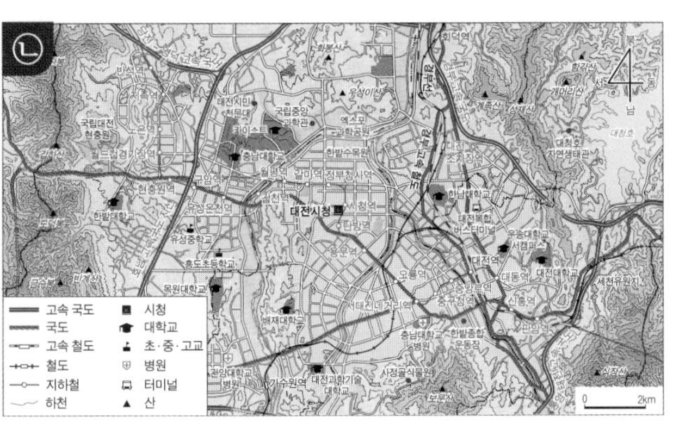

( )

8 다음 □ 안에 들어갈 알맞은 숫자는 무엇입니까? ( )

> 축척이 0 ──── 2km라고 표시된 지도에서 1 cm는 실제 거리 □ km를 뜻합니다.

① 0.1　② 0.2　③ 1
④ 2　⑤ 20

9 지도에 있는 등고선을 보고 알 수 있는 것을 보기 에서 찾아 기호를 쓰시오.

> 보기
> ㉠ 땅의 높낮이
> ㉡ 지도에 쓰이는 기호의 뜻
> ㉢ 지도에서 실제 거리를 줄인 정도

( )

10 약도에 해당하는 것을 찾아 ○표를 하시오.

(1)

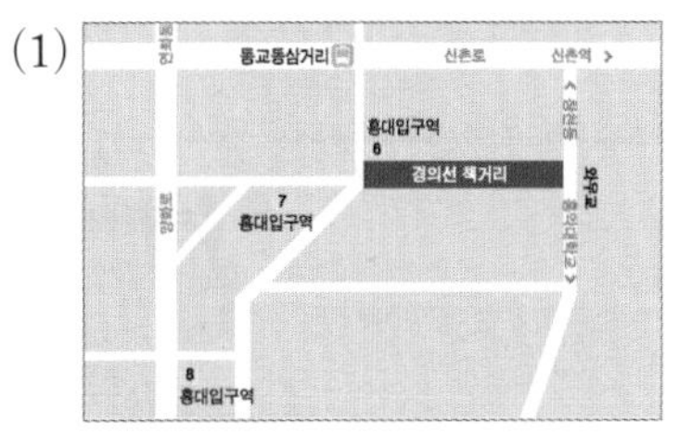

( )

(2)

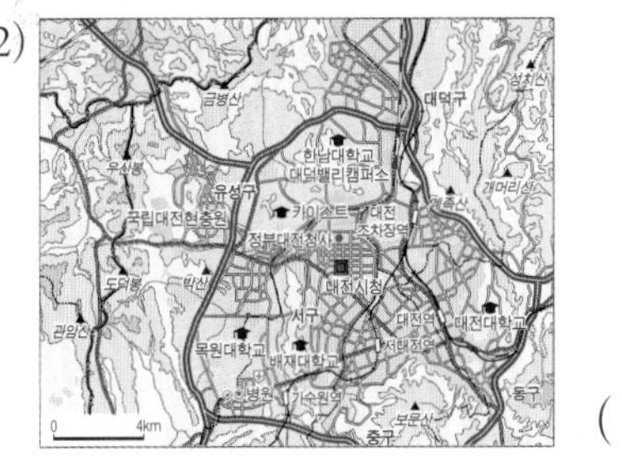

( )

창의·융합·코딩

1주 특강 생활 속 사회

방위가 필요한 까닭을 이해하고, 생활 속에서 방위를 찾는 방법을 살펴봅니다.

방위의 필요성

도로시 누나! 떡볶이에 대해 들어 본 적 있어?

한류 문화의 영향으로 내가 사는 곳에서도 떡볶이가 유명해. 꼭 먹어 보고 싶어.

떡볶이 맛집에 가 볼까? 천재 문구점 오른쪽에 있는 떡볶이 가게에서 5시에 만나.
맛있겠다…

왜 안 오지?

음하하하! 어리석긴~ 문구점을 바라보는 방향에 따라 도로시와 민지가 생각한 오른쪽이 달라서 만나지 못한 거잖아.
생활 속에서 방위를 찾는 방법도 이 서쪽 마왕님이 알려 주지.

생활 속에서 방위를 찾는 방법

❶ **나무의 나이테 살펴보기**
나이테의 간격이 좁은 쪽이 북쪽, 넓은 쪽이 남쪽

❷ **밤하늘의 별 살펴보기**
북극성이 보이는 쪽이 북쪽

서쪽 마왕 제법이다멍!

1 어린이들이 주고받은 다음 대화를 읽고, ㉠과 ㉡에 들어갈 알맞은 말을 글자 칸에서 찾아 각각 쓰세요.

Talk Talk

나만 빼고 떡볶이 맛집에 가더니 쌤통이다.
그러니까 ㉠ 를 이용해 위치를 말했어야지.

㉠ ?

지도에서 동서남북의 방향을 알려 주는 표시를
㉠ 라고 해.

내가 가진 지도에는 ㉠ 가 없는데,
어떻게 위치를 알 수 있을까?

지도에 ㉠ 가 없으면 위쪽이 ㉡ 쪽이라고 약속해.

고마워. 앞으로는 동서남북으로 위치를 말해야지.

축	기	고	서	범	방
호	선	례	표	등	남
북	척	위	도	동	지

㉠ (   ) ㉡ (   )

창의·융합·코딩

사고 쑥쑥

지도의 의미와 기본 요소에 대해 알아봅니다.

2 빙고 게임을 하기 위해 친구들이 지도에 대해 이야기하고 있어요.

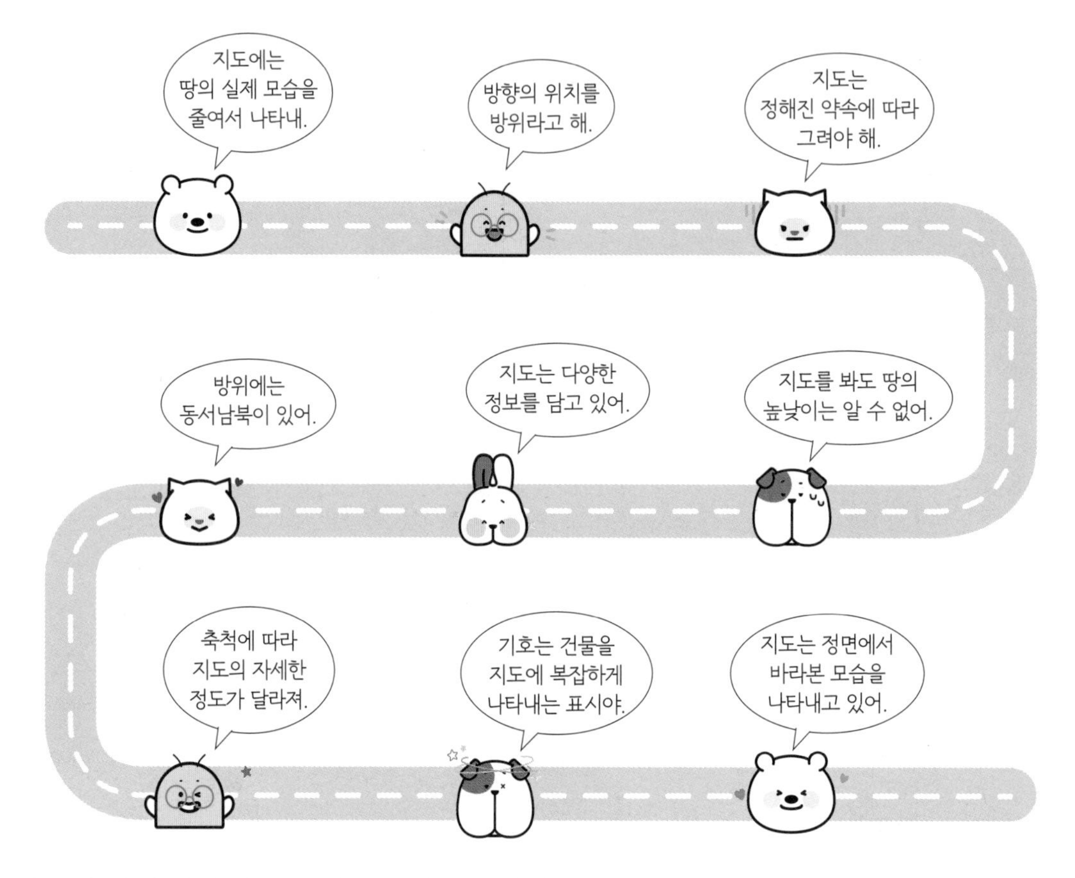

(1) 지도에 대해 알맞게 이야기한 친구들을 다음 빙고 판에서 모두 찾아 ○표를 하세요.

(2) 위 (1)번의 빙고 판에서 완성된 빙고는 모두 몇 줄인지 쓰세요.

( )줄

다트 판에 적혀 있는 지도에 대한 설명이 알맞은 내용인지 살펴봅니다.

3 다음은 다트 대결을 펼치기로 한 도로시와 서쪽 마왕이 다트 판에 화살을 던진 결과예요.

다트 대결 규칙

- 알맞은 내용에 화살을 던지면 10점을 얻습니다. ➡ +10점
- 틀린 내용에 화살을 던지면 5점이 감점됩니다. ➡ −5점
- 다트 판 밖에 화살을 던지면 0점입니다. ➡ 0점

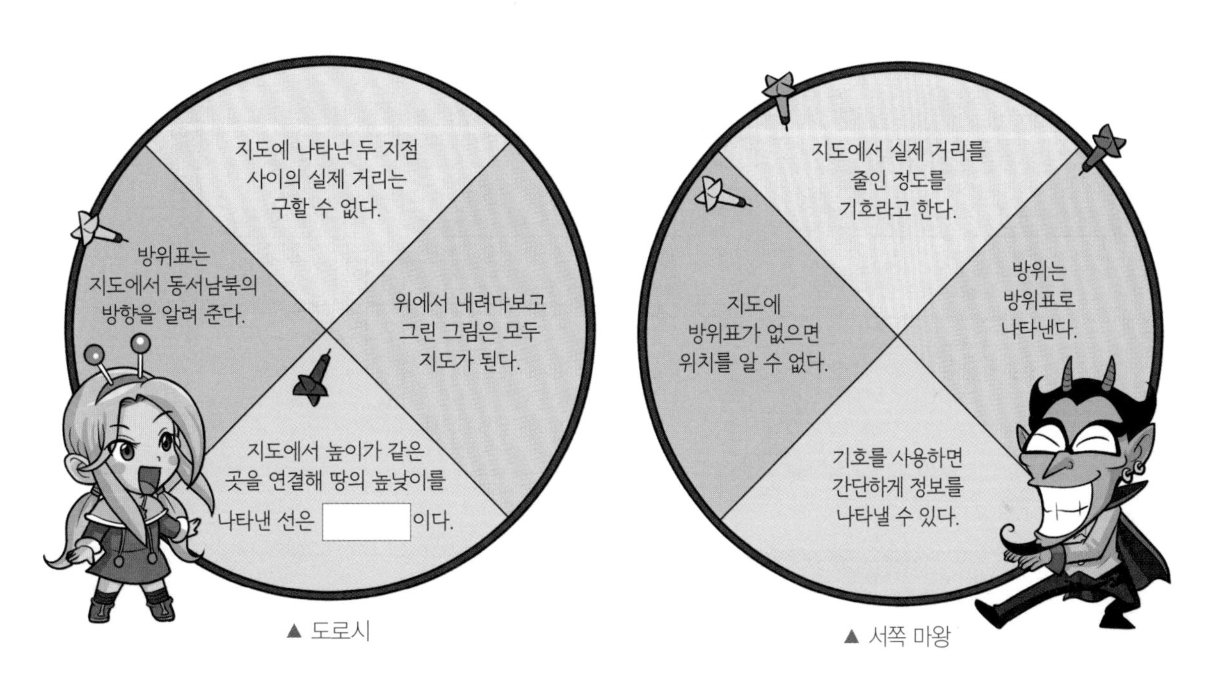

▲ 도로시 ▲ 서쪽 마왕

(1) 도로시가 얻은 점수가 20점이라고 할 때 도로시의 다트 판에서 □ 안에 들어갈 알맞은 말을 쓰세요.

( )

(2) 서쪽 마왕이 다트 대결에서 얻은 점수는 몇 점인지 쓰세요.

( )점

창의·융합·코딩

1주 특강 논리 탄탄

비밀번호를 풀 수 있는 힌트를 보고, 축척에 대한 알맞은 설명을 찾아봅니다.

4 갇혀 있는 서쪽 마왕이 문을 열기 위해서는 비밀번호가 필요해요. 힌트를 보고 비밀번호를 찾아 완성하세요.

비밀번호 힌트

- 문을 열고 싶다면 '축척'에 대해 알맞게 설명한 내용이 적힌 번호를 순서대로 누릅니다.
- 비밀번호는 세 자리 숫자입니다.

8 지도에서 실제 거리를 늘인 정도를 축척이라고 해요.

6 축척에 따라 지도에 나타내는 면적이 달라요.

4 축척을 보고 방향의 위치를 알 수 있어요.

1 실제 거리를 조금 줄여서 지도에 나타내면 나타낸 곳을 자세히 볼 수 있어요.

3 0 ___ 2km 라고 표시된 지도에서 1 cm는 실제 거리 2 km를 뜻해요.

5 대한민국 전도, 세계 전도 등은 대축척 지도예요.

7 축척은 지도에 쓰이는 기호의 뜻을 나타낸 것이에요.

비밀번호 ○ ○ ○

지도가 우리 생활에서 어떻게 활용되는지 살펴봅니다.

5 질문에 대한 알맞은 대답을 찾아 화살표로 가는 길을 표시해 보세요.

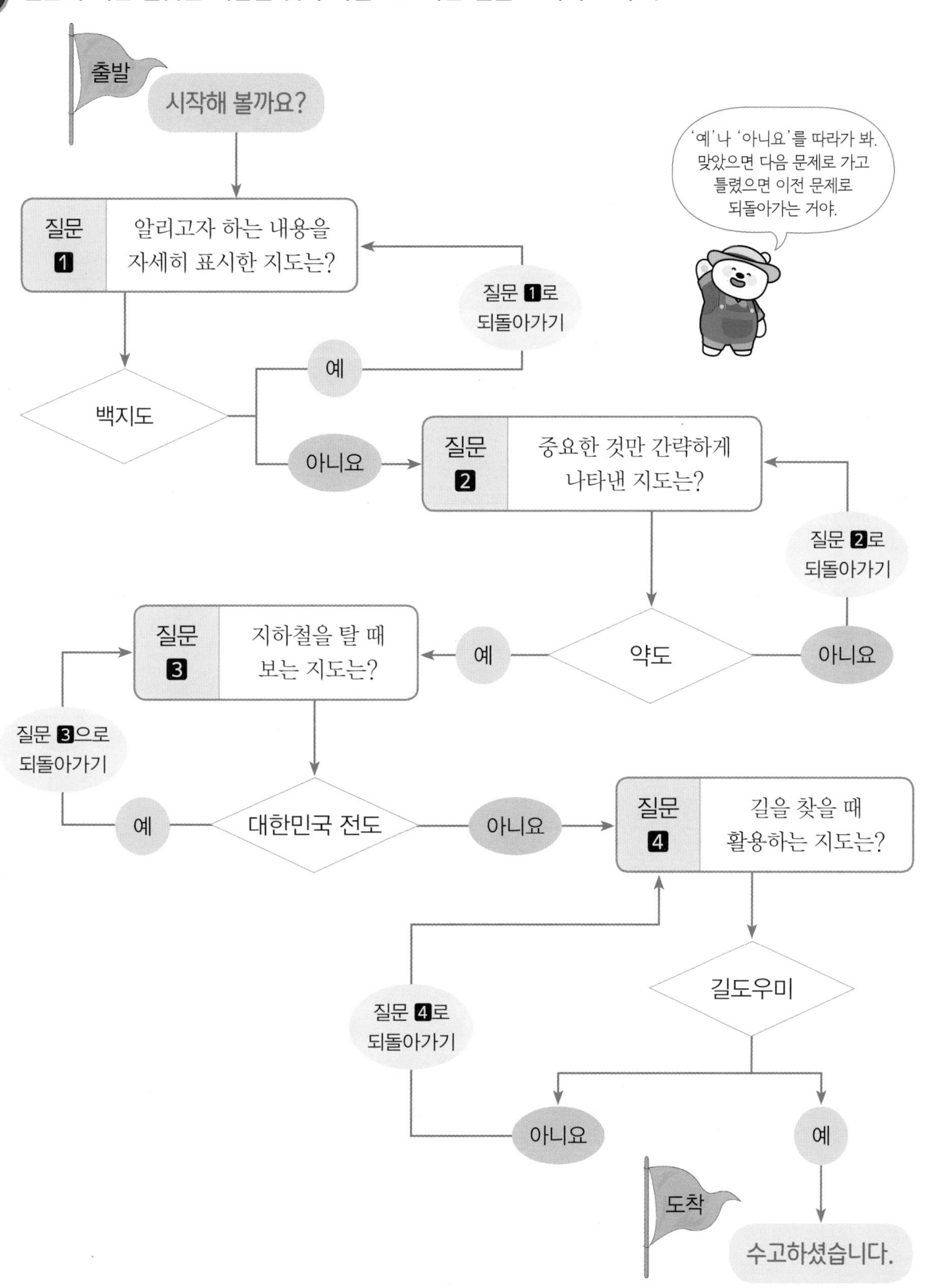

출발
시작해 볼까요?
'예'나 '아니요'를 따라가 봐. 맞았으면 다음 문제로 가고 틀렸으면 이전 문제로 되돌아가는 거야.
질문 1
알리고자 하는 내용을 자세히 표시한 지도는?
질문 1로 되돌아가기
예
백지도
아니요
질문 2
중요한 것만 간략하게 나타낸 지도는?
질문 2로 되돌아가기
질문 3
지하철을 탈 때 보는 지도는?
예
약도
아니요
질문 3으로 되돌아가기
예
대한민국 전도
아니요
질문 4
길을 찾을 때 활용하는 지도는?
길도우미
질문 4로 되돌아가기
아니요
예
도착
수고하셨습니다.

2주 중심지와 문화유산

이번 주에는 무엇을 공부할까? 1

문헌 조사, 면담 등을 통해서도 문화유산을 조사할 수 있어.

▲ 충청남도청(행정의 중심지)

▲ 문화재청 누리집

- 중심지
  - 기능
  - 답사
- 문화유산
  - 조사 방법
    - 누리집 검색
    - 답사
  - 종류
    - 유형 문화재
    - 무형 문화재

중심지를 답사하면서 배웠던 내용을 실제로 확인해 보자!

▲ 임실 필봉 농악(무형 문화재)

우리 지역에 있는 중심지와 문화유산을 답사하면 다양한 것을 직접 경험할 수 있어.

2주 핵심 용어

이번 주에는 무엇을 공부할까? ❷

중심지

中 心 地

가운데 중 중심 심 땅 지

뜻 **생활에 필요한 것을 구하거나 시설을 이용하려고 사람들이 많이 모이는 곳**

예 일반적으로 **중심지**는 어떤 일이나 활동의 중심이 되는 곳을 말한다.

행정 중심지

行 政

다닐 행 정사 정

中 心 地

가운데 중 중심 심 땅 지

도청
서류를 내러 왔어요.

뜻 **사람들이 행정적인 일을 처리하기 위해 모이는 공공 기관이 있는 곳**

예 도청에서 행정 업무를 처리하려고 우리 지역의 **행정 중심지**에 다녀왔다.

우리 지역에는 행정의 중심지, 산업의 중심지, 상업의 중심지, 관광의 중심지 등이 있어.

우리 지역의 행정 중심지를 답사해 볼까?
난 도청을 이용하는 사람들을 관찰하고 면담할 거야.
찰칵
쉿!
답사는 보호자와 함께 가야 하잖아. 그래서 따라 왔어.

답사

踏 査

밟을 답 조사할 사

뜻 **현장에 실제로 가서 보고 듣고 조사하는 활동**

예 **답사**를 효과적으로 하려면 사전에 계획을 세우고 실천하는 것이 중요하다.

문화유산은 크게 유형 문화재와
무형 문화재로 구분할 수 있어.
용어를 잘 기억해 두면 각각의 문화유산이
어디에 해당하는지 잘 알 수 있을 거야.

문화유산

文 化
글월 문 될 화

遺 産
남길 유 낳을 산

경주 불국사는
유네스코 유산에 등재된
문화유산이야.

뜻 **조상 대대로 전해 내려온 문화 중에서 다음 세대에 물려줄 만한 가치가 있는 것**

예 우리 지역의 **문화유산**을 살펴보면서 조상들의 생활 모습, 슬기와 멋을 알 수 있었다.

문화유산을
답사하러
가야지.

면담

面 談
낯 면 말씀 담

뜻 **궁금한 점을 알려고 적절한 사람을 직접 만나 이야기를 나누는 조사 방법**

예 **면담**은 조사하면서 궁금한 점을 즉시 해결할 수 있다는 장점이 있다.

유형 문화재

有 形
있을 유 모양 형

文 化 財
글월 문 될 화 재물 재

유형
문화재

뜻 **건축물, 석탑, 책 등과 같이 형태가 있는 문화유산**

예 십 원 동전에 있는 경주 불국사 다보탑은 **유형 문화재**이다.

무형 문화재

無 形
없을 무 모양 형

文 化 財
글월 문 될 화 재물 재

얼쑤~

뜻 **예술 활동이나 기술 등과 같이 형태가 없는 문화유산**

예 종묘 제례악, 승무, 강강술래, 판소리 등은 **무형 문화재**에 해당한다.

1일 중심지

중심지에서 마주칠 줄이야!

용어 체크

중심지

생활에 필요한 것을 구하거나 시설을 이용하기 위해 사람들이 많이 모이는 곳

예 고장의 ❶ [　　　] 에는 사람들이 많이 모인다.

공간 조망력

마치 새가 되어 하늘에서 땅을 내려다보며 그 공간을 살피는 능력

예 지도를 읽으려면 공간 ❷ [　　　] 이 필요하다.

정답 ❶ 중심지 ❷ 조망력

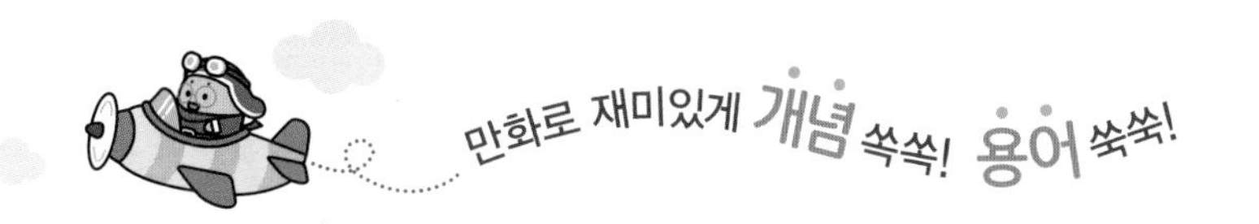

여러 시설이 모여 있어.

용어 체크

읍내

읍('시'나 '군'에 속한 지방 행정 구역 단위의 하나)의 구역 안

예 중심지에 속한 청양 ❶ [ ] 에는 상점이 많이 있다.

밀집

빈틈없이 빽빽하게 모임.

예 우리나라에서 인구가 가장 ❷ [ ] 한 지역은 서울을 중심으로 인천과 경기를 포함한 수도권이다.

정답 ❶ 읍내 ❷ 밀집

1 중심지란 무엇일까?

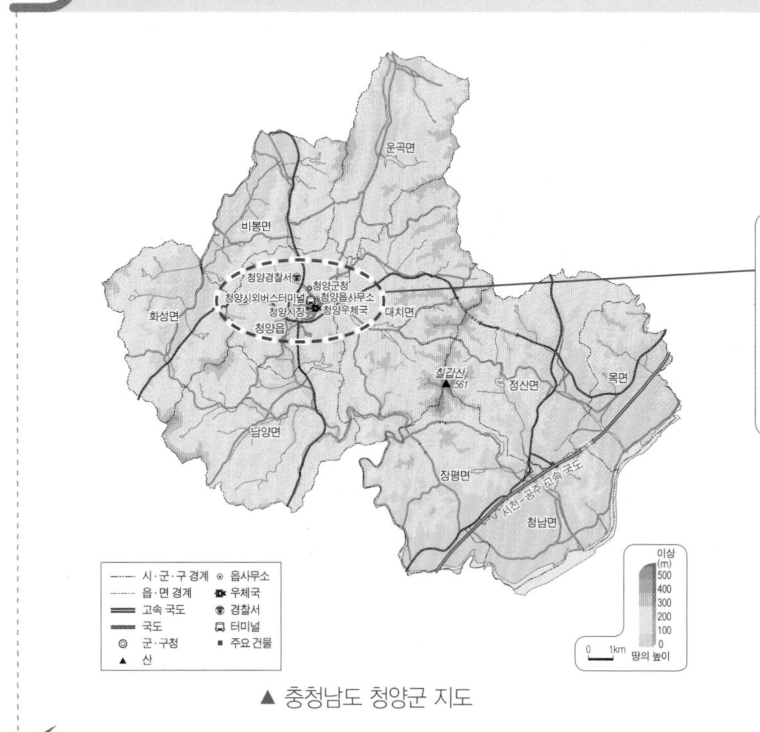

▲ 충청남도 청양군 지도

고장의 중심지

- 뜻 : 고장 사람들이 어떤 일이나 활동을 하기 위해 많이 모이는 곳
- 볼 수 있는 시설 : 군청, 우체국, 시장, 버스 터미널 등

사람들이 ❶(많이 / 적게) 모이는 곳을 중심지라고 합니다.

2 사람들은 왜 중심지에 갈까?

중심지에는 사람들의 생활과 관련된 여러 시설이 모여 있어.

청양군의 중심지 모습

청양군청

필요한 서류를 구하거나 내기 위해

청양 시장

필요한 것을 사기 위해

청양 시외버스 터미널

다른 고장이나 지역에 가기 위해

주로 생활에 필요한 것을 구하거나 ❷(논발 / 시설)을 이용하려고 중심지에 갑니다.

3 중심지와 중심지가 아닌 곳은 어떤 차이가 있을까?

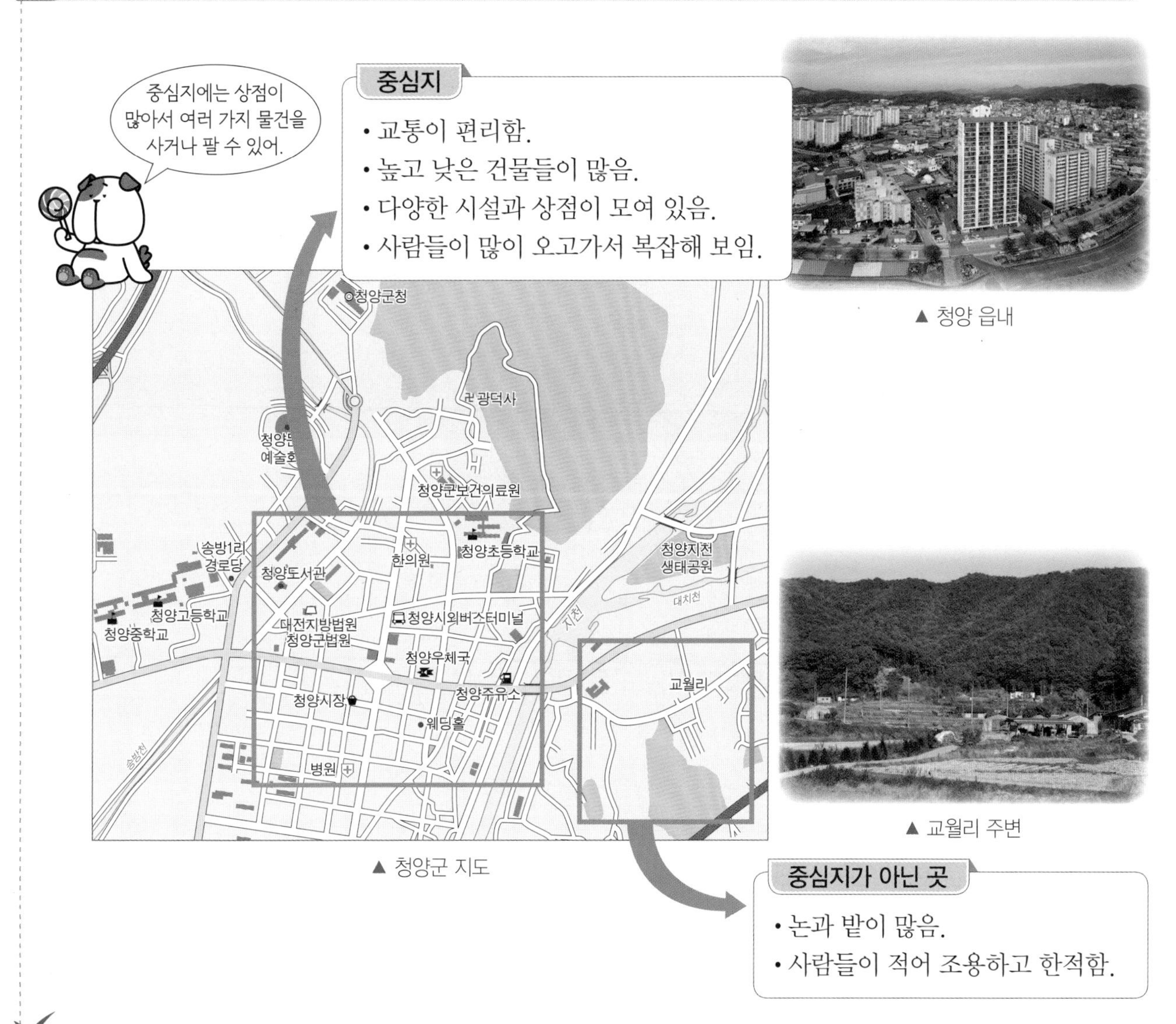

▲ 청양 읍내

▲ 청양군 지도

▲ 교월리 주변

중심지는 사람들이 이용할 수 있는 시설이 ❸(많고 / 적고), 중심지가 아닌 곳은 논밭 등이 많습니다.

정답 ❶ 많이 ❷ 시설 ❸ 많고

개념 체크

정답과 풀이 5쪽

1 사람들이 많이 모이는 곳을 ☐☐☐라고 합니다.

2 필요한 서류를 구하려고 중심지에 있는 ☐☐에 갑니다.

3 중심지에는 ☐☐이 많고 복잡해 보입니다.

보기
- 변두리
- 중심지
- 군청
- 시장
- 건물
- 논밭

정답과 풀이 5쪽

[1~2] 다음 충청남도 청양군의 지도를 보고, 물음에 답하시오.

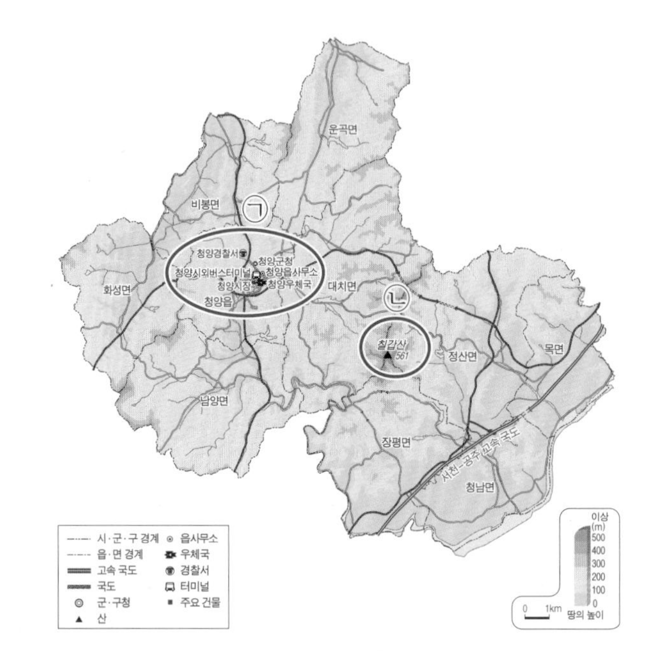

1 위 지도에서 여러 시설들이 모여 있는 곳을 찾아 기호를 쓰시오.

( )

2 위 **1**번의 답과 관련하여 다음 □ 안에 들어갈 알맞은 말을 쓰시오.

> 고장에는 사람들이 어떤 일이나 활동을 하기 위해 많이 모이는 곳이 있습니다. 이곳에는 여러 시설이 있는데, 이러한 곳을 그 고장의 □라고 합니다.

( )

3 청양군에 사는 사람들이 오른쪽 시설에 가는 까닭으로 알맞은 것은 어느 것입니까? ( )

① 책을 읽기 위해
② 다른 고장에 가기 위해
③ 우편물을 접수하기 위해
④ 필요한 물건을 사기 위해
⑤ 필요한 서류를 구하기 위해

▲ 청양 시외버스 터미널

4 중심지의 모습을 나타낸 사진을 찾아 기호를 쓰시오.

㉠

㉡

( )

5 중심지에 대한 설명으로 알맞지 않은 것은 어느 것입니까? ( )

① 교통이 편리하다.
② 다양한 시설이 있다.
③ 높고 낮은 건물들이 많다.
④ 사람들이 적어 조용하고 한적하다.
⑤ 상점이 많아 여러 가지 물건을 사거나 팔 수 있다.

똑똑한 하루 퀴즈

6 친구들이 '시장에 가면' 놀이를 변형해 '중심지에 가면' 놀이를 하고 있어요. 친구들이 한 말을 잘 기억하여 마지막 친구가 해야 할 말을 쓰세요.

정답

2일 중심지의 기능과 답사

이곳은 관광의 중심지야.

용어 체크

부소산성

충청남도 부여군 부소산에 있는 백제 때의 성터

예 백마강 남쪽 부소산을 감싸고 쌓은 ❶ [ ] 을 보기 위해 부여에 갔다.

유적

역사적인 사건이 벌어졌던 곳, 건축물, 고분 등과 같은 남아 있는 자취

예 유네스코는 백제 역사 ❷ [ ] 지구를 세계 유산으로 선정했다.

정답 ❶ 부소산성 ❷ 유적

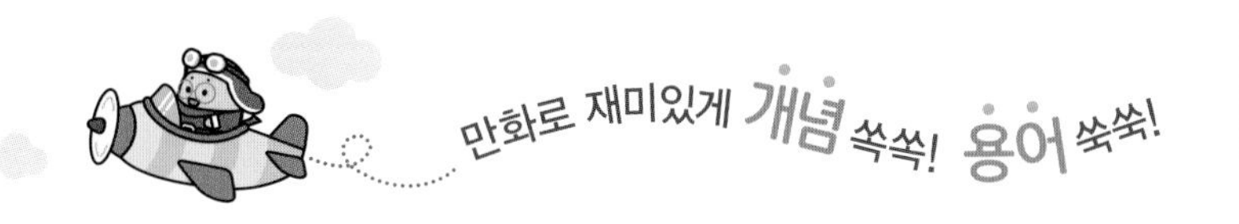

토토를 찾으러 출발!

용어 체크

유물

앞선 세대의 인류가 후세에 남긴 물건

예 선사 시대의 ❶ ☐ 을 발굴했다.

답사

조사할 대상이 있는 현장에 가서 직접 보고 조사하는 활동

예 우리 모둠은 현장에 직접 찾아가 조사하는 ❷ ☐ 를 했다.

정답 ❶ 유물 ❷ 답사

2일 개념 익히기

1 한 지역에 어떤 중심지가 있을까?

개념 동영상

한 지역에는 **산업, 상업, 행정, 관광** 등 ❶(하나의 / 다양한) 중심지가 있습니다.

2 중심지 답사는 어떤 과정으로 이루어질까?

1

- 중심지를 답사할 계획을 세움.
- 장소, 날짜, 목적, 내용, 방법, 준비물 등을 정해야 함.

답사할 중심지에 관한 자료 찾기
- 인터넷에서 검색하기
- 주변 어른께 여쭤보기
- 책이나 지도에서 찾아보기

중심지에서 답사할 내용과 방법 정하기
- 지도를 이용해 중심지의 위치 확인하기
- 중심지의 모습을 관찰하고 사진 찍기
- 면담을 통해 중심지에서 사람들이 하는 일 조사하기

2

중심지에 가서 중심지의 모습을 자세히 살펴봄.

3

중심지를 답사한 결과를 정리해 발표 자료를 만듦.

4

답사한 내용을 친구들에게 발표함.

중심지 답사는 '답사 ❷(계획 / 결과) 세우기 ➡ 답사하기 ➡ 답사한 ❸(계획 / 결과) 정리하기 ➡ 답사한 내용 발표하기'의 순서대로 이루어집니다.

정답 ❶ 다양한 ❷ 계획 ❸ 결과

개념 체크

정답과 풀이 5쪽

1 지역의 사람들이 필요한 물건을 사려고 모이는 곳은 ☐☐의 중심지입니다.

2 어떤 곳에 직접 찾아가 조사하는 것을 ☐☐(이)라고 합니다.

3 답사를 할 때에는 가장 먼저 답사 ☐☐을/를 세웁니다.

보기
- 산업
- 상업
- 검색
- 답사
- 계획
- 결과

정답과 풀이 5쪽

1 사람들이 산업의 중심지에 모이는 까닭으로 알맞은 것은 어느 것입니까? (　　　　)

① 여가를 즐기기 위해서
② 필요한 물건을 사기 위해서
③ 문화유산을 직접 보기 위해서
④ 행정 업무를 처리하기 위해서
⑤ 회사나 공장에서 일하기 위해서

2 충청남도 청양군에 사는 주민들이 도청에서 일을 처리하려면 어느 고장에 가야 하는지 다음 지도에서 찾아 기호를 쓰시오.

(　　　　　　　　)

3 중심지의 기능과 관련하여 오른쪽 □ 안에 들어갈 말로 알맞은 것은 어느 것입니까?

(　　　　)

① 교통
② 관광
③ 산업
④ 상업
⑤ 행정

4 다음 답사 내용과 방법에 해당하는 그림을 찾아 ○표를 하시오.

중심지에서 사람들이 하는 일을 조사하기 위해 사람을 직접 만나 이야기를 나누는 면담을 했습니다.

(1)

(2)

(3)

( ) ( ) ( )

집중 연습 문제 답사 과정

5 중심지를 답사하기 전에 해야 할 일로 알맞지 않은 것은 어느 것입니까? ( )

① 답사 장소를 정한다.
② 답사하는 목적을 정한다.
③ 답사한 결과를 정리한다.
④ 답사할 내용과 방법을 정한다.
⑤ 답사할 때 필요한 준비물을 정한다.

답사 전에는 답사 계획을 세우고, 그 계획에 따라 답사해야 해.

6 중심지를 답사하기 위해 가장 먼저 해야 할 일을 보기에서 찾아 기호를 쓰시오.

보기
㉠ 답사하기
㉡ 답사 계획 세우기
㉢ 답사한 내용 발표하기
㉣ 답사한 결과 정리하기

( )

답사는 어떤 과정으로 이루어지는지 순서대로 기호를 써 볼까?

○ → ○ → ○ → ○

3일 문화유산

문화유산을 어떻게 조사하지?

용어 체크

문화유산

조상 대대로 전해 내려온 문화 중에서 다음 세대에 물려줄 만한 가치가 있는 것

예 우리 지역에는 첨성대, 불국사 등의 ❶ ______ 이 있다.

▲ 경주 첨성대

면담

궁금한 점을 알기 위해 적절한 사람을 직접 만나 이야기를 나누는 조사 방법

예 박물관에 방문해 문화유산 해설사와 ❷ ______ 을 했다.

정답 ❶ 문화유산 ❷ 면담

손에 잡히지 않는데 문화재라고?

용어 체크

농악

농촌에서 농부들이 나팔, 징, 꽹과리, 북 등을 치거나 불며 하는 우리 고유의 음악 또는 그 음악에 따른 민속놀이

예 농부들이 ❶ ______ 을 울리며 신명 나게 놀았다.

무형

형상이나 형체가 없음.

예 겉으로 드러나 보이는 형체가 없는 문화유산은 ❷ ______ 문화재이다.

정답 ❶ 농악 ❷ 무형

3일 개념 익히기

1 문화유산을 조사하는 방법에는 무엇이 있을까?

조사 방법

문화유산과 관련 있는 책, 문서, 기록물 등을 찾아봄.

문화유산 관련 기관의 누리집에서 문화유산을 검색함.

문화유산을 **답사**함.

문화유산 해설사, 박물관 학예사 등을 **면담**함.

면담을 하려면 질문을 미리 준비해야 해.

✔ 문헌 조사, ❶(누리집 / 지구본) 검색, 답사, 면담 등의 방법이 있습니다.

2 사람들은 문화유산을 보호하려고 어떤 노력을 하고 있을까?

20△△. △△. △△.

문화유산을 사랑하는 작은 손길들

문화재지킴이
KOREAN HERITAGE GUARDIANS

문화재 지킴이들은 문화유산 주변 청소, 화재 감시 등 문화유산을 보호하고 관리하는 활동과 홍보 활동을 하고 있다.

인터뷰

기자 : 지금 어떤 활동을 하고 계신가요?

○○○ : 저는 퇴직한 후에 지역에서 문화 관광 해설사로 활동하며 사람들에게 문화유산을 알리고 있습니다.

⋮

'문화재 지킴이 운동'은 국민이 스스로 문화유산을 가꾸고 지키자는 생각에서 시작되었어.

✔ 문화유산 보호를 위해 문화재 ❷(지킴이 / 수출업자), 문화 관광 해설사 등으로 활동하고 있습니다.

개념 동영상

3 문화유산에는 어떤 것들이 있을까?

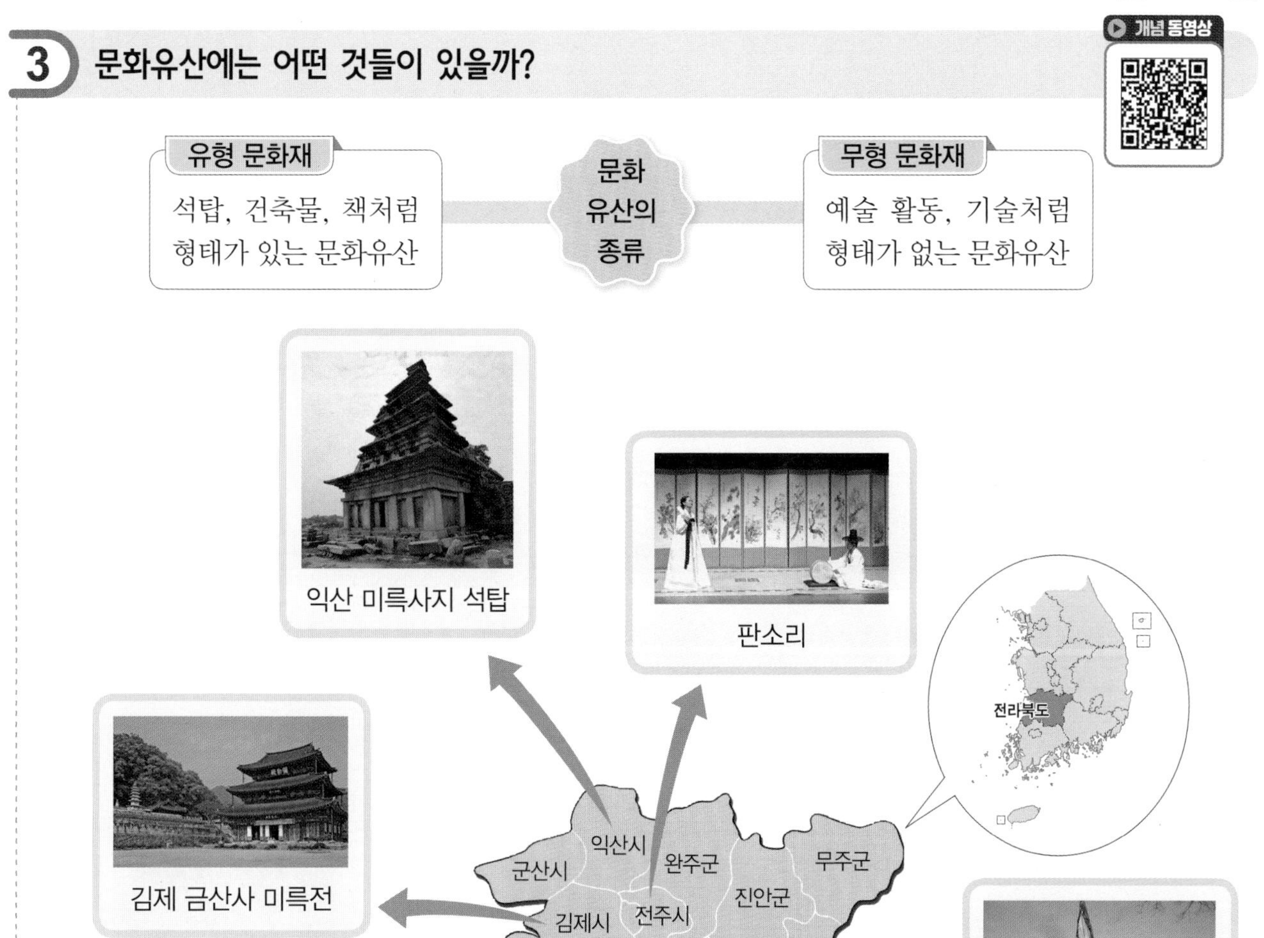

▲ 전라북도의 문화유산

형태가 ❸(있는 / 없는) **유형 문화재**와 형태가 ❹(있는 / 없는) **무형 문화재**가 있습니다.

정답 ❶ 누리집 ❷ 지킴이 ❸ 있는 ❹ 없는

개념 체크

정답과 풀이 5쪽

1 문화유산 관련 기관의 누리집에서 문화유산을 ☐☐합니다.

2 문화재 지킴이들은 문화유산 주변 ☐☐ 등의 일을 합니다.

3 석탑, 건축물 등은 ☐☐ 문화재입니다.

보기
- 면담
- 검색
- 청소
- 낙서
- 유형
- 무형

개념 확인하기

○ 정답과 풀이 5쪽

1 문화유산을 조사하는 방법 중 오른쪽 그림과 관련 있는 것은 어느 것입니까? (   )

① 누리집을 검색해 조사한다.
② 문화유산을 소개한 책을 찾아본다.
③ 문화유산을 직접 찾아가 조사한다.
④ 지도로 문화유산의 위치를 확인한다.
⑤ 문화유산 해설사를 만나 궁금한 점을 물어본다.

2 다음 밑줄 친 '이것'에 해당하는 조사 방법은 무엇인지 쓰시오.

- '이것'은 궁금한 점을 알려고 적절한 사람을 직접 만나 이야기를 나누는 조사 방법입니다.
- '이것'을 하기 위해서는 무엇을 물어볼지 질문을 미리 준비해야 합니다.

(   )

3 다음 신문 기사의 □ 안에 들어갈 알맞은 말을 두 가지 고르시오. (,   )

○○신문 　　　　　　　　　　20△△년 △△월 △△일

'문화재 지킴이 운동'은 국민이 스스로 문화유산을 가꾸고 지키자는 생각에서 시작되었다. 문화재 지킴이들은 □ 등의 활동을 하고 있다.

① 문화유산 훼손하기
② 문화유산 방치하기
③ 문화유산에 무관심하기
④ 문화유산 화재 감시하기
⑤ 문화유산 주변 청소하기

4 유형 문화재와 무형 문화재를 구분하는 기준에 대해 알맞게 이야기한 어린이는 누구입니까? (　　　　)

① 재욱 : 문화유산이 위치한 지역에 따라 구분해.
② 서연 : 문화유산으로 지정된 시기에 따라 구분해.
③ 은수 : 문화유산의 형태가 있는지 없는지에 따라 구분해.
④ 하온 : 문화유산을 비싸게 팔 수 있는지 없는지에 따라 구분해.
⑤ 예나 : 유네스코에서 세계 유산으로 지정했는지에 따라 구분해.

5 다음 ㈎와 ㈏에 해당하는 것을 보기에서 모두 찾아 각각 기호를 쓰시오.

> 우리 지역의 문화유산에는 ㈎ 유형 문화재와 ㈏ 무형 문화재가 있습니다.

보기
㉠ 책　　㉡ 기술　　㉢ 석탑　　㉣ 예술 활동

㈎ (　　　　,　　　　) ㈏ (　　　　,　　　　)

똑똑한 하루 퀴즈

6 '전라북도의 무형 문화재'를 주제로 발행된 기념우표를 찾아 기호를 쓰세요.

(　　　　　　　　)

4일 문화유산 답사

문화유산을 답사할 때 예절을 지키라고?

용어 체크

보물

국보(나라에서 지정하여 법률로 보호하는 문화재) 다음으로 중요한 유형 문화재

예 서울 흥인지문은 ❶ [ ] 제1호로, 동대문이라고도 부른다.

▲ 서울 숭례문

▲ 서울 흥인지문

정답 ❶ 보물

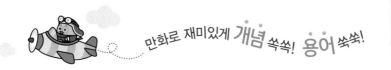

문화유산을 많은 사람에게 알리고 싶어.

용어 체크

문화유산 안내도

지역에 있는 중요한 문화유산의 위치, 분포, 특징을 알려 주는 지도

예 문화유산 ❶ [ ] 를 보면 지역의 문화유산이 어디에 있는지 한눈에 알 수 있다.

포스터

광고나 선전을 위해 만든 것으로, 일정한 내용을 상징적인 그림과 간단한 글귀로 나타냄.

예 행사를 알리기 위해 ❷ [ ] 를 만들었다.

정답 ❶ 안내도 ❷ 포스터

4일 개념 익히기

1 문화유산 답사 계획을 세워 볼까?

답사 계획서

전라북도 고창군에 있는 선운사 대웅전을 답사하기로 했어.

답사 목적	우리 지역의 대표적인 문화유산 알아보기
답사 장소	고창 선운사 대웅전
답사 날짜	20△△년 △△월 △△일
답사할 사람	은빈, 하율, 준우, 민서, 하율 아버지
답사 내용	• 옛날 사람들은 어떤 재료를 사용해 어떻게 절을 지었을까? • 사람들이 대웅전에 가서 하는 일은 무엇일까?
답사 방법	관찰하기, 면담하기, 사진 찍기, 동영상 찍기, 그림 그리기
역할 나누기	• 은빈 : 문화 관광 해설사께 궁금한 점 여쭤보기 • 하율 : 대웅전의 다양한 모습을 사진으로 찍기 • 준우 : 대웅전 벽화 그림 그리기 • 민서 : 면담이나 답사로 새롭게 알게 된 내용 기록하기
준비물	체험 학습지, 필기도구, 사진기, 휴대 전화, 기록장
주의할 점	보호자와 함께 답사가기, 문화유산 만지지 않기, 질서 지키기

답사의 목적, 장소, 날짜, ❶(결과 / 내용), 방법, 역할 나누기, 준비물, 주의할 점 등에 대한 계획을 세웁니다.

2 문화유산을 답사할 때에는 어떤 예절을 지켜야 할까?

관람이 허락된 곳에만 들어가는 것도 잊지 마!

• 답사 장소에서 지켜야 할 관람 규칙 확인하기
• 조용히 질서를 지키며 문화유산 관람하기
• 사진 촬영을 하면 안 되는 곳에서는 조사할 대상을 그림으로 그리거나 글로 쓰기

답사할 때에는 관람 규칙 확인하기, ❷(조용히 / 시끄럽게) 질서 지키기 등을 지켜야 합니다.

3 문화유산을 답사한 후에는 무엇을 해야 할까?

문화유산 답사 보고서 작성하기

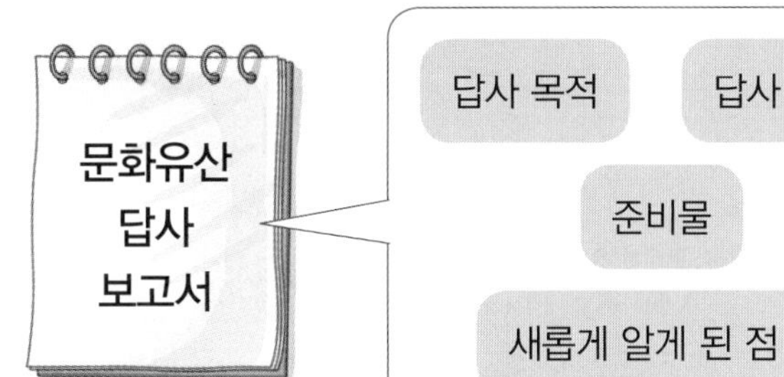

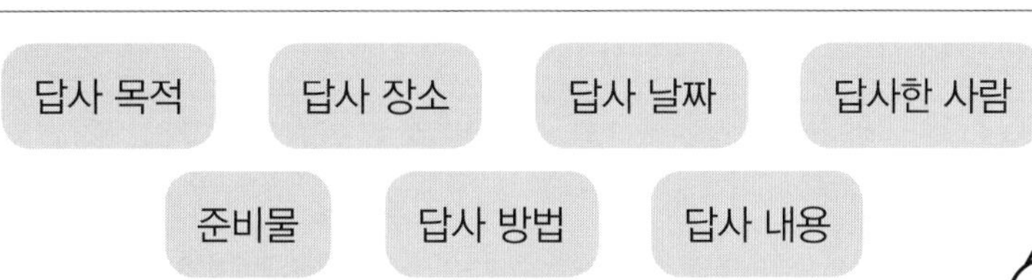

고창 선운사 대웅전을 답사한 후 옛날 사람들의 돌과 나무를 다루는 솜씨가 뛰어났다는 것을 알았어.

문화유산 소개 자료 만들기

▲ 문화유산 안내도

지역에 있는 중요한 문화유산의 위치, 분포, 특징을 알 수 있음.

▲ 문화유산 소개 책자

▲ 문화유산 안내 포스터

문화유산을 답사하면서 보고 들은 내용을 정리해 답사 ❸(보고서 / 계획서)를 작성하고, 문화유산을 소개하는 자료를 만듭니다.

정답 ❶ 내용 ❷ 조용히 ❸ 보고서

개념 체크

정답과 풀이 6쪽

1 답사를 가기 전에 답사 ☐☐☐를 작성합니다.

2 답사 보고서에는 ☐☐ ☐ 점, 느낀 점 등이 들어갑니다.

3 문화유산 안내도를 보면 문화유산의 ☐☐, 특징 등을 알 수 있습니다.

보기
- 계획서
- 보고서
- 주의할
- 알게 된
- 위치
- 가격

4일 개념 확인하기

정답과 풀이 6쪽

1 답사 계획서에 들어갈 내용으로 알맞지 않은 것은 어느 것입니까? (　　　)

① 답사 목적　　② 답사 장소　　③ 주의할 점
④ 역할 나누기　　⑤ 새롭게 알게 된 점

2 다음은 답사 계획서 중 일부 내용입니다. □ 안에 들어갈 알맞은 말을 보기에서 찾아 기호를 쓰시오.

답사 □	관찰하기, 면담하기, 사진 찍기, 동영상 찍기, 그림 그리기

보기
㉠ 목적　　㉡ 날짜　　㉢ 내용　　㉣ 방법

(　　　　　　)

3 문화유산을 답사할 때 예절을 지킨 어린이는 누구입니까? (　　　)

① 다빈 : 음식을 먹으면서 관람했어.
② 현수 : 모든 문화유산을 직접 만지면서 조사했어.
③ 예나 : 친구들과 큰 소리로 이야기하면서 관람했어.
④ 규민 : 쓰레기통을 찾지 못해 문화유산 주변에 몰래 쓰레기를 버렸어.
⑤ 민성 : 사진 촬영을 하면 안 되는 곳에서는 조사할 대상을 그림으로 그렸어.

4 문화유산을 답사한 후에 다음과 같이 작성하는 것을 무엇이라고 하는지 쓰시오.

답사 장소	고창 선운사 대웅전
새롭게 알게 된 점	선운사에는 대웅전뿐만 아니라 석탑, 불상 등 다양한 문화유산이 있습니다.
느낀 점	앞으로도 잘 보존해 많은 사람이 찾아오면 좋겠습니다.

문화유산 (　　　　　　)

5 지역의 문화유산을 소개한 다음 자료에서 □ 안에 들어갈 알맞은 말은 어느 것입니까? ( )

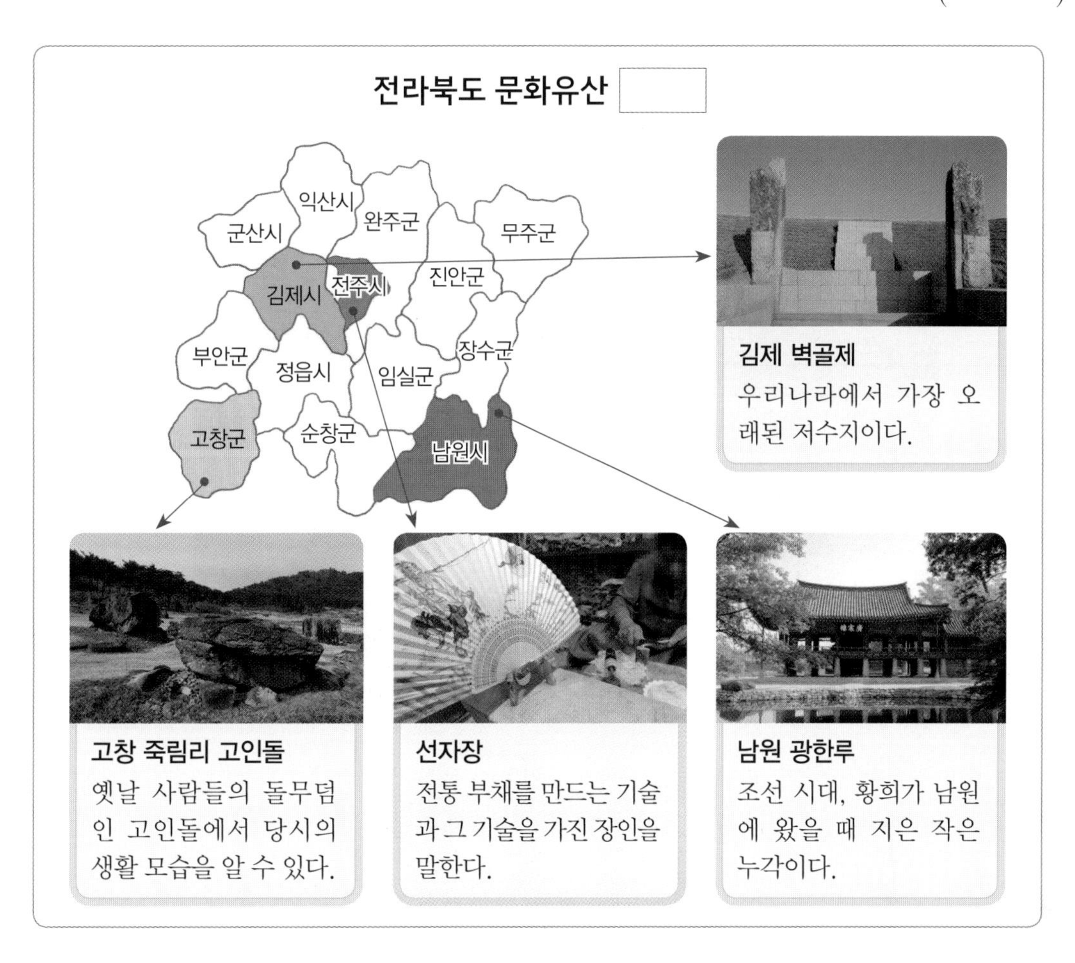

김제 벽골제
우리나라에서 가장 오래된 저수지이다.
고창 죽림리 고인돌
옛날 사람들의 돌무덤인 고인돌에서 당시의 생활 모습을 알 수 있다.

① 약도 ② 노선도 ③ 백지도 ④ 안내도 ⑤ 지형도

6 문화유산을 답사하러 간 친구들의 대화를 읽고, □ 안에 알맞은 번호를 쓰세요.

관람 규칙
① 뛰어다니면서 빨리 관람합니다.
② 관람이 허락된 곳에만 들어갑니다.
답사 장소에서 지켜야 할 관람 규칙을 확인해 볼까?
그래. 그런데 □ 번 내용이 잘못 적혀 있어.
문화유산 답사

2주 마무리하기

1 중심지

① 뜻 : 사람들이 어떤 일이나 활동을 하기 위해 많이 모이는 곳

② 사람들이 중심지에 가는 까닭 : 생활에 필요한 것을 구하거나 시설을 이용하려고 중심지에 갑니다.

③ 지역에 있는 다양한 중심지 – 예 충청남도

산업의 중심지(아산시)

물건을 만드는 회사나 공장에서 일하려고 사람들이 모임.

◀ 전자 제품 공장

상업의 중심지(천안시)

지역의 사람들이 필요한 물건을 사려고 모임.

◀ 대형 할인점

행정의 중심지(홍성군)

지역의 사람들이 행정 업무를 처리하려고 모임.

◀ 충청남도청

관광의 중심지(부여군)

지역의 문화유산을 직접 보려는 사람들이 찾아옴.

◀ 국립 부여 박물관

④ 중심지 답사

답사의 뜻	어떤 곳에 직접 찾아가 조사하는 것
중심지 답사 과정	답사 계획 세우기 ➡ 답사하기 ➡ 답사한 결과 정리하기 ➡ 답사한 내용 발표하기

2 문화유산

문화유산에는
우리의 역사가
담겨 있어서
소중히 여겨야 해.

① 문화유산의 종류

유형 문화재

석탑, 건축물, 책처럼 형태가 있는 문화유산

◀ 익산 미륵사지 석탑

무형 문화재

예술 활동이나 기술처럼 형태가 없는 문화유산

◀ 판소리

② 우리 지역의 문화유산 답사 및 소개

답사하기 전에 세우는 답사 계획서에는 답사의 목적, 장소, 날짜, 내용, 방법, 역할 나누기, 준비물, 주의할 점 등이 들어감.

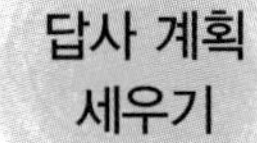

답사 계획 세우기 → **답사하기** → **답사 보고서 작성하기** → **소개 자료 만들기**

- 답사 계획 세우기: 답사 계획서에는 답사의 목적, 장소, 날짜, 내용, 방법, 역할 나누기, 준비물, 주의할 점 등이 들어감.
- 답사하기: 예절을 지키며 문화유산을 답사함.
- 답사 보고서 작성하기: 답사하면서 보고 들은 내용을 정리해 답사 보고서를 작성함.
- 소개 자료 만들기: 문화유산 안내도, 문화유산 소개 책자 등 문화유산을 소개하는 자료를 만듦.

답사를 갈 때에는 반드시 보호자와 함께 가야 해.

문화유산 답사는 잘 다녀왔어?

응. 답사 장소에 재미있는 문화유산 이야기를 들려주시던 **문화 관광 해설사**가 계셨는데, 정말 멋지더라.

나도 그분처럼 문화유산을 아끼고 사랑할 거야!

전국적으로 수많은 사람들이 **문화재 지킴이**로 봉사하고 있던데, 우리도 문화재 지킴이가 되는 건 어때?

우와~ 좋은 생각이야.
우리도 문화유산 주변을 청소하고, 많은 사람에게 문화유산을 홍보하자.
지금 청소하러 갈까?

1일 중심지

1 사람들이 어떤 일이나 활동을 하기 위해 많이 모이는 곳을 무엇이라고 합니까? (　　　　)

① 공터　② 외곽　③ 변두리
④ 농경지　⑤ 중심지

2 중심지에서 주로 볼 수 있는 시설로 알맞지 않은 것은 어느 것입니까? (　　　　)

①

▲ 군청

②

▲ 시장

③

▲ 비닐하우스

④

▲ 버스 터미널

3 중심지의 특징으로 알맞은 것을 보기에서 모두 찾아 기호를 쓰시오.

보기
㉠ 교통이 편리합니다.
㉡ 건물이 적어 띄엄띄엄 있습니다.
㉢ 사람이 없어 한산하고 조용합니다.
㉣ 사람들이 이용할 수 있는 시설이 많습니다.

(　　　　,　　　　)

2일 중심지의 기능과 답사

4 다음은 지역의 다양한 중심지 중 주로 어디에서 볼 수 있는 모습입니까? (　　　　)

▲ 백화점

▲ 대형 할인점

① 교통의 중심지　② 관광의 중심지　③ 산업의 중심지
④ 상업의 중심지　⑤ 행정의 중심지

5 사람들이 행정의 중심지에 모이는 까닭으로 알맞은 것은 어느 것입니까? (　　　　)

① 공장에서 일하려고
② 문화생활을 즐기려고
③ 다른 지역으로 이동하려고
④ 필요한 물건을 사거나 팔려고
⑤ 필요한 서류를 구하거나 일을 처리하려고

6 중심지를 답사하는 순서에 맞게 기호를 쓰시오.

㉠

▲ 답사한 결과를 정리하고 친구들에게 발표함.

㉡

▲ 중심지를 답사할 계획을 세움.

㉢

▲ 중심지에 가서 중심지의 모습을 자세히 살펴봄.

(　　　　) → (　　　　) → (　　　　)

3일 문화유산

7 문화유산을 조사하는 방법 중 답사와 관련 있는 그림을 찾아 기호를 쓰시오.

㉠ 

㉡ 

㉢ 

( )

8 문화유산 중 무형 문화재에 해당하는 것을 두 가지 고르시오. (,)

① 기술 ② 석탑 ③ 건축물
④ 예술 활동 ⑤ 과학 발명품

4일 문화유산 답사

서술형

9 다음 문화유산 답사 계획서에서 ㉠, ㉡에 들어갈 알맞은 말을 각각 한 가지씩 쓰시오.

답사 계획서

⋮

답사 방법	관찰하기, 면담하기, 사진 찍기, 동영상 찍기, 그림 그리기
준비물	체험 학습지, ㉠
주의할 점	질서를 지켜 안전하게 이동하고, ㉡

(1) ㉠ : ( )

(2) ㉡ :

10 문화유산 답사 보고서에 정리해야 할 내용으로 알맞지 않은 것은 어느 것입니까?

( )

① 답사 목적 ② 답사 방법
③ 역할 나누기 ④ 더 알고 싶은 점
⑤ 새롭게 알게 된 점

11 오른쪽과 같은 문화유산 안내도를 보고 알 수 있는 것을 보기 에서 모두 찾아 기호를 쓰시오.

㉠ 문화유산의 가격
㉡ 문화유산의 위치
㉢ 문화유산의 특징
㉣ 문화 관광 해설사의 명단

(,)

똑똑한 하루 퀴즈

12 오른쪽 표에 우리나라의 문화유산을 늘어놓았어요. 유형 문화재가 있는 칸만 색칠하면 어떤 글자가 나오는지 □ 안에 써 보세요.

고창 읍성	판소리	아리랑
경주 첨성대	서울 숭례문	김제 금산사 미륵전
종묘 제례악	농악	가야금 병창
강강술래	수원 화성	화살을 만드는 전통장
서울 흥인지문	익산 미륵사지 석탑	경주 불국사 다보탑

2 주

2주 누구나 100점 TEST

맞은 개수 /10개

1 중심지에 있는 시설 중 필요한 것을 사기 위해 주로 가는 곳은 어디입니까? (　　　)

① 군청　② 시장
③ 경찰서　④ 도서관
⑤ 버스 터미널

2 중심지에서 나타나는 특징으로 알맞은 것을 두 가지 고르시오. (　　,　　)

① 논과 밭이 많다.
② 교통이 불편하다.
③ 다양한 시설이 있다.
④ 건물이 띄엄띄엄 있다.
⑤ 사람들이 많이 오고가서 복잡해 보인다.

3 다음 □ 안에 들어갈 알맞은 말은 어느 것입니까? (　　　)

> 물건을 만드는 회사나 공장에서 일하기 위해 사람들은 □의 중심지에 모입니다.

① 관광　② 문화
③ 산업　④ 상업
⑤ 행정

4 충청남도 청양군에 사는 학생들이 부소산성으로 현장 체험 학습을 가려고 합니다. 학생들이 가야 할 고장을 다음 지도에서 찾아 기호를 쓰시오.

(　　　　　　　　)

5 답사할 중심지에 관한 자료를 찾는 방법 중 알맞지 않은 것을 찾아 기호를 쓰시오.

> ㉠ 책에서 찾아보기
> ㉡ 인터넷에서 검색하기
> ㉢ 지구본에서 찾아보기
> ㉣ 주변 어른께 여쭤보기

(　　　　　　　　)

6 문화유산을 조사할 때 면담을 하는 모습은 어느 것입니까? (　　　　)

①

②

③

④

7 유형 문화재에 해당하는 문화유산으로 알맞은 것은 어느 것입니까? (　　　　)

①

▲ 판소리

②

▲ 종묘 제례악

③

▲ 임실 필봉 농악

④

▲ 경주 불국사 다보탑

8 문화유산 답사 계획서에 들어갈 내용으로 알맞은 것을 보기에서 모두 찾아 기호를 쓰시오.

보기

㉠ 느낀 점	㉡ 답사 방법
㉢ 역할 나누기	㉣ 새롭게 알게 된 점

(　　　　,　　　　)

9 문화유산을 답사하면서 지켜야 할 예절로 알맞지 않은 것은 어느 것입니까? (　　　　)

① 큰 소리로 이야기한다.
② 문화유산을 만지지 않는다.
③ 쓰레기를 함부로 버리지 않는다.
④ 관람이 허락된 곳에만 들어간다.
⑤ 음식물을 아무 곳에서나 먹지 않는다.

10 다음 ㉠에 들어갈 알맞은 말은 어느 것입니까? (　　　　)

문화유산 답사 보고서

• 대웅전은 아름다운 선운산과 자연스럽게 잘 어우러져 있습니다.
• 돌과 나무를 반듯하게 다듬어서 절을 지었습니다.

① 준비물　　② 답사 날짜
③ 답사 내용　　④ 답사 장소
⑤ 답사한 사람

2주

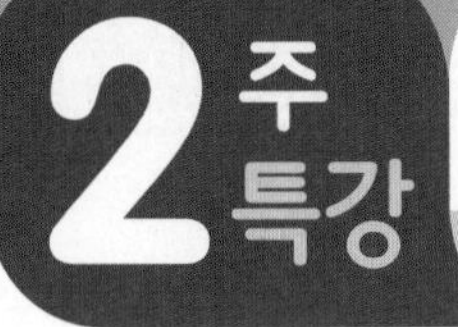

창의·융합·코딩

생활 속 사회

중심지에 대해 배운 내용을 바탕으로 중심지 답사를 살펴봅니다.

중심지 답사

다양한 기능의 중심지

중심지

행정의 중심지
시청, 군청, 교육청 등 공공 기관이 있는 곳

상업의 중심지
백화점, 대형 할인점, 상점 등이 모여 있는 곳

교통의 중심지
기차역, 버스 터미널 등이 있는 곳

문화의 중심지
영화관, 체육관 등이 모여 있는 곳

문화생활을 즐겨야지.

중심지를 답사할 때 필요한 준비물과 주의할 점

답사할 때 필요한 준비물은?
지도, 사진기, 수첩, 필기도구, 설문지, 휴대 전화, 스케치북, 백지도, 녹음기 등

답사할 때 주의할 점은?
- 보호자와 함께 답사해요.
- 답사할 장소에 미리 연락해요.
- 답사할 때에는 주위를 잘 살피며 안전에 유의해요.
- 사진을 찍을 때에는 먼저 그 사람에게 허락을 받아요.
- 면담을 할 때에는 집중하고, 중요한 내용은 수첩에 적어요.

답사 계획에 따라 답사를 해 보자.

다양한 시설이 있는 우리 고장의 중심지로 답사 출발!

1 친구들이 우리 고장의 중심지를 답사하고 있어요. 갈림길에서 ○× 퀴즈를 풀어 답사를 잘 마무리해 보세요.

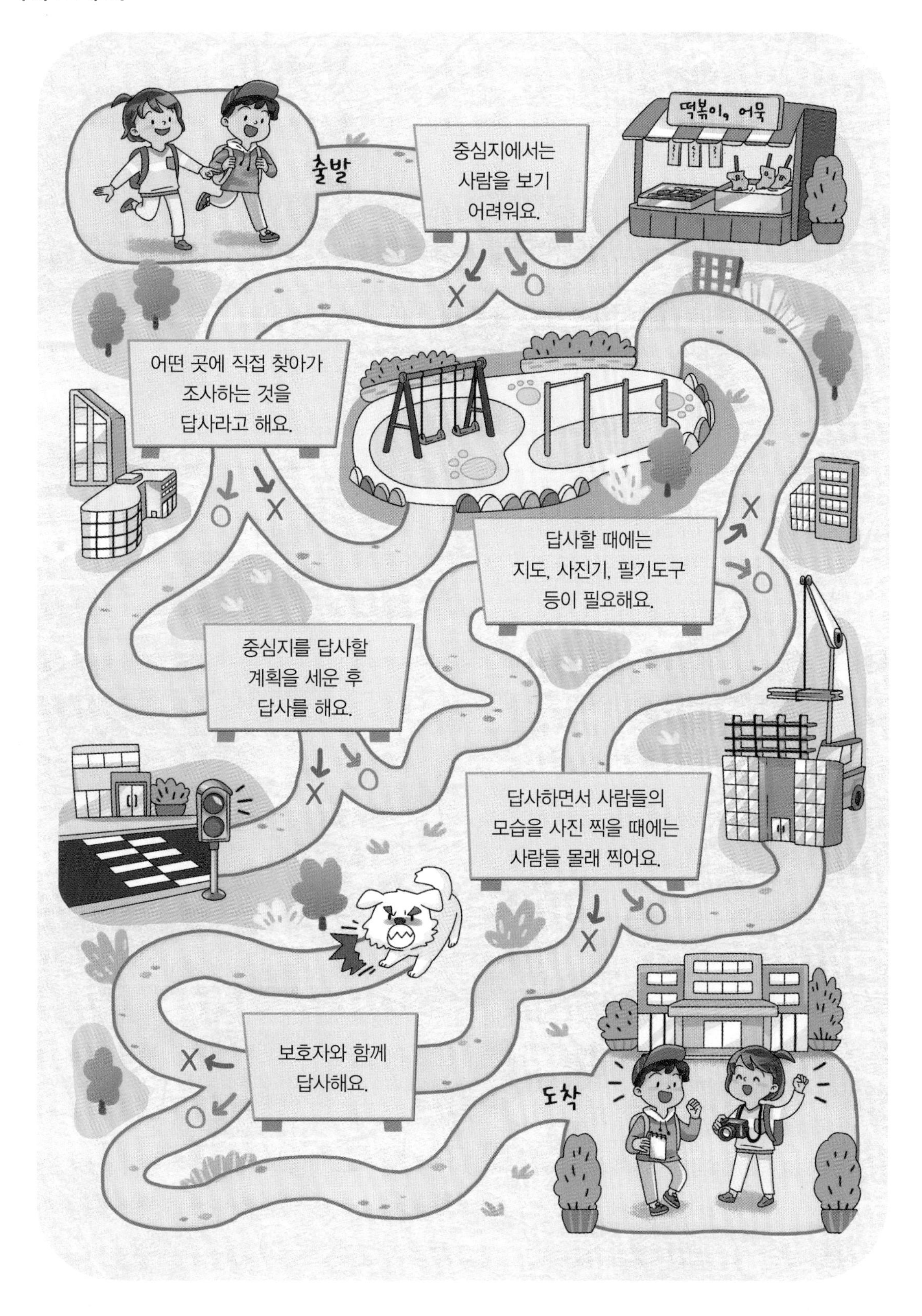

창의·융합·코딩

2주 특강 사고 쑥쑥

문화유산을 유형 문화재와 무형 문화재로 구분해 봅니다.

2 다음 만화를 보고, 서쪽 마왕이 훔치려는 문화유산을 모두 찾아 □ 안에 ○표를 하세요.

익산 미륵사지 석탑
국보 제11호로, 현재 남아 있는 국내 최대의 석탑이다.

□

임실 필봉 농악
가락이 힘차고 씩씩하며, 단체의 화합과 단결을 중시한다.

□

판소리
한 명의 소리꾼이 고수의 장단에 맞추어 긴 이야기를 엮어 간다.

□

성덕 대왕 신종
지금까지 우리나라에 남아 있는 범종 중에서 가장 크다.

□

3 이번 주에 공부한 내용을 기억하며, 다음 십자말풀이를 해 보세요.

가로

2 문화재 ○○○들은 문화유산을 보호하고 관리하는 활동과 홍보 활동을 합니다.
3 현장에 가서 직접 보고 조사하는 활동을 말합니다.
5 예술 활동이나 ○○처럼 형태가 없는 문화유산을 무형 문화재라고 합니다.
6 국보 다음으로 중요한 유형 문화재로, 서울 흥인지문은 ○○ 제1호입니다.
7 전해 내려온 문화 중에서 다음 세대에 물려줄 만한 가치가 있는 것을 말합니다.

세로

1 생활에 필요한 것을 구하거나 시설을 이용하려고 사람들이 많이 모이는 곳을 말합니다.
4 중심지를 답사할 때에는 지도, ○○○, 설문지, 녹음기 등이 필요합니다.
6 문화유산을 답사한 후에는 문화유산 답사 ○○○를 작성합니다.
8 석탑, 건축물, 책처럼 형태가 있는 문화유산을 ○○ 문화재라고 합니다.

논리 탄탄

지역에 있는 다양한 기능의 중심지를 살펴봅니다.

4 암호 해독표를 보고, 다음 만화 속 암호를 풀어 보세요.

암호 해독표

①	②	③	④	⑤	⑥	⑦	⑧	⑨	⑩	⑪	⑫	⑬	⑭
ㄱ	ㄴ	ㄷ	ㄹ	ㅁ	ㅂ	ㅅ	ㅇ	ㅈ	ㅊ	ㅋ	ㅌ	ㅍ	ㅎ

☆	★	◇	◆	□	■	△	▲	▽	▼	♡	♥	♤	♠
ㅏ	ㅑ	ㅓ	ㅕ	ㅗ	ㅛ	ㅜ	ㅠ	ㅡ	ㅣ	ㅐ	ㅒ	ㅔ	ㅖ

해독한 암호

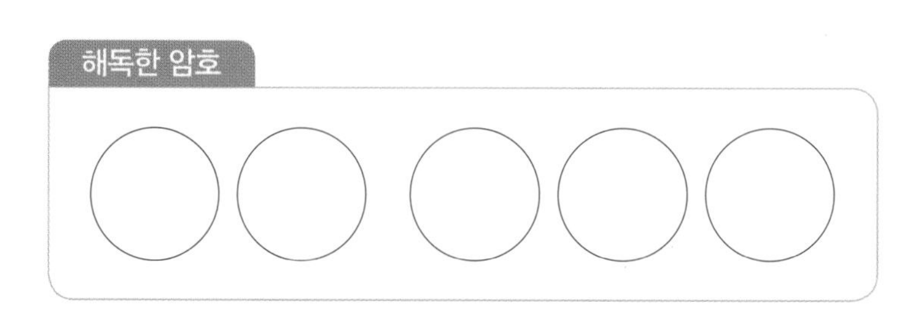

5 친구들이 전라북도 지역의 무형 문화재를 답사하기로 했어요.

(1) 답사하려는 문화유산에 도착할 수 있도록 빈칸에 알맞은 방향의 화살표를 써 넣으세요.

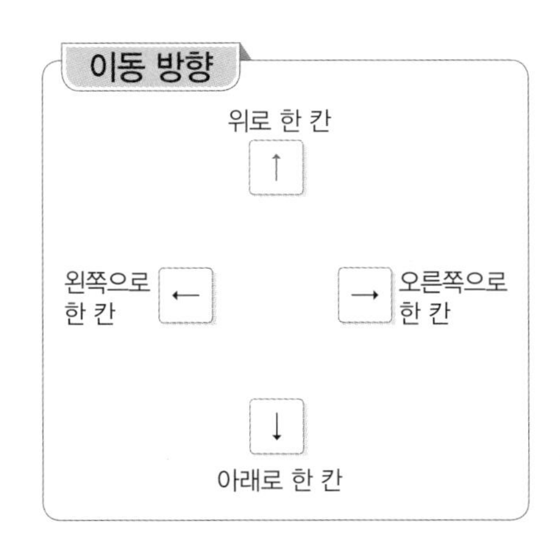

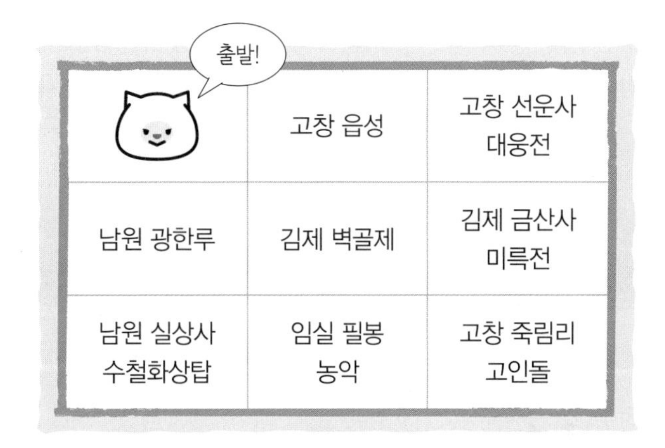

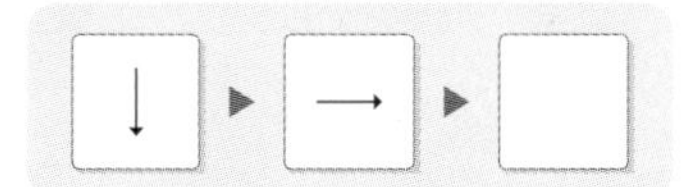

(2) 문화유산을 보호하기 위해 우리가 할 수 있는 일을 알맞게 말하면 선물을 받을 수 있대요. 선물을 받을 수 있는 친구를 모두 찾아 쓰세요.

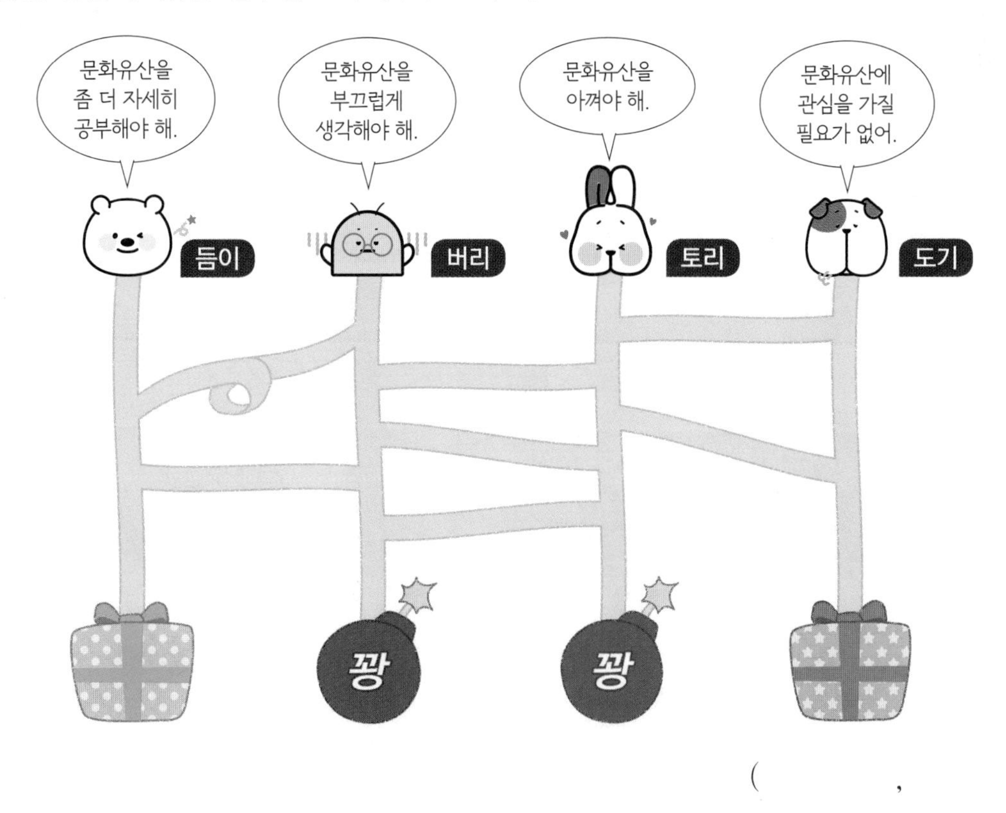

(,)

3주 우리 지역의 역사적 인물

이번 주에는 무엇을 공부할까? 1

여기가 장영실 과학 동산이구나! 근데 장영실 과학 동산은 왜 이곳에 있는 거야?

여기 부산이 바로 과학자 장영실이 태어난 곳이기 때문이야.

그렇구나! 정말 뜻깊은 장소네.
맞아!

그리고 장영실이 만든 발명품도 직접 볼 수 있으니 와 볼 만한 곳이지.

이건 왜 이렇게 큰 그릇처럼 생긴 거야?

민준아, 그건 그릇이 아니라 해시계인 앙부일구라고!
엉?
정말? 나도 장영실에 대해 모르는 게 많아서 더 알고 싶은 걸?
나도 나도!

그럼 역사적 인물을 조사하기 위해 계획부터 세우고 역사적 인물에 대해 공부해 보자!
와
아!

내가 직접 등장인물이
되어 보면 그 인물의
삶을 더 잘 이해할
수 있겠지.

▲ 장영실 과학 동산

훌륭하구나!
성은이
망극하옵니다.
와, 이제
우리도 시간을
알 수 있다!
세종
대왕
이천
장영실
백성

▲ 역할극 하기

우리 지역의 역사적 인물

- 조사하기
  - 책
  - 인터넷
  - 현장 체험
- 소개하기
  - 역할극 하기
  - 뉴스 만들기
  - 노랫말 바꾸기
- 활동 평가하기

◀ 혼천의

우리 지역의 역사적
인물과 관련된
것들을 함께
알아보자.

우리 지역의 역사적 인물을
계획을 세워서 친구들과 조사해 보고,
조사한 후에 자부심도 가질 수 있다고!

3주 핵심 용어 이번 주에는 무엇을 공부할까? ❷

주제망

主 題 網
주인 주 제목 제 그물 망

뜻 **주제에 대해 떠오르는 생각을 생각 그물로 나타내는 것**

예 자유롭게 이야기한 내용을 바탕으로 **주제망**을 만들 수 있다.

장영실

열심히 만들자!

뜻 **조선 세종 때의 과학자로, 동래현의 노비였으나 과학적 재능이 뛰어나 발탁되어 많은 발명품을 남겼음.**

예 동래 읍성 북문에는 부산에서 태어난 과학자 **장영실**의 업적을 기리는 **장영실** 과학 동산이 있다.

노비였던 장영실이 궁궐에 들어가서 활약한 것이 놀라워.

이 천

추천한 보람이 있구나!

뜻 **장영실의 스승이며, 장영실과 함께 세종의 천문대 사업을 이끎.**

예 세종 대왕에게 **이천**이 장영실을 인재로 추천해서 장영실이 발명품을 만들 수 있었다.

노 비

奴 婢
종 노 여자 종 비

빨리 갖다 드려야 하는데…….

뜻 **전통적 신분제 사회에서의 최하층 신분으로, 흔히 '종'이라 불렀음.**

예 세종 대왕은 **노비**였던 장영실이 능력을 발휘할 수 있도록 기회를 주었다.

장영실이라는 역사적 인물에 대해 발명품을 중심으로 조사할 수 있어.

간의

簡 儀

대쪽 간 거동 의

뜻 **행성과 별의 위치, 시간의 측정, 고도와 방위를 정밀하게 측정할 수 있는 조선 시대의 천체 관측 기기**

예 **간의**는 조선 시대 천문대에 설치되었던 중요한 천문 관측 기기들 중 하나이다.

자격루

自 擊 漏

스스로 자 칠 격 샐 루

밥 먹을 시간이구나!

뜻 **물을 이용해 시간을 자동으로 알려 주는 시계**

예 **자격루**는 매우 정교한 시계로 우리나라의 뛰어난 과학 기술을 보여 주는 발명품이다.

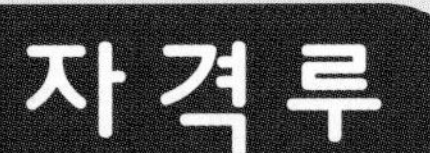

사람들은 하루에 12번씩 울리는 자격루의 소리를 듣고 시간을 짐작했대.

대본

臺 本

무대 대 근본 본

뜻 **연극의 상연이나 영화 제작에 있어서 기본이 되는 글**

예 역할극을 하기 전에 대화 내용이 들어간 **대본**을 만들어야 한다.

역할극으로 소개하기
장영실을 소개하는 역할극을 하려고 하는데 누가 장영실을 맡을까?
당연히 장영실처럼 창의력이 넘치는 내가 해야지.
너무 안 어울린다멍!

1일 역사적 인물 조사 계획

주제망을 만들자!

용어 체크

주제망

주제에 대해 떠오르는 생각을 생각 그물로 나타내는 것

예 장영실의 ❶ [빈칸] 을 일생, 발명품, 신분으로 분류하여 만들었다.

정답 ❶ 주제망

역할을 나눠서 조사해 볼까?

용어 체크

프로젝트 활동

학생이 주제를 가지고 주도적으로 다른 학생과 협력해서 결과물을 만들고 주제를 탐구하며 표현하는 창의적인 학습 활동

예 조사 활동을 시작하기 전에 ❶ ______ 계획서를 작성해야 한다.

정답 ❶ 프로젝트 활동

1일 개념 익히기

1 조사 계획은 어떻게 세울까?

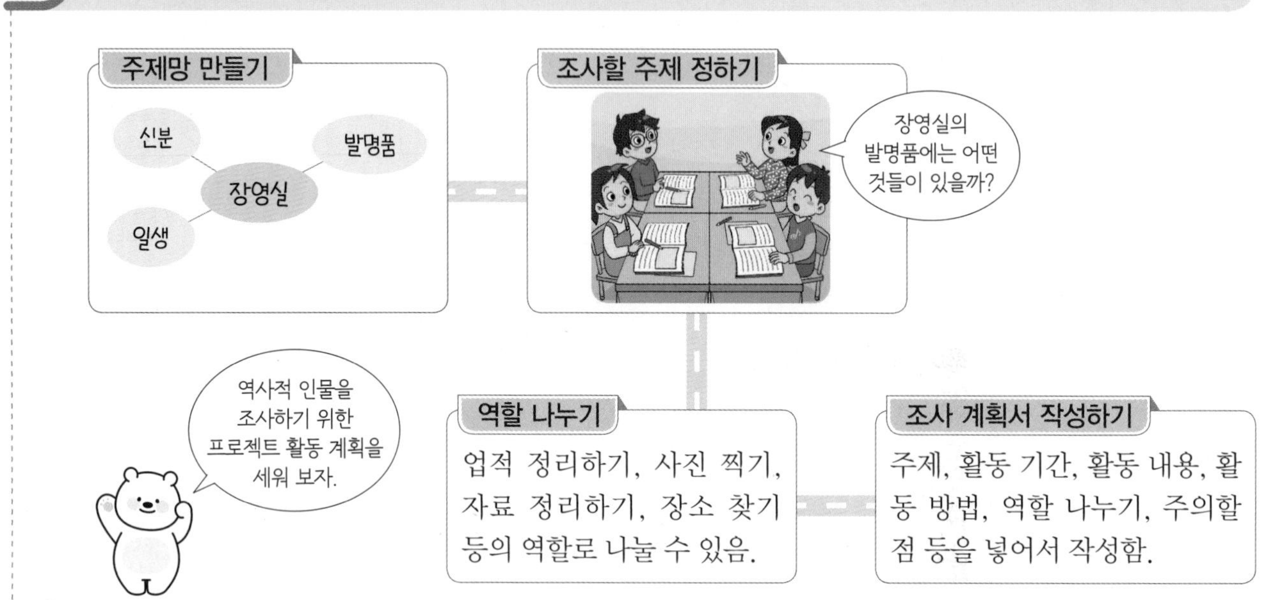

주제망 만들기
신분
발명품
장영실
일생
조사할 주제 정하기
장영실의 발명품에는 어떤 것들이 있을까?
역사적 인물을 조사하기 위한 프로젝트 활동 계획을 세워 보자.
역할 나누기
업적 정리하기, 사진 찍기, 자료 정리하기, 장소 찾기 등의 역할로 나눌 수 있음.
조사 계획서 작성하기
주제, 활동 기간, 활동 내용, 활동 방법, 역할 나누기, 주의할 점 등을 넣어서 작성함.

우리 지역의 역사적 인물을 조사하는 계획은 ❶(주제망 / 보고서) 만들기, 조사할 주제 정하기, 역할 나누기, 조사 계획서 작성하기의 순서로 세웁니다.

장영실에 대해 자유롭게 이야기한 내용을 바탕으로 주제망을 만들었어.

2 주제망은 어떻게 만들까?

주제망은 주제에 대해 떠오르는 생각을 자유롭게 이야기하여 ❷(표 / 생각 그물) 형태로 만듭니다.

3 조사 계획서는 어떻게 쓸까?

조사 계획서

주제	장영실의 위대한 발명품을 찾아서
활동 기간	20△△년 △△월 △△일 ~ △△월 △△일, 2주간
활동 내용	• 장영실의 업적 찾기 • 장영실 뉴스와 가상 면담 만들기 • 장영실의 발명품이 우수한 까닭 조사하기 • 장영실이 발명품을 만들게 된 까닭 알아보기
활동 방법	• 장영실 과학 동산에서 자료 수집하기 • 도서관에서 장영실 위인전 찾아 읽기 • 장영실의 발명품에 대한 자료 수집하기
역할 나누기	• 소현 : 장영실의 업적 정리하기 • 승희 : 조사한 자료 정리하기 • 지훈 : 발명품 사진 찍기 • 서준 : 발명품과 관련된 장소 찾아보기
주의할 점	• 자료의 출처를 밝힘. • 답사를 갈 때에는 안전하게 이동함. • 자신의 역할에 최선을 다해 노력함. • 모든 활동은 모둠원들이 서로 협력해서 함께함.

조사 계획서는 주제, 활동 기간, 활동 내용, 활동 방법, 역할 나누기, ❸(느낀 / 주의할) 점 등을 고려하여 작성합니다.

정답 ❶ 주제망 ❷ 생각 그물 ❸ 주의할

3주

개념 체크

정답과 풀이 9쪽

1 장영실의 발명품을 조사하기 위해 사진 찍기, 자료 정리하기 등의 ☐☐을 나누어야 합니다.

2 조선 시대에 자격루, 간의 등을 만든 과학자는 ☐☐☐입니다.

3 주제, 활동 내용, 활동 방법 등을 넣어 조사 ☐☐☐를 작성합니다.

보기
• 역할 • 학년
• 장영실 • 김유신
• 백지도 • 계획서

1일 개념 확인하기

정답과 풀이 9쪽

빠른 정답 보기

1 다음 어린이들이 설명하는 사람은 누구입니까? (   )

노비의 신분이었지만 뛰어난 솜씨로 양반이 되어 다양한 업적을 쌓았습니다.

조선 시대에 자격루, 간의 등의 발명품을 만든 과학자입니다.

① 황희　② 이성계　③ 장영실　④ 신사임당　⑤ 세종 대왕

2 다음 그림을 보고, (   ) 안의 알맞은 말에 ○표를 하시오.

위 그림과 같이 주제에 대해 떠오르는 생각을 생각 그물로 나타낸 것을 (주제망 / 보고서)(이)라고 합니다.

3 다음 질문과 관련 있는 조사 주제는 어느 것입니까? (   )

- 장영실의 발명품에는 어떤 것들이 있을까?
- 장영실이 발명품을 만들게 된 까닭은 무엇일까?

① 장영실을 도와줬던 사람들
② 장영실 과학 동산에 대해서
③ 장영실이 살던 곳을 찾아서
④ 장영실의 어린 시절에 대해서
⑤ 장영실의 위대한 발명품을 찾아서

4 장영실의 발명품을 조사하기 위해 나눈 역할에서 밑줄 친 부분에 들어갈 말을 쓰시오.

민재	장영실의 업적 정리하기	예리	발명품 ________
정윤	조사한 자료 정리하기	진서	발명품과 관련된 장소 찾아보기

(   )

집중 연습 문제 조사 계획서

5 다음 조사 계획서에서 ㉠~㉤에 들어갈 말이 알맞게 짝 지어진 것은 어느 것입니까? (   )

㉠	과학자 장영실의 일생
㉡	20△△년 △△월 △△일 ~ △△월 △△일, 2주간
㉢	• 장영실의 일생 조사하기 • 장영실의 일생이 훌륭한 까닭 알아보기
㉣	• 도서관에서 장영실 위인전 찾아 읽기 • 장영실 과학 동산에서 자료 수집하기
㉤	• 소현 : 장영실의 일생 정리하기 • 승희 : 수집한 자료 정리하기
주의할 점	자신의 역할에 책임감을 가짐.

① ㉠ – 주제 ② ㉡ – 활동 내용 ③ ㉢ – 활동 방법
④ ㉣ – 활동 기간 ⑤ ㉤ – 느낀 점

조사 계획서 중 ㉡과 ㉤에 들어갈 말을 써 볼까?

• ㉡ → 활동 ◯◯

• ㉤ → ◯◯ 나누기

6 위 **5**번의 계획서에서 밑줄 친 주의할 점에 더 들어갈 내용을 바르게 말한 어린이는 누구인지 쓰시오.

나진 : 자료의 출처는 밝히지 않아도 돼요.
훈영 : 답사를 갈 때에는 안전하게 이동해야 해요.
다래 : 활동 계획은 모둠에서 한 명이 결정해야 해요.

(   )

프로젝트 활동을 할 때에는 주의할 점을 생각하며 맡은 일에 최선을 다해야 해!

2일 역사적 인물 조사

역사적 인물에 대해 알아볼까?

용어 체크

자격루

물이 흐르는 것을 이용하여 스스로 소리를 나게 해서 시간을 알리도록 만든 물시계

예 조선 시대 사람들은 ❶ [ ] 의 소리를 듣고 시간을 짐작할 수 있었다.

위인전

뛰어나고 훌륭한 사람의 업적과 삶을 적은 글, 또는 그런 책

예 장영실의 일생을 ❷ [ ] 을 읽으며 살펴볼 수 있다.

정답 ❶ 자격루 ❷ 위인전

직접 현장 체험을 해 볼까?

용어 체크

문화 관광 해설사

관광객들에게 문화유산, 관광 자원 등에 대해 재미있고 알기 쉽게 설명해 주는 전문 해설사

예 현장 체험을 가서 ❶ ______ 께 미리 준비한 질문을 할 수 있다.

현장 체험

어떤 일이 실제로 일어나거나 일어나고 있는 곳에서 직접 겪고 경험하는 일

예 역사적 인물에 대한 ❷ ______ 을 하면 문화유산을 직접 볼 수 있다.

정답 ❶ 문화 관광 해설사 ❷ 현장 체험

2일 개념 익히기

1 역사적 인물을 책으로 알아볼까?

도서관
위인전에는 장영실이 궁궐에 가서 벼슬을 하고 발명품을 만들게 되는 과정이 나와 있어.
열심히 하거라.
예, 전하.
세종
장영실
오오~!
훌륭하다.
기회를 준 보람이 있구나.
열심히 해야지.

도서관에서 역사적 인물과 관련된 ❶(책 / 지도)을/를 찾아 읽으며 삶을 살펴볼 수 있습니다.

2 역사적 인물을 인터넷 검색으로 알아볼까?

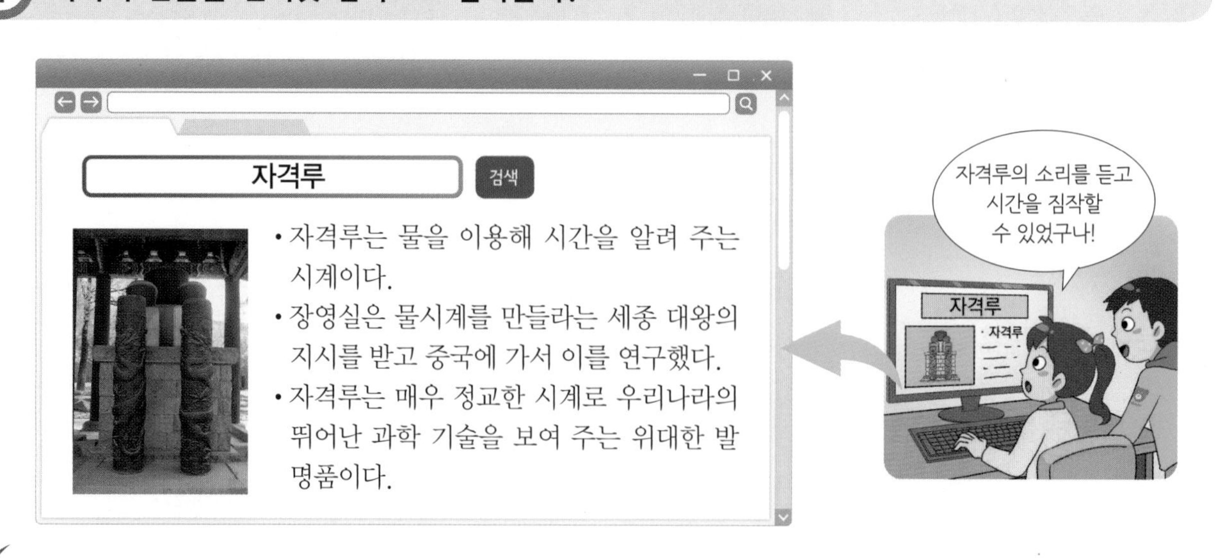

자격루
검색
• 자격루는 물을 이용해 시간을 알려 주는 시계이다.
• 장영실은 물시계를 만들라는 세종 대왕의 지시를 받고 중국에 가서 이를 연구했다.
• 자격루는 매우 정교한 시계로 우리나라의 뛰어난 과학 기술을 보여 주는 위대한 발명품이다.
자격루의 소리를 듣고 시간을 짐작할 수 있었구나!
자격루

인터넷 백과사전을 ❷(만들어 / 검색하여) 역사적 인물에 대해 자세히 알아볼 수 있습니다.

3 역사적 인물을 현장 체험으로 알아볼까?

장영실 과학 동산 ▶

해시계인
앙부일구도
직접 볼 수 있어서
좋아요.
역사적 인물과 관련된
장소에 직접 찾아오면
문화 관광 해설사를 만날 수
있고, 사진을 찍거나 설명을
적을 수도 있어요.

현장 체험 학습을 하면서 역사적 인물을 조사할 때 좋은 점

- 역사적 인물과 관련된 문화유산 등을 직접 볼 수 있음.
- 문화 관광 해설사께 역사적 인물의 일생을 자세히 들을 수 있음.
- 미리 작성한 질문 내용을 문화 관광 해설사께 직접 여쭤볼 수 있음.

☑ 기념관, ❸(박물관 / 컴퓨터실) 등 **역사적 인물과 관련된 장소에 직접 찾아가서 자료를 수집할** 수 있습니다.

정답 ❶ 책 ❷ 검색하여 ❸ 박물관

개념 체크

정답과 풀이 9쪽

1 도서관에서 장영실 □□□을 찾아 읽으며 장영실의 일생을 살펴볼 수 있습니다.

2 컴퓨터실에서 인터넷 백과사전을 □□할 수 있습니다.

3 현장 체험을 가면 문화 관광 □□□를 직접 만나 볼 수 있습니다.

보기
- 위인전
- 지구본
- 발표
- 검색
- 사회자
- 해설사

3주

2일 개념 확인하기

정답과 풀이 9쪽

1 다음과 같이 장영실에 대해 조사하기 위해 가야 할 장소는 어디입니까? (　　　　)

위인전을 읽으며 장영실이 궁궐에 가서 벼슬을 하고 발명품을 만들게 되는 과정을 살펴보려고 합니다.

① 구청　② 기념관　③ 도서관
④ 박물관　⑤ 컴퓨터실

2 다음 그림과 같이 장영실에게 기회를 준 왕은 누구입니까? (　　　　)

① 태조　② 세종
③ 고종　④ 정조
⑤ 영조

3 다음 ○× 퀴즈의 정답을 알맞게 적은 어린이를 쓰시오.

역사적 인물을 조사하는 방법 ○× 퀴즈
(1) 다양한 방법으로 역사적 인물에 대해서 조사할 수 있습니다.
(2) 인터넷 검색으로는 역사적 인물에 대해 알아볼 수 없습니다.

▲ 해영

▲ 민우

(　　　　　　　　)

4 다음 어린이들은 어떤 방법으로 역사적 인물을 조사하고 있는지 보기에서 찾아 기호를 쓰시오.

보기
㉠ 백지도 그려 보기
㉡ 도서관에서 책 보기
㉢ 현장 체험 학습 가기
㉣ 인터넷 백과사전 살펴보기

( )

3주

5 역사적 인물을 알아보는 현장 체험 학습을 하면 좋은 점을 바르지 않게 말한 어린이는 누구인지 쓰시오.

나래 : 다른 조사 방법에 비해 시간과 노력이 적게 들어요.
재영 : 역사적 인물과 관련된 문화유산을 직접 볼 수 있어요.
찬율 : 다양한 문화유산들의 사진을 찍고, 동영상도 촬영할 수 있어요.
수민 : 문화 관광 해설사께 질문을 하거나 자세히 이야기를 들을 수 있어요.

( )

6 다음에서 설명하는 낱말을 말 상자에서 찾아 모두 ○표를 하세요. 말 상자의 낱말은 가로, 세로, 대각선에 숨어 있어요.

세	종	대	왕
☆	탐	위	도
원	☆	인	자
시	제	전	격
험	계	☆	루

1. 역사적 인물의 일생을 적은 책
2. 장영실에게 기회를 준 조선 시대의 왕
3. 장영실이 만든 물시계
4. 앙부일구는 조선 시대의 해□□임.

3일 역사적 인물 소개 자료

누가 역할극을 잘할까?

용어 체크

역할극

참여자가 주어진 상황에서 특정 역할을 담당하여 연기하는 극

예 장영실의 일생을 다양한 인물이 등장하는 ❶ (   )으로 만들 수 있다.

정답 ❶ 역할극

우연히 발견한 발명품!

용어 체크

혼천의

태양과 달 등 천체의 운행과 위치를 관측하던 장치

예 장영실은 ❶ ________ 를 만들어 천문학 발전에 기여했다.

정답 ❶ 혼천의

3일 개념 익히기

개념 동영상

1 역사적 인물을 소개하는 역할극 대본은 어떻게 만들까?

때 : 조선 시대 / 장소 : 궁궐 / 등장인물 : 장영실, 세종 대왕, 이천, 백성들

장영실과 관계있는 등장인물

장면 1 세종 대왕과 장영실의 만남

세종 대왕 : 나라를 발전시킬 능력이 있는 훌륭한 인재를 추천해 보시오.
이천 : 전하, 장영실이라는 손재주가 뛰어난 자가 있습니다.
세종 대왕 : 그자를 데리고 오너라.

장영실 : 전하, 제가 장영실입니다.
세종 대왕 : 너의 뛰어난 재주를 발휘해 백성을 위한 발명품을 만들어 보아라.
장영실 : 전하, 성은이 망극하옵니다. 최선을 다해 만들겠습니다.

장면 2 앙부일구와 자격루를 열심히 만드는 장영실

업적이 드러나는 장면

장면 3 장영실이 만든 앙부일구와 자격루를 보고 기뻐하는 세종 대왕과 백성들

훌륭하구나!
성은이 망극하옵니다.
와, 이제 우리도 시간을 알 수 있다!
세종 대왕
이천
장영실
백성

☑ 역사적 인물과 관련 있는 등장인물, 대화 내용, 일생과 ❶(업적 / 잘못한 점)이 드러나는 장면 등을 넣어 만듭니다.

2 역사적 인물을 소개하는 뉴스와 노래는 어떻게 만들까?

뉴스 만들기

아나운서 : 노비였던 장영실이 어떻게 과학자가 될 수 있었나요?
문화 관광 해설사 : 장영실은 동래현에 소속된 노비였지만 뛰어난 손재주로 추천을 받아 벼슬을 하게 되었고 열심히 연구해 우수한 발명품을 만들 수 있었습니다.
아나운서 : 장영실이 만든 발명품을 소개해 주세요.
교수 : 해시계인 **앙부일구**와 물시계인 **자격루**가 있습니다.
아나운서 : **혼천의**는 어떤 발명품입니까?
문화 관광 해설사 : 혼천의는 태양과 달의 위치를 알려 주는 발명품입니다.

노랫말 바꿔 부르기

간~의, 혼천의, 앙부일구, 자격루
만들어서 보급해, 백성들 편해
살기 좋게 만들어 훌륭해 감사해!
간의
앙부일구
혼천의
자격루

짧은 동요를
이용해서 노랫말을
바꿔 보자!

장영실 소개 자료를 만들 때 주의할 점
- 장영실의 일생과 업적이 잘 드러나도록 만들어야 함.
- 역사적인 사실을 바탕으로 만들어야 함.

역사적 인물을 소개하는 뉴스는 역사적 인물의 발명품이나 삶을 다룬 내용을 넣어 만들고, 노랫말을 바꿔 만들 때에는 노랫말이 ❷(긴 / 짧은) 동요를 이용합니다.

정답 ❶ 업적 ❷ 짧은

개념 체크

정답과 풀이 10쪽

1 장영실의 일생을 ☐☐☐(으)로 만들기 위해 등장인물이 필요합니다.

2 장영실은 훌륭한 ☐☐☐였습니다.

3 장영실을 소개하는 내용을 노랫말로 만들 때 ☐☐, 혼천의 등 발명품을 넣을 수 있습니다.

보기
- 역할극
- 문화재
- 과학자
- 예술가
- 화성
- 간의

3일 개념 확인하기

정답과 풀이 10쪽

1 지후네 모둠이 장영실의 일생을 소개하기 위해 만들고 있는 것은 무엇입니까? (　　　　)

우리 모둠 친구들은 장영실, 백성들, 이천 등의 등장인물 역할을 한 명씩 맡을 거예요. 그리고 장영실의 일생과 업적이 드러나는 장면을 넣어서 장영실을 소개할 예정이에요.

① 지도　② 안내도　③ 역할극
④ 모의재판　⑤ 조사 보고서

2 장영실의 일생을 소개하는 역할극에 들어갈 내용으로 알맞지 않은 것을 보기에서 찾아 기호를 쓰시오.

보기
㉠ 신사임당과 장영실의 만남　㉡ 세종 대왕과 장영실의 만남
㉢ 자격루를 열심히 만드는 장영실　㉣ 장영실의 발명품을 보고 기뻐하는 백성들

(　　　　　　　　)

3 다음 뉴스 대본의 밑줄 친 부분에 들어갈 말로 알맞은 것은 어느 것입니까? (　　　　)

아나운서 : 장영실은 무엇을 만들었나요?
교수 : 장영실은 ______________________

① 여러 가지 예술 작품을 만들었습니다.
② 전국을 돌아다니며 지도를 만들었습니다.
③ 해와 물의 움직임을 이용해 시계를 만들었습니다.
④ 시계를 만들려고 여러 차례 시도했으나 실패했습니다.
⑤ 사람들이 편리하게 볼 수 있는 전자시계를 만들었습니다.

4 역사적 인물을 소개하는 자료를 만들 때 주의할 점을 바르게 말한 어린이를 쓰시오.

이은 : 역사적 인물의 일생과 업적이 잘 드러나도록 만들어야 해요.
해영 : 역사적인 사실에 근거하기보다는 사람들이 놀랄 만한 내용을 넣어야 해요.

(　　　　　　　　)

5 다음 장영실을 소개하는 노래를 부르는 아이들 중 잘못 부르고 있는 어린이를 찾아 기호를 쓰시오.

(　　　　　　　　)

집중 연습 문제 역할극 만들기

[6~7] 다음 역할극 대본을 읽고, 물음에 답하시오.

장영실 : 전하, 앙부일구와 [㉠] 을/를 만들었습니다.
[㉡] : 시계를 만들다니 훌륭하구나. 이제 많은 백성이 시간을 알 수 있겠구나!
백성들 : 와, 이제 우리도 시간을 알 수 있다!

- ㉠ ➔ (　) 시계의 한 종류
- ㉡ ➔ 장영실이 실력을 발휘할 수 있게 기회를 준 조선 시대의 (　)

6 위 역할극 대본에서 ㉠에 들어갈 알맞은 발명품은 어느 것입니까? (　　　)

① 지도　② 혼천의　③ 자격루
④ 거중기　⑤ 거북선

황희는 조선 시대의 이름난 훌륭한 신하로, 세종 때에 18년간 영의정을 지냈어.

7 위 역할극 대본에서 ㉡에 들어갈 알맞은 인물은 누구입니까? (　　　)

① 황희　② 정몽주　③ 태종
④ 강감찬　⑤ 세종 대왕

4일 역사적 인물 소개

장영실의 또 다른 발명품은?

용어 체크

앙부일구

조선 시대에 사용하던 해시계로, 솥 모양의 그릇 안쪽에 24절기를 나타내는 눈금을 새기고, 북극을 가리키는 바늘을 꽂아 이 바늘의 그림자가 가리키는 눈금에 따라 시각을 알 수 있게 만들었음.

예 장영실이 만든 ❶ [   ] 는 솥뚜껑을 뒤집어 놓은 듯한 모습이다.

정답 ❶ 앙부일구

자부심을 느껴 보자!

용어 체크

자부심

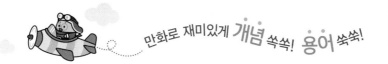

자기 자신 또는 자기와 관련되어 있는 것에 대하여 스스로 그 가치나 능력을 믿고 당당히 여기는 마음

예 우리 민족은 ❶ [ ] 이 대단하다.

정답 ❶ 자부심

4일 개념 익히기

1 역사적 인물을 다양한 방법으로 소개해 볼까?

백성을 위한 발명품을 만들어 보아라.
최선을 다해 만들겠습니다.
이천
세종 대왕
장영실
백성
역할극

부산 지역 출신인 장영실은 백성들의 생활을 편리하게 해 준 뛰어난 인물이군요.
뉴스

우리 지역 출신 장영실~
노랫말 바꿔 부르기

역사적 인물을 역할극, ❶(뉴스 / 게임), 노랫말 바꿔 부르기 등으로 소개할 수 있습니다.

2 역사적 인물에 대한 발표를 들으며 궁금한 점을 질문해 볼까?

주제	장영실의 위대한 발명품을 찾아서
궁금한 점	1 장영실의 발명품은 사람들에게 어떤 도움을 주었습니까? 2 장영실의 훌륭한 점은 무엇입니까?

답변

백성들은 앙부일구와 자격루로 시간을 알 수 있었습니다.
1

발명품을 만들어 백성들이 편하게 살고 농사를 잘 지을 수 있도록 도운 점입니다.
2

발표를 들으면서 궁금한 내용을 정리해서 ❷(질문 / 비판)하고, 발표한 모둠은 조사한 내용들을 바탕으로 대답할 수 있습니다.

3 역사적 인물을 소개하는 활동을 되돌아보며 평가해 볼까?

스스로 평가하기

평가 항목	매우 그렇다	그렇다	보통이다
모둠 활동에 적극적으로 참여했다.			
계획한 일정에 맞게 활동을 잘 실천했다.			
우리 지역에 자부심을 갖게 되었다.			
역사적 인물을 존경하게 되었다.			

서로 평가하기

평가 항목	모둠명
주제를 정해 다양한 방법으로 조사하고 발표했다.	
정보를 이해하기 쉽게 잘 전달했다.	
모둠 친구들이 모두 함께 열심히 활동했다.	

장영실에 대해 알아보는 프로젝트 활동이 정말 재미있었어요.

장영실이 우리 지역의 인물이라는 것이 자랑스러워요.

장영실이라는 인물에 대한 고마운 마음을 담아 감사장을 쓰고 싶어요.

감사장
장영실
백성들에게 큰 도움을 주어 감사합니다.

우리 지역의 역사적 인물을 소개하는 활동을 되돌아보며 스스로 점검하고, 모둠별로 ❸(공격 / 평가) 해 볼 수 있습니다.

정답 ❶ 뉴스 ❷ 질문 ❸ 평가

개념 체크

정답과 풀이 10쪽

1 역사적 인물에 대해 조사한 것을 역할극, □□ 등으로 발표할 수 있습니다.

2 조선 시대 백성들은 자격루를 통해 □□을 알 수 있었습니다.

3 장영실에 대해 조사하면서 □□□을 느낄 수 있었습니다.

보기
- 지도
- 뉴스
- 시간
- 계절
- 수치심
- 자부심

개념 확인하기

정답과 풀이 10쪽

1 다음 그림과 같이 발표를 하는 방법은 어느 것입니까? (　　　)

장영실은 어떤 사람인가요?
장영실은 훌륭한 과학자입니다.

① 지도 그리기
② 노래 부르기
③ 뉴스 만들기
④ 역할극 하기
⑤ 홍보 책자 만들기

2 다음 ○× 퀴즈의 정답을 알맞게 적은 어린이를 쓰시오.

역사적 인물에 대해 조사한 내용을 발표하는 방법 ○× 퀴즈

(1) 한 가지 방법으로만 발표해야 합니다.
(2) 발표를 한 후에 친구들의 질문에 답변을 할 수 있습니다.

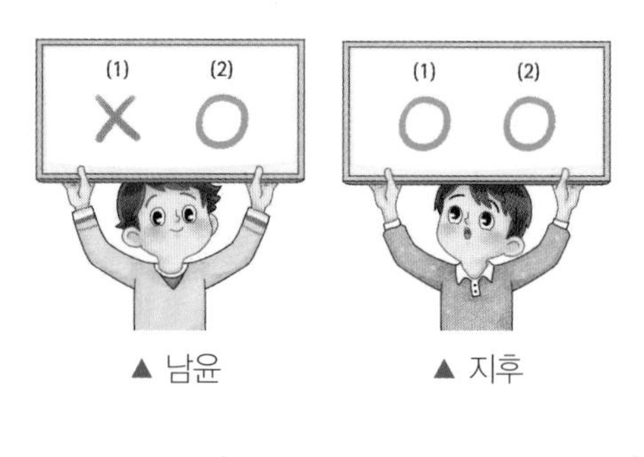

▲ 남윤　▲ 지후

(　　　　　　)

3 다음과 같은 답변과 관련 있는 질문을 보기에서 찾아 기호를 쓰시오.

발명품을 만들어 백성들이 편하게 살고 농사를 잘 지을 수 있도록 도운 점입니다.

보기
㉠ 장영실의 훌륭한 점은 무엇입니까?
㉡ 장영실의 어린 시절은 어땠습니까?
㉢ 장영실이 만든 자격루는 어떤 물건입니까?

(　　　　　　)

4 백성들이 시간을 알 수 있게 한 장영실의 발명품을 두 가지 고르시오. (　　,　　)

① 달력　② 자격루　③ 혼천의
④ 측우기　⑤ 앙부일구

역사적 인물 소개

5 다음 평가하기 항목 중 '스스로 평가하기'를 찾아 기호를 쓰시오.

㉠ 평가 항목	㉡ 평가 항목
역사적 인물을 존경하게 되었다.	정보를 이해하기 어렵게 전달했다.
모둠 활동에 적극적으로 참여했다.	모둠 친구들 중 일부만 열심히 활동했다.

( )

6 우리 지역의 역사적 인물을 소개하는 활동을 마친 후 활동 소감을 바르게 말한 어린이를 찾아 기호를 쓰시오.

㉠
장영실이 우리 지역의 인물이라서 더 자랑스러워.
㉡
우리나라의 과학 기술 발전과 장영실은 관련이 없어.
㉢
모둠 활동에 잘 참여하지 않았는데 무사히 끝나서 좋아.

( )

7 다음에서 설명하는 힌트를 읽고, 나는 누구인지 쓰세요.

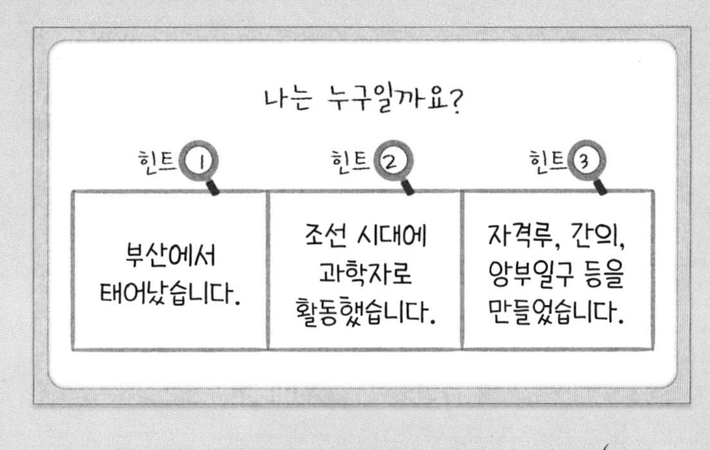

나는 누구일까요?
힌트 1
부산에서 태어났습니다.
힌트 2
조선 시대에 과학자로 활동했습니다.
힌트 3
자격루, 간의, 앙부일구 등을 만들었습니다.

( )

3주 마무리하기

1 우리 지역의 역사적 인물 조사하기

조사하기 전에 계획을 꼭 세워야 해!

① 역사적 인물을 조사하는 계획 세우기

주제망 만들기 → 더 알고 싶은 내용 이야기하기 → 조사할 주제 정하기 → 역할 나누기 → 조사 계획서 작성하기

② 역사적 인물을 조사하는 조사 계획서 작성하기 ㉮

주제	장영실의 위대한 발명품을 찾아서
활동 기간	20△△년 △△월 △△일 ~ △△월 △△일, 2주간
활동 내용	• 장영실의 업적 찾기 • 장영실이 발명품을 만들게 된 까닭 알아보기 • 장영실의 발명품이 우수한 까닭 조사하기
활동 방법	• 도서관에서 장영실 위인전 찾아 읽기 • 장영실의 발명품에 대한 자료 수집하기
역할 나누기	• 소현 : 장영실의 업적 정리하기 • 승희 : 조사한 자료 정리하기 • 지훈 : 발명품 사진 찍기 • 서준 : 관련 장소 찾아보기
주의할 점	• 자료의 출처를 밝힘. • 자신의 역할에 최선을 다해 노력함.

한 가지 방법이 아닌 여러 가지 방법으로 조사할 수 있지.

③ 역사적 인물(㉮ 장영실)에 대해 조사하는 방법

책 읽기

도서관에 가서 위인전을 찾아 읽으며 장영실의 일생을 살펴봄.

인터넷 검색하기

컴퓨터실에서 인터넷 검색으로 장영실의 발명품을 알아봄.

현장 체험하기

장영실 과학 동산을 방문해 장영실이 만든 발명품에 관한 자료를 수집하고, 문화 관광 해설사께 장영실의 일생에 대한 설명을 들음.

2 역사적 인물을 소개하는 자료 만들어 발표하기

① 역사적 인물(예 장영실)을 소개하는 자료 만들기

역사적 인물은 사실을 바탕으로 소개해야 해!

역할극 만들기

와! 우리도 시간을 알 수 있다!
세종대왕
이천
백성
장영실

장영실의 일생과 관련된 여러 장면을 넣어 역할극을 만듦.

뉴스 만들기

장영실이 만든 발명품을 소개해 주세요.

장영실의 발명품을 중심으로 장영실을 소개하는 뉴스를 만듦.

노랫말 만들기

장영실과 관련 있는 내용을 노랫말로 만들어 지역의 인물을 홍보하는 노래를 만듦.

② 발표를 한 후 모둠별로 평가하기 : 스스로 평가하기, 서로 평가하기 등을 합니다.

장영실이 우리 지역에서 태어난 역사적 인물이라고 하는데, 장영실이 만든 발명품에는 뭐가 있어?

장영실의 대표적인 발명품에는 **자격루**가 있어.

어떤 원리로 만든 거야?

자격루의 원리는 맨 위에 있는 통에 물을 넉넉하게 부어 주면 물이 일정한 속도로 흘러나와 맨 아래쪽의 통에 물이 차고, 정해진 눈금에 닿으면 종, 징, 북 등의 소리를 내거나 팻말을 들어 올려 시간을 알리는 거지!

우와, 정말 신기하다!

5일 3주 마무리하기

1일 역사적 인물 조사 계획

1 다음 보기에서 조사 계획을 세울 때 가장 마지막에 해야 할 일을 찾아 기호를 쓰시오.

보기
㉠ 주제망 만들기　　㉡ 조사할 주제 정하기
㉢ 조사 계획서 작성하기　　㉣ 조사하는 역할 나누기

( )

2 다음과 같이 주제에 대해 떠오르는 생각을 생각 그물로 나타낸 것을 무엇이라고 하는지 쓰시오.

( )

3 부산에서 태어난 조선 시대의 과학자로, 다양한 발명품을 만든 사람은 누구입니까? ( )

① 김구　② 장영실　③ 이순신
④ 유관순　⑤ 신사임당

4 장영실의 발명품을 조사하는 조사 계획서에 들어갈 내용으로 알맞지 않은 것은 어느 것입니까? ( )

① 주제　② 느낀 점　③ 활동 기간
④ 주의할 점　⑤ 역할 나누기

2일 역사적 인물 조사

5 장영실 위인전의 내용을 바르게 말하고 있는 어린이를 쓰시오.

지희 : 장영실은 원래 신분이 높은 양반 출신이었어요.
시우 : 이천이 광개토 대왕에게 장영실을 인재로 추천했어요.
진율 : 장영실은 뛰어난 창의력과 재주로 끊임없이 노력해서 여러 발명품을 만들었다고 해요.

( )

6 문화 관광 해설사를 직접 만날 수 있는 조사 방법을 찾아 기호를 쓰시오.

㉠ 

▲ 책으로 알아보기

㉡ 

▲ 인터넷 검색으로 알아보기

㉢ 
▲ 현장 체험으로 알아보기

( )

7 다음 검색창에 들어갈 발명품은 어느 것입니까? ( )

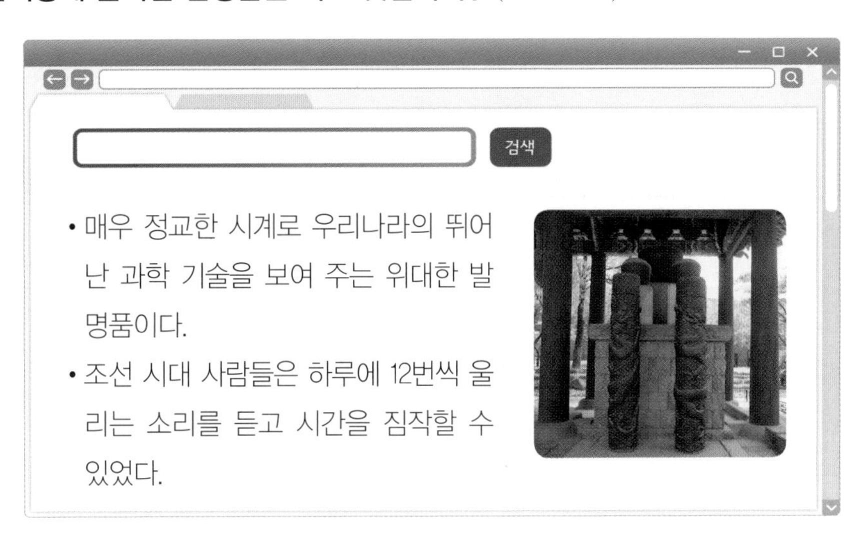

검색
• 매우 정교한 시계로 우리나라의 뛰어난 과학 기술을 보여 주는 위대한 발명품이다.
• 조선 시대 사람들은 하루에 12번씩 울리는 소리를 듣고 시간을 짐작할 수 있었다.

① 간의 ② 혼천의 ③ 자격루
④ 측우기 ⑤ 앙부일구

3일 역사적 인물 소개 자료

[8~9] 다음 역할극 대본을 읽고, 물음에 답하시오.

때 : [㉠] / 장소 : 궁궐 / 등장인물 : 장영실, 세종 대왕, [㉡], 백성들

장면 1 세종 대왕과 장영실의 만남
세종 대왕 : 나라를 발전시킬 능력이 있는 훌륭한 인재를 추천해 보시오.
[㉡] : 전하, 장영실이라는 손재주가 뛰어난 자가 있습니다.
세종 대왕 : 그자를 데리고 오너라.

장영실 : 전하, 제가 장영실입니다.
세종 대왕 : 너의 뛰어난 재주를 발휘해 백성을 위한 발명품을 만들어 보아라.
장영실 : 전하, 성은이 망극하옵니다. 최선을 다해 만들겠습니다.

8 위 역할극 대본에서 ㉠에 들어갈 시대는 언제입니까? (　　　　)

① 고려 시대　② 조선 시대　③ 발해 시대
④ 고조선 시대　⑤ 대한 제국 시대

9 위 역할극 대본에서 ㉡에 공통으로 들어갈 인물은 누구입니까? (　　　　)

① 이이　② 이황　③ 태조
④ 이천　⑤ 왕건

서술형

10 다음 장영실을 소개하는 뉴스 대본에서 장영실의 신분과 관련하여 밑줄 친 부분에 들어갈 알맞은 내용을 쓰시오.

아나운서 : 장영실이 어떻게 과학자가 될 수 있었는지 설명해 주세요.
문화 관광 해설사 : 장영실은 ________________ 하지만 뛰어난 손재주로 추천을 받아 벼슬을 하게 되었고 열심히 연구해 우수한 발명품을 만들 수 있었습니다.

4일 역사적 인물 소개

11 장영실에 대한 발표를 들은 뒤 궁금한 점과 해당하는 대답을 바르게 줄로 이으시오.

(1) 장영실의 발명품은 어떤 도움을 주었습니까? •　　　　• ㉠ 백성들이 편하게 살고 농사를 잘 짓도록 도운 점입니다.

(2) 장영실의 훌륭한 점은 무엇입니까? •　　　　• ㉡ 백성들은 앙부일구와 자격루로 시간을 알 수 있었습니다.

12 역사적 인물을 소개한 후 '서로 평가하기'에 들어갈 평가 항목으로 알맞은 것을 두 가지 고르시오. (　　　,　　　)

① 역사적 인물을 잘 모르게 되었다.

② 정보를 이해하기 쉽게 잘 전달했다.

③ 우리 지역에 부끄러운 마음을 갖게 되었다.

④ 모둠 친구들이 모두 함께 열심히 활동했다.

⑤ 주제를 정해 한 가지 방법으로만 조사하고 발표했다.

13 다음 감사장을 받을 주인공을 오른쪽 글자들을 조합하여 찾아 쓰세요.

감사장

이름 : ________

위 사람은 앙부일구와 자격루를 만들어 시간을 쉽게 알 수 있도록 하고, 백성들의 생활에 큰 도움을 주어서 감사장을 드립니다.

(　　　　　　　　　　)

3주 누구나 100점 TEST

맞은 개수 /10개

1 다음 주제망에서 □ 안에 들어갈 인물은 누구입니까? (   )

① 이이 ② 이천 ③ 장영실
④ 이순신 ⑤ 신사임당

2 다음 선우가 하는 말에서 □ 안에 들어갈 알맞은 것은 무엇입니까? (   )

우리 모둠은 '장영실의 위대한 발명품을 찾아서'라는 주제를 정했어. 이제 친구들과 함께 □를 작성한 후에 조사를 해 볼 거야.

선우

① 백지도 ② 안내도
③ 포스터 ④ 조사 계획서
⑤ 조사 보고서

3 다음은 조사 계획서에서 어떤 항목에 해당합니까? (   )

지윤 : 장영실의 업적 정리하기
정윤 : 조사한 자료 정리하기
예리 : 발명품 사진 찍기

① 주제 ② 느낀 점
③ 활동 기간 ④ 주의할 점
⑤ 역할 나누기

4 다음 발명품은 어느 것입니까? (   )

- 장영실이 만든 것입니다.
- 물을 이용해 시간을 알려 주는 시계입니다.

① 석탑 ② 자격루 ③ 거중기
④ 측우기 ⑤ 혼천시계

5 다음 장소에 가서 만날 수 있는 사람을 보기 에서 찾아 쓰시오.

▲ 장영실 과학 동산

보기
- 아나운서
- 문화 관광 해설사

(   )

정답과 풀이 11쪽

6 역사적 인물을 소개하기 위한 방법 중 다음 내용과 관련 있는 것은 어느 것입니까? (   )

때 : 조선 시대 / 장소 : 궁궐 /
등장인물 : 장영실, 세종 대왕, 이천, 백성들

장면 1 세종 대왕과 장영실의 만남
세종 대왕 : 나라를 발전시킬 능력이 있는 훌륭한 인재를 추천해 보시오.
이천 : 전하, 장영실이라는 손재주가 뛰어난 자가 있습니다.
세종 대왕 : 그자를 데리고 오너라.

장영실 : 전하, 제가 장영실입니다.
세종 대왕 : 너의 뛰어난 재주를 발휘해 백성을 위한 발명품을 만들어 보아라.

① 뉴스 만들기
② 모의재판 하기
③ 역할극 만들기
④ 홍보 자료 만들기
⑤ 노랫말 바꿔 부르기

7 위 6번의 내용을 보고 알게 된 사실을 바르게 말하지 않은 어린이를 쓰시오.

상윤 : 장영실은 왕실에 살던 사람이었어요.
지나 : 세종 대왕은 장영실에게 기회를 주었어요.
현철 : 이천은 세종 대왕에게 장영실을 추천해 주었어요.

(   )

8 장영실을 소개하는 노랫말을 만들 때 들어갈 내용으로 알맞지 않은 것은 무엇입니까? (   )

① 간의 ② 혼천의 ③ 자격루
④ 앙부일구 ⑤ 훈민정음

9 역사적 인물을 소개하는 활동을 바르게 한 어린이는 누구입니까? (   )

① 재희 : 일정에 맞지 않게 활동했어요.
② 명진 : 정보를 이해하기 어렵게 전달했어요.
③ 현수 : 역사적 인물에 대해 아직 잘 몰라요.
④ 가연 : 우리 지역에 자부심을 갖게 되었어요.
⑤ 민서 : 모둠 활동에 되도록 참여하지 않았어요.

10 다음은 역사적 인물에게 쓴 것입니다. (   ) 안의 알맞은 말에 ○표를 하시오.

(임명장 / 감사장)

이름 : 장영실

위 사람은 여러 가지 발명품을 만들어 백성들의 생활에 큰 도움을 주었습니다.
이에 이 상을 드립니다.

3주

3주 특강 생활 속 사회

장영실 과학 동산에서 할 수 있는 일을 생각하며 장영실의 발명품을 알아봅니다.

1 다음은 도로시와 친구들이 장영실 과학 동산에 견학을 간 모습이에요.

(1) 위 장소에서 다음과 같은 역할을 하는 사람이 누구인지 쓰세요.

( )

(2) 도로시가 장영실 과학 동산에 가서 찍은 사진으로 알맞은 것을 찾아 기호를 쓰세요.

㉠ 

㉡ 

㉢ 

( )

정답과 풀이 12쪽

우리가 흔히 접하는 지폐를 보며 지폐에 그려진 그림을 살펴봅니다.

2 다음은 우리나라의 다양한 지폐 모습이에요.

(1) 위 지폐를 보고 바르게 말하지 <u>않은</u> 사람을 찾아 쓰세요.

(   )

(2) 만약 우리나라의 새로운 지폐에 장영실을 그린다면, 함께 그릴 그림을 찾아 ○표를 하세요.

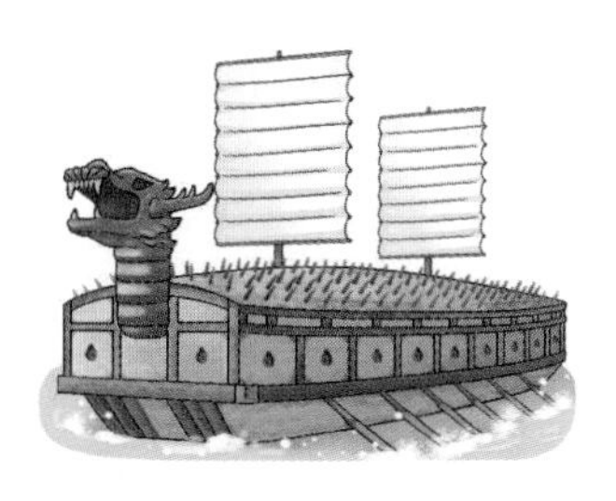

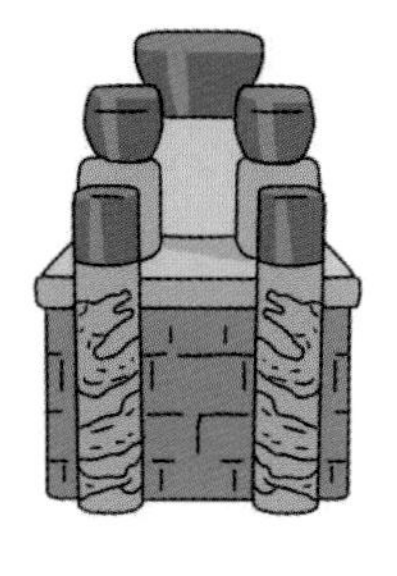

창의·융합·코딩

사고 쑥쑥

역사적 인물에 대해 조사하는 과정을 자료로 보고 파악해 봅니다.

3 다음은 친구들이 장영실에 대해 조사하는 과정이에요.

㉠

㉡

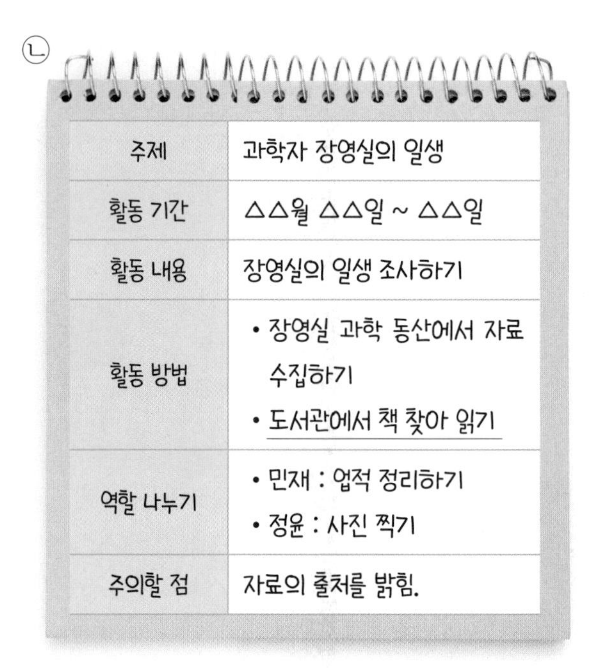

주제	과학자 장영실의 일생
활동 기간	△△월 △△일 ~ △△일
활동 내용	장영실의 일생 조사하기
활동 방법	• 장영실 과학 동산에서 자료 수집하기 • 도서관에서 책 찾아 읽기
역할 나누기	• 민재 : 업적 정리하기 • 정윤 : 사진 찍기
주의할 점	자료의 출처를 밝힘.

(1) 위 ㉠, ㉡을 보고, 장영실의 말풍선에서 □ 안에 들어갈 기호를 순서대로 쓰세요.

나에 대해서 조사하기 위해서는
□보다 □을 먼저 만들어야지.
장영실

(2) 위 ㉠에서 □ 안에 들어갈 알맞은 말을 쓰세요.

( )

(3) 위 ㉡의 밑줄 친 활동 방법에서 찾아보아야 할 책을 찾아 ○표를 하세요.

인터넷 검색으로 알아본 발명품에 대해 살펴봅니다.

4 다음은 인터넷으로 어떤 발명품을 검색한 모습이에요.

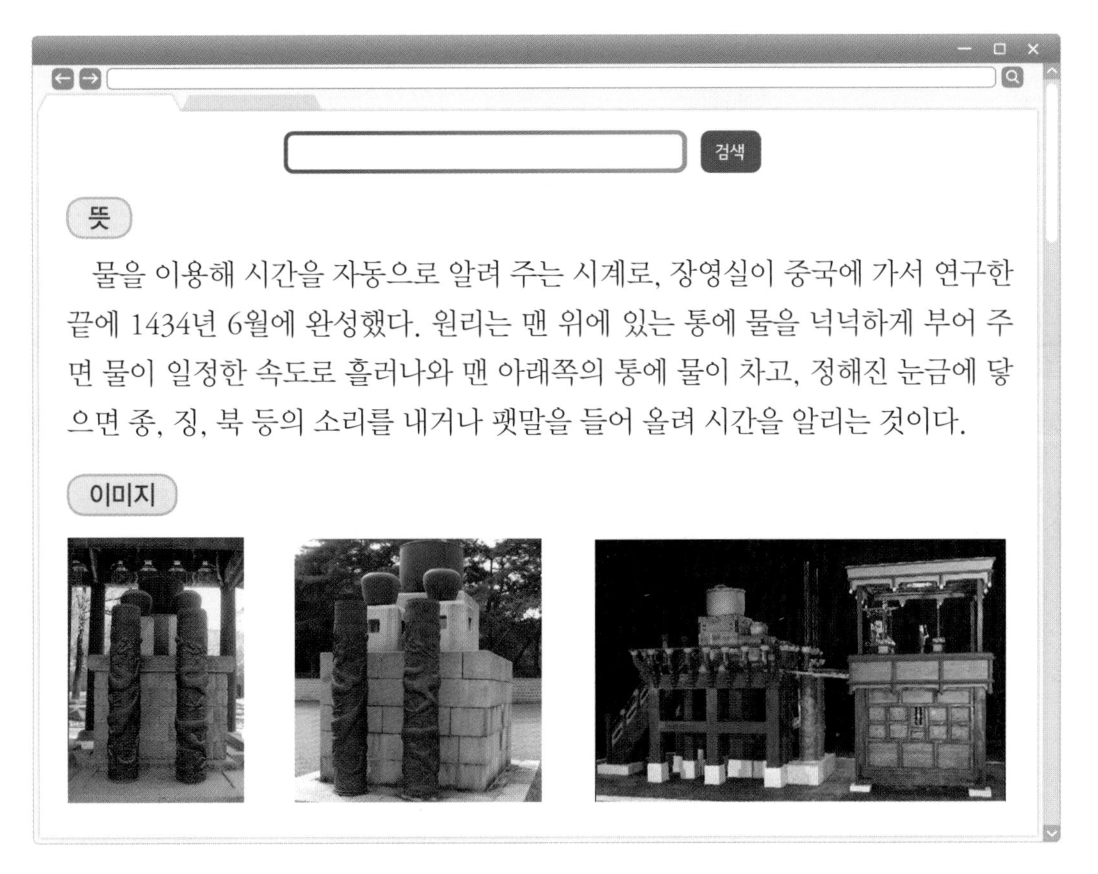
검색

뜻

물을 이용해 시간을 자동으로 알려 주는 시계로, 장영실이 중국에 가서 연구한 끝에 1434년 6월에 완성했다. 원리는 맨 위에 있는 통에 물을 넉넉하게 부어 주면 물이 일정한 속도로 흘러나와 맨 아래쪽의 통에 물이 차고, 정해진 눈금에 닿으면 종, 징, 북 등의 소리를 내거나 팻말을 들어 올려 시간을 알리는 것이다.

이미지

(1) 위 인터넷 화면에 검색한 발명품을 찾아 ○표를 하세요.

간의	자격루	혼천의	앙부일구

(2) 위 (1)번 답에 대해 선생님께서 보충 설명해 주시는 내용입니다. 알맞은 것을 찾아 번호를 쓰세요.

1. 달력을 만드는 바탕이 되었습니다.
2. 고려 시대에 만들어진 발명품입니다.
3. 우리나라의 뛰어난 과학 기술을 보여 주는 발명품입니다.
사회

(　　　　　　　　)

3 주

논리 탄탄

역사적 인물에 대한 질문을 보고, 도착까지 가는 길을 완성해 봅니다.

5 질문에 알맞은 대답을 찾아 화살표로 가는 길을 표시해 보세요.

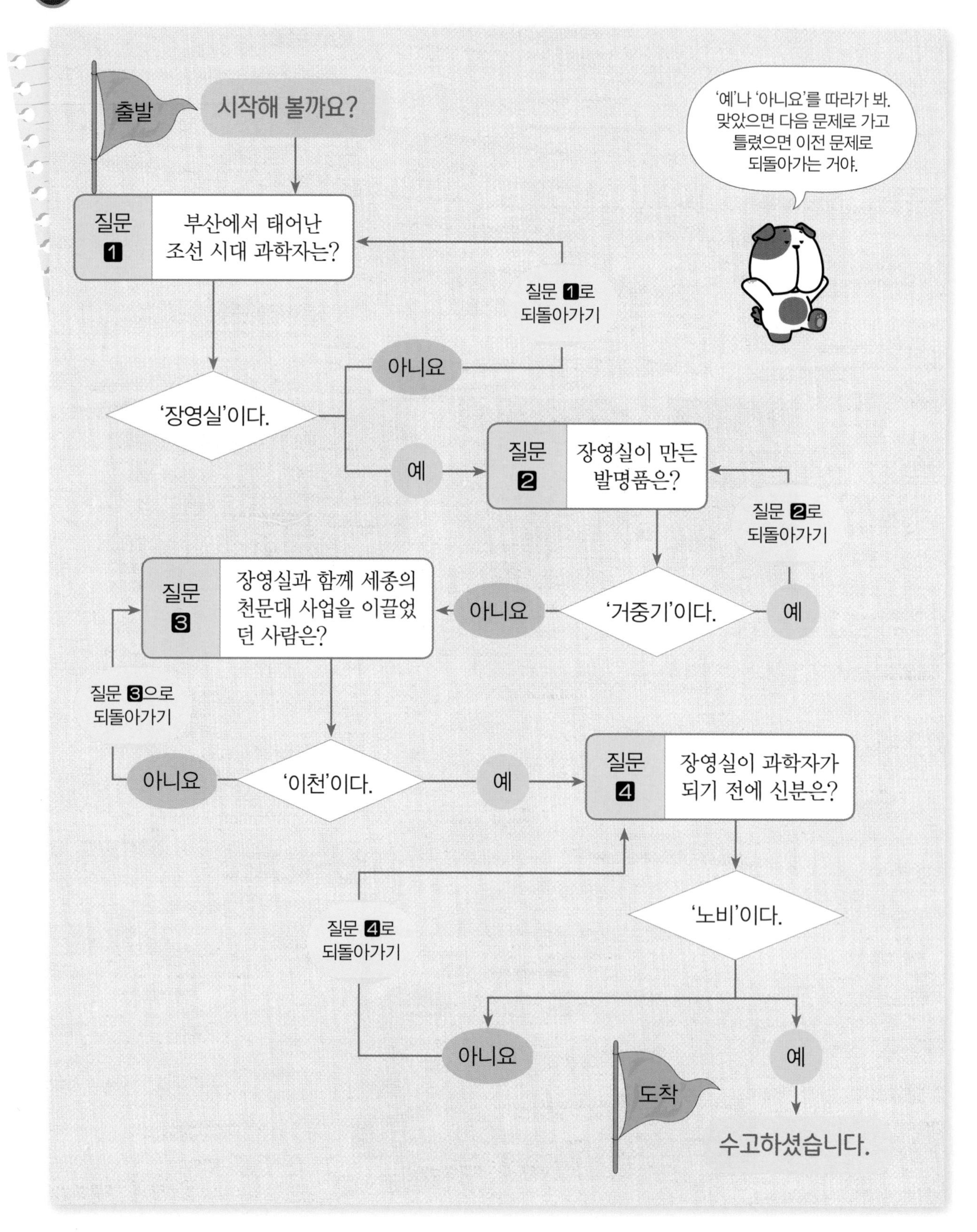

조건을 읽어 보고, 장영실의 발명품을 차에 싣는 경로를 표시해 봅니다.

6 다음 보기와 같이 장영실이 발명한 발명품을 차에 실어서 옮기려고 합니다. 발명품을 순서대로 쌓으려면 어떻게 해야 할지 아래 조건을 보고 경로를 직접 표시해 보세요.

보기
조건 1
왼쪽 그림과 같은 차를 완성해요.
조건 2
발명품은 획득한 순서대로 차에 쌓여요.
조건 3
이미 지나온 칸으로는 되돌아갈 수 없어요.

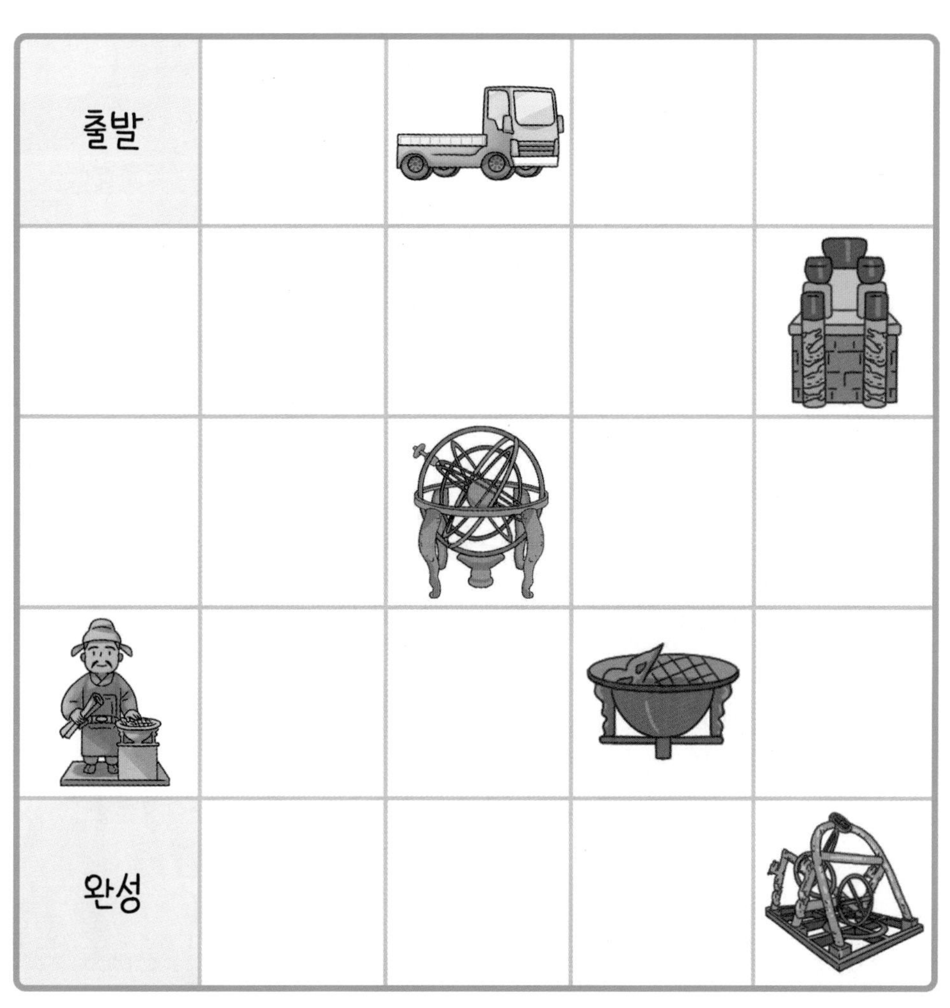

공공 기관과 주민 참여

이번 주에는 무엇을 공부할까? 1

우리 주변에는
우리 생활에 도움을
주는 다양한
공공 기관이 있어.

▲ 서울시청

공원녹지 기본계획(안)공청회

▲ 공청회 참여하기

공공 기관
- 종류: 보건소, 우체국, 시·도청
- 견학하기

주민 참여
- 방법: 공청회, 주민 회의
- 지역 문제: 교통 혼잡, 환경 오염

▲ 공공 기관 견학하기

지역 문제에 관심을
가지고 적극적으로
참여하는 태도를
가져야 해.

▲ 안전 문제

공공 기관과 지역 주민들은
우리 지역에서 일어나는
크고 작은 문제를 함께
해결하고 있어.

핵심 용어

4주 이번 주에는 무엇을 공부할까? ❷

공공 기관

公 共
공평할 공 함께 공
機 關
틀 기 관계할 관

뜻 **개인의 이익이 아니라 공적인 이익을 목적으로 하는 기관**

예 지역에는 국가가 세우거나 관리하는 **공공 기관**이 많다.

민 원

民 願
백성 민 원할 원

민원실
무엇을 도와드릴까요?

뜻 **주민이 행정 기관에 대하여 원하는 바를 요구하는 일**

예 주민들은 주민 센터에서 **민원**을 해결할 수 있다.

공공 기관에서는 개인뿐만 아니라 여러 사람에게 도움이 되는 일을 해.

교 육 청

教 育 廳
가르칠 교 기를 육 관청 청

학교를 도와줍니다.
교육청

뜻 **시나 군을 단위로 하여 학교 교육이나 그 지방 자치 단체의 교육, 학예에 관한 사무를 맡아보는 관청**

예 **교육청**은 학생들의 교육과 관련된 일을 한다.

전입 신고

轉 入
구를 전 들 입
申 告
거듭 신 고할 고

뜻 **거주지를 옮길 때에 새로 살게 된 곳의 관할 관청에 그 사실을 알리는 일**

예 주민 센터는 주민 등록증 발급, **전입 신고** 등의 일을 처리한다.

공공 기관과 주민 참여

지역 주민들은 다양한 주민 참여 방법을 통해 지역 문제를 해결한다는 것을 기억해!

공청회

公 聽 會

공평할 공 들을 청 모일 회

의견을 말씀해 주세요.
공청회

뜻 **정책을 결정하기 전에 다양한 의견을 듣는 공개 회의**

예 **공청회**에서 다양한 매체를 활용하면 주민들의 이해를 도울 수 있다는 장점이 있다.

서명 운동

署 名 運 動

쓸 서 이름 명 옮길 운 움직일 동

뜻 **어떤 주장이나 의견에 대한 찬성의 뜻으로 서명을 받는 운동**

예 법적 효력은 없으나 시민의 힘을 보여 줄 수 있는 방법으로 **서명 운동**이 있다.

지역 문제를 해결하는 과정에서 지역 주민이 중심이 되어 참여해야 돼.

주민 투표

住 民 投 票

살 주 백성 민 던질 투 표 표

뜻 **지역의 일을 결정하기 전에 주민의 의견을 알아보려고 실시하는 투표**

예 선거 이외의 중요한 정책 사항에 관해 주민이 행하는 투표를 **주민 투표**라고 한다.

요즘 사회 숙제가 너무 많아서 힘들어.
그것도 지역의 문제 아냐? 숙제를 줄이는 것을 결정하는 주민 투표를 하자고 하자!
말도 안 되는 소리!

1일 공공 기관의 뜻과 역할

공공 기관에 도움을 요청할 수 있을까?

용어 체크

공공 기관

주민 전체의 이익과 생활의 편의를 위해 국가가 세우거나 관리하는 기관

예 우리 지역에는 도청, 경찰서 등 다양한 일을 하는 ❶ [ ] 이 있다.

도청

도의 행정을 맡아 처리하는 지방 관청

예 우리 지역의 ❷ [ ] 은 주민들의 생활에 여러 가지 도움을 준다.

정답 ❶ 공공 기관 ❷ 도청

다양한 공공 기관이 있구나!

용어 체크

보건소

질병의 예방, 진료, 공중 보건을 향상시키기 위해 서울특별시와 각 광역시 및 각 시 · 군 · 구에 둔 공공 의료 기관

예 우리 지역 ❶ ______ 에서 예방 접종을 했다.

정답 ❶ 보건소

1 공공 기관은 무엇일까?

공공 기관인 것에는 ○표, 공공 기관이 아닌 것에는 △표를 했어.

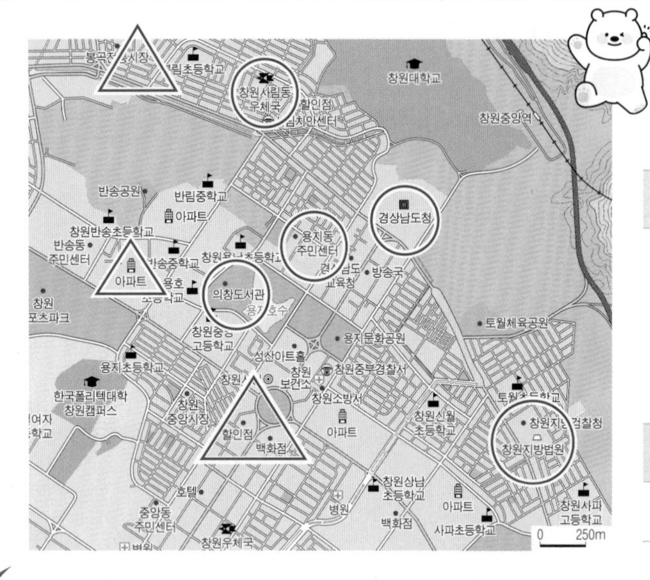

공공 기관인 것
• 여러 사람을 위해 일하는 곳으로, **나라**에서 세우거나 관리함. • 경찰서, 시청, 우체국, 주민 센터, 교육청 등

공공 기관이 아닌 것
슈퍼마켓, 아파트, 백화점, 시장 등

주민 전체의 이익과 생활의 편의를 위해 ❶(개인 / 국가)이/가 세우거나 관리하는 곳입니다.

개념 동영상

2 어떤 공공 기관이 있을까?

소방서

화재를 **예방**하고 응급 환자를 구조함.

보건소

감염병과 질병을 예방하고 치료하려고 노력함.

경찰서

우리 지역의 안전을 책임지고 **질서**를 **유지**함.

교육청

교육과 관련된 일을 함.

주민 센터, 면사무소

주민들의 생활을 도움.

도서관

책을 읽는 공간을 제공함.

공공 기관에는 ❷(도서관 / 아파트), 경찰서, 보건소, 교육청, 소방서, 주민 센터 등이 있습니다.

3 공공 기관에서는 어떤 일을 할까?

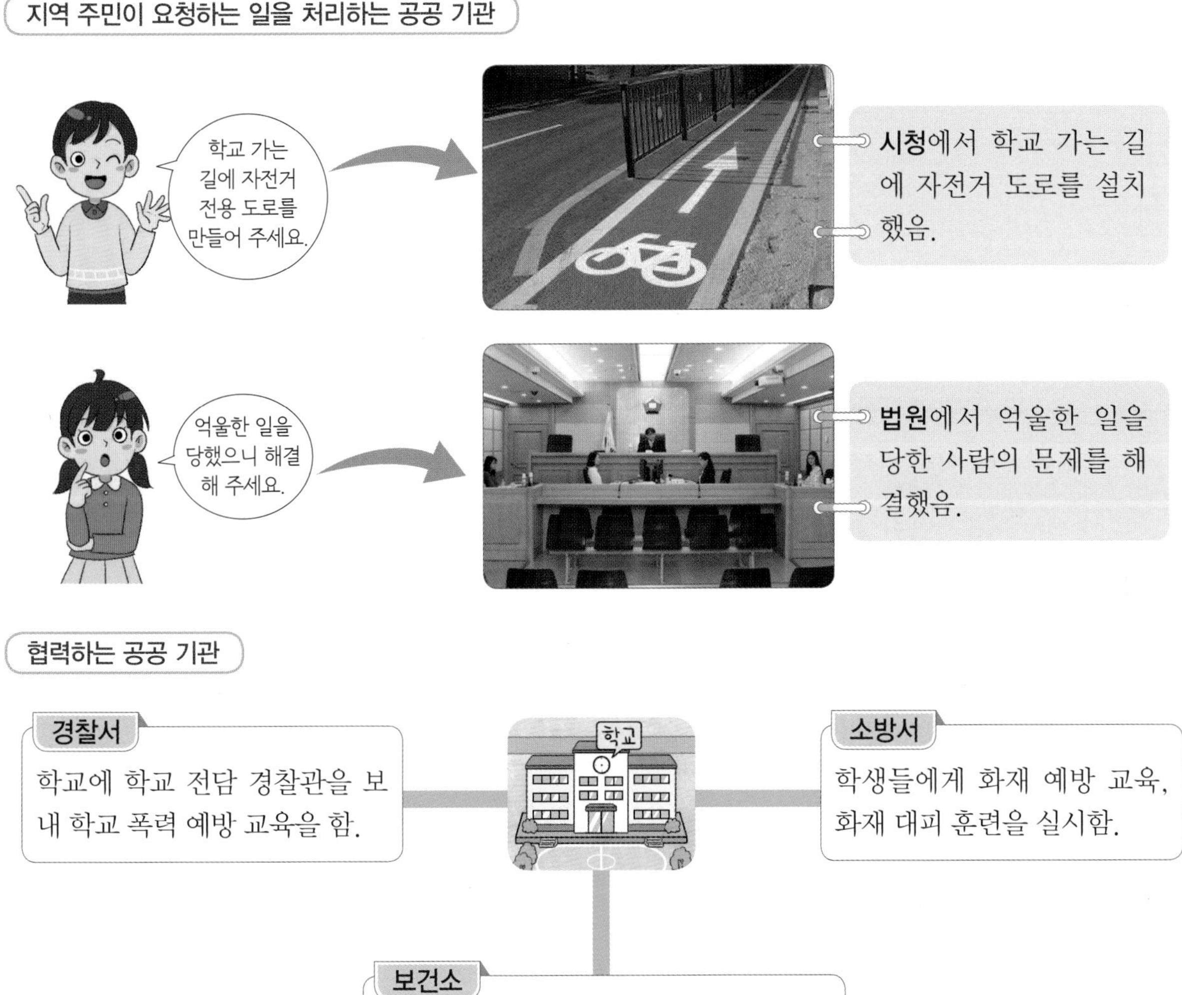

지역 주민이 요청하는 일을 처리하는 공공 기관
학교 가는 길에 자전거 전용 도로를 만들어 주세요.
시청에서 학교 가는 길에 자전거 도로를 설치했음.
억울한 일을 당했으니 해결해 주세요.
법원에서 억울한 일을 당한 사람의 문제를 해결했음.
협력하는 공공 기관
경찰서
학교에 학교 전담 경찰관을 보내 학교 폭력 예방 교육을 함.
학교
소방서
학생들에게 화재 예방 교육, 화재 대피 훈련을 실시함.
보건소
학생들에게 건강과 관련된 교육을 함.

공공 기관은 우리 지역 주민의 생활에 ❸(도움 / 피해)을/를 주는 일을 합니다.

정답 ❶ 국가 ❷ 도서관 ❸ 도움

개념 체크

정답과 풀이 13쪽

1 나라에서 만든 공공 기관에는 ☐☐이 있습니다.

2 화재를 예방하는 공공 기관은 ☐☐☐입니다.

3 학교를 도와 학생들에게 건강과 관련된 교육을 하는 곳은 ☐☐☐입니다.

보기
- 시장
- 시청
- 도서관
- 소방서
- 보건소
- 경찰서

1일 개념 확인하기

정답과 풀이 13쪽 빠른 정답 보기

1 다음 보기 에서 공공 기관인 것에는 ○표, 공공 기관이 아닌 것에는 △표를 하시오.

보기
- 법원
- 경찰서
- 아파트
- 슈퍼마켓

2 공공 기관에 대한 설명으로 알맞은 것을 두 가지 고르시오. (　　,　　)

① 개인이 만들었다.
② 국가가 관리한다.
③ 하는 일이 모두 같다.
④ 생활의 편의를 위해 만들었다.
⑤ 개인의 이익을 위해 만들었다.

3 다음 어린이가 엄마와 다녀온 공공 기관은 어디입니까? (　　　)

엄마와 내가 읽고 싶은 책을 빌리고, 숙제할 때 참고할 책도 찾아보았어요.

① 보건소
② 경찰서
③ 도서관
④ 국세청
⑤ 우체국

4 다음 중 법원으로 가야 하는 사람은 누구입니까? (　　　)

①

주택가에 가로등을 설치해 주세요.

②

억울한 일을 당했으니 해결해 주세요.

③
우리 집에 있는 말벌 집을 없애 주세요.

④

어린이 보호 구역에서 신호를 안 지키는 차들을 단속해 주세요.

5 지역 주민의 요청에 따라 다음과 같은 자전거 도로를 만드는 기관은 어디입니까? (　　　)

① 학교
② 시청
③ 도서관
④ 소방서
⑤ 기상청

집중 연습 문제 공공 기관의 종류

6 다음 ㉠~㉤에 들어갈 공공 기관이 알맞게 짝 지어진 것은 어느 것입니까? (　　　)

공공 기관	하는 일
㉠	응급 환자를 구조함.
㉡	질병을 예방함.
㉢	교육에 관련된 일을 함.
㉣	책 읽는 공간을 제공함.
㉤	전입 신고 등의 일을 처리함.

① ㉠ – 기상청　② ㉡ – 경찰서　③ ㉢ – 보건소
④ ㉣ – 도서관　⑤ ㉤ – 교육청

왼쪽 표의
㉠~㉢에 들어갈
말을 써 볼까?
• ㉠
• ㉡
• ㉢

7 공공 기관이 하는 일을 바르게 말한 어린이는 누구인지 쓰시오.

가은 : 주민의 안전을 책임지는 곳은 경찰서예요.
지한 : 화재를 예방하는 공공 기관은 교육청이에요.
현중 : 학교를 도와주는 공공 기관은 우체국이에요.

(　　　　　　　)

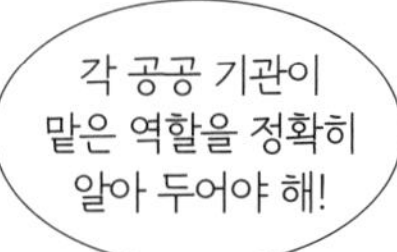

각 공공 기관이
맡은 역할을 정확히
알아 두어야 해!

2일 공공 기관 견학하기

공공 기관에 직접 가 볼까?

용어 체크

견학

실제로 현장에 가서 보고 관찰, 체험함으로써 그 일에 관한 구체적인 지식을 넓히는 것

예 친구들과 박물관에 ❶ [   ] 을 갔다.

박물관 견학 ▶

정답 ❶ 견학

공공 기관에서 알게 된 것을 어떻게 정리할까?

용어 체크

민원실

관공서에서 주민의 요구 사항을 접수하고 처리하는 부서

예 지역 주민들은 민원을 해결하기 위해 ❶ [ ] 에 간다.

견학 보고서

견학한 내용을 보고하는 글이나 문서

예 견학을 다녀와서 ❷ [ ] 를 작성한다.

정답 ❶ 민원실 ❷ 견학 보고서

2일 개념 익히기

1 공공 기관을 견학하기 전에 해야 할 일은 무엇일까?

견학하고 싶은 장소를 정해야지.
견학 장소에 관해 알고 있는 점과 알고 싶은 점을 정리해야지.
견학 계획을 세우고 준비물과 역할을 나누자.
누리집

견학 계획서

항목	내용
견학 주제	도청의 각 부서에서 하는 일
견학 일시	20△△년 △△월 △△일, 10:00~12:00
견학 장소	경상남도청
알고 있는 점	• 도청 공무원이 일하는 곳임. • 도민을 위해 여러 가지 일을 함.
알고 싶은 점	• 각 부서에서 하는 일 • 도청 공무원이 민원을 해결하는 방법
알고 싶은 내용을 조사하는 방법	• 도청에 전화하거나 누리집에 글을 올려 답변을 받음. • 궁금한 점과 관련된 일을 하는 공무원을 만나 면담함.
역할 나누기	면담할 때 질문할 내용 준비하기, 기록하기, 사진기 준비하기, 필기도구 준비하기 등
주의할 점	• 공공질서와 예절을 잘 지킴. • 시간 약속을 지키고 준비물을 잘 챙김.

견학하고 싶은 장소를 정하고, 견학 ❶(계획서 / 보고서)를 작성합니다.

2 공공 기관을 견학하는 중에 해야 할 일은 무엇일까?

함부로 물건을 만지지 않는 등 예절을 지키며 견학함.

큰 소리로 떠들지 않고 서로 배려하며 안전하게 이동하자.

궁금한 점을 해결하기 위해 ❷(질문 / 발표)을/를 하거나 견학 장소를 살펴봅니다.

3 공공 기관 견학을 다녀와서 해야 할 일은 무엇일까?

견학하면서 도청의
각 부서에서 하는 일을
조사했어.
그럼 알게 된 점과
느낀 점을 보고서로
작성해 보자.

견학 보고서

견학 주제	도청의 각 부서에서 하는 일
견학 일시	20△△년 △△월 △△일, 10:00~12:00
견학 장소	경상남도청
알게 된 점	• 각 부서에서 하는 일이 각각 다르고 다양함. • 우리가 요청한 일을 도청 공무원이 검토해 실행함.
느낀 점	• 공무원은 도민이 편리하고 행복하게 생활할 수 있도록 노력함. • 도청에서는 평소에 우리가 그냥 지나친 곳에도 관심을 기울임.
더 알고 싶은 점	• 다른 지역 도청과 우리 지역 도청은 어떻게 협력할까? • 다른 공공 기관들(교육청, 경찰청)에도 도청처럼 다양한 부서가 있을까?

견학을 다녀와서 알게 된 점, ❸(알고 있는 / 느낀) 점, 더 알고 싶은 점 등을 정리하여 견학 보고서를 작성합니다.

정답 ❶ 계획서 ❷ 질문 ❸ 느낀

4 주

개념 체크

정답과 풀이 13쪽

1 직접 찾아가서 필요한 정보를 얻는 방법은 □□입니다.

2 견학하기 전에 견학 계획을 세우고 □□을 나눕니다.

3 견학한 내용을 바탕으로 □□□를 씁니다.

보기
• 검색 • 견학
• 역할 • 비용
• 보고서 • 계획서

2일 개념 확인하기

○ 정답과 풀이 13쪽

빠른 정답 보기

1 다음 중 견학하기 전에 해야 할 일을 두 가지 고르시오. (　　,　　)

① 견학 보고서 쓰기
② 견학 계획 세우기
③ 예절을 지키며 견학하기
④ 견학하고 싶은 장소 정하기
⑤ 견학하며 조사한 내용 이야기하기

[2~4] 다음 내용을 보고, 물음에 답하시오.

견학 주제	도청의 각 부서에서 하는 일
견학 일시와 장소	• 20△△년 △△월 △△일, 10:00~12:00　• 경상남도청
알고 있는 점	• 도청 공무원이 일하는 곳임.　• 도민을 위해 여러 가지 일을 함.
알고 싶은 점	• 각 부서에서 하는 일　• 도청 공무원이 민원을 해결하는 방법
알고 싶은 내용을 조사하는 방법	• 도청에 전화하거나 누리집에 글을 올려 답변을 받음. • 궁금한 점과 관련된 일을 하는 공무원을 만나 면담함.
역할 나누기	면담할 때 질문할 내용 준비하기, 기록하기, 사진기 준비하기 등
주의할 점	______________

2 위와 같이 작성하는 것을 무엇이라고 하는지 쓰시오.

(　　　　　　　)

3 위 **2**번 답을 작성해야 하는 시기를 보기에서 찾아 기호를 쓰시오.

보기
㉠ 견학한 뒤　　㉡ 견학하는 중　　㉢ 견학하기 전

(　　　　　　　)

4 위 표에서 '주의할 점'에 들어갈 내용으로 알맞지 않은 것은 어느 것입니까? (　　)

① 예절을 지킨다.
② 큰 소리로 떠든다.
③ 공공질서를 지킨다.
④ 준비물을 잘 챙긴다.
⑤ 시간 약속을 지킨다.

공공 기관 견학하기

5 다음 중 견학 보고서를 작성해야 하는 단계를 찾아 기호를 쓰시오.

㉠ 

▲ 견학 장소에 관해 알고 있는 점과 알고 싶은 점 정리하기

㉡ 
▲ 견학하며 알게 된 점과 느낀 점 이야기하기

㉢ 

▲ 견학하고 싶은 장소 정하기

( )

6 다음 중 견학 보고서에 들어갈 내용으로 알맞은 것은 어느 것입니까? ( )

① 느낀 점
② 주의할 점
③ 역할 나누기
④ 알고 싶은 점
⑤ 알고 싶은 내용을 조사하는 방법

똑똑한 하루 퀴즈

7 다음 선생님께서 설명하고 있는 내용 중 잘못된 것을 찾아 번호를 쓰세요.

1. 큰 소리로 떠들지 않습니다.
2. 서로 배려하며 안전하게 이동합니다.
3. 정확한 관찰을 위해 모든 물건을 만져 봅니다.
견학을 가기 전에 공공장소에서 지켜야 할 예절을 알아봅시다.
사회

( )

3일 지역 문제

지역 문제에 관심을 갖자!

용어 체크

지역 문제

지역 주민의 삶을 불편하게 하거나 지역 주민들 사이에 갈등을 일으키는 문제

예 교통 문제, 환경 오염 문제, 소음 문제 등은 우리 지역의 ❶ [   ] 이다.

▲ 교통 문제　▲ 환경 오염 문제

정답 ❶ 지역 문제

주민의 힘으로 해결하는 지역 문제!

4주

용어 체크

타협

어떤 일을 서로 양보하여 협의함.

예 지역 문제를 해결하려면 지역 주민들 사이에 대화와 ❶ (   ) 이 이루어져야 한다.

다수결의 원칙

단체나 기관에서 의사 결정을 할 때, 많은 사람의 의견을 따르는 방법

예 민주적으로 ❷ (   )의 원칙에 따르기 위해서는 구성원들이 자유롭게 토론할 수 있어야 한다.

정답 ❶ 타협 ❷ 다수결

3일 개념 익히기

1 우리 지역의 문제는 어떻게 알아볼까?

알아보는 방법

- 지역 주민과 면담함.
- 지역 신문이나 뉴스를 살펴봄.
- 시·도청 누리집을 방문함.
- 평소에 지역 문제에 관심을 기울임.

☑ 지역 문제는 **관심 갖기, 누리집 방문하기, 뉴스 살펴보기,** ❶(지역 주민 / 외국인)과 **면담하기** 등의 방법으로 조사할 수 있습니다.

2 지역 문제의 원인을 파악해 볼까?

신문을 살펴보니 주차 문제로 주민들이 불편을 겪고, 다툼이 일어나기도 한다고 해.

• 자동차 수와 주차 공간의 수

항목 / 구역	자동차 수(대)	개인 주차장 주차 공간의 수(개)	공용 주차장 주차 공간의 수(개)
1구역	90	56	주차장 없음.
2구역	130	28	74
3구역	120	12	80

➡ 자동차 수에 비해 주차 공간의 수가 부족합니다.

• 전체 구역에 시간대별로 주차된 자동차의 수

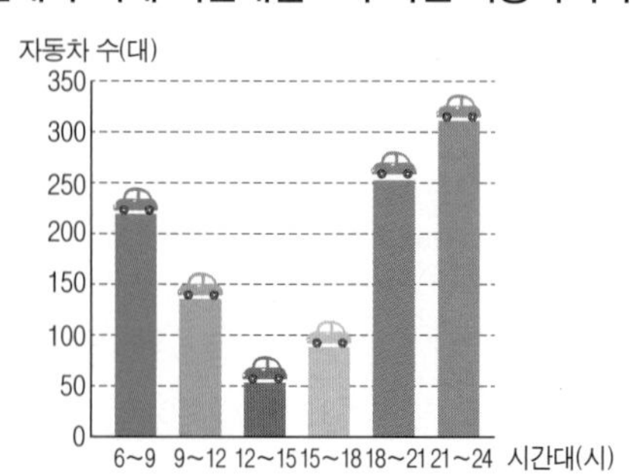

➡ 낮보다는 주로 저녁 시간에 주차 공간이 부족합니다.

☑ 다양한 자료를 수집해 **주차 공간의 수가** ❷(많다 / 부족하다)는 것을 알 수 있습니다.

3 지역 문제를 해결해 볼까?

문제 해결 방안 탐색
대표자 회의를 시작하겠습니다. 지역의 주차 문제를 해결할 수 있는 바람직한 대안을 말씀해 주십시오.
사회자
좁은 골목길에 주차된 차들 때문에 등하굣길의 학생들이 위험합니다. 각 가정의 담장을 허물면 개인 주차장을 만들 수 있습니다.
학교 대표
개인 주차장으로는 한계가 있으므로 공영 주차장을 새로 건설해 주차 공간을 늘려야 합니다.
지역 주민 대표
저녁 시간에 공공 기관의 주차장을 개방하는 방법도 있습니다.
구청 공무원
감시 카메라를 설치해 불법 주차를 단속하는 방법도 있습니다.
시청 공무원
문제 해결 방안 결정
많은 사람이 원하는 것으로 결정하는 다수결의 원칙에 따르되, 소수 의견도 존중해야 해.
해결 방안 1
각 가정의 담장이나 대문을 허물어 개인 주차장 마련하기
해결 방안 2
저녁 시간에 공공 기관의 주차장을 주민에게 개방하기
문제 해결 방안 실천
해결 방안 1
해결 방안 2
○○ 구청
저녁 8시~오전 8시 지역 주민께 주차장 무료 개방

문제 해결 방안을 탐색한 뒤 문제 해결 방안을 결정하고 ❸(실천 / 반대)합니다.

정답 ❶ 지역 주민 ❷ 부족하다 ❸ 실천

개념 체크

정답과 풀이 13쪽

1 지어진 지 오래된 주택이 많아 주택 ☐☐☐ 문제가 발생합니다.

2 지역 문제의 원인을 파악하기 위해 ☐☐을/를 살펴보기도 합니다.

3 지역의 ☐☐ 문제를 해결하기 위해 각 가정의 담장을 허물어 개인 주차장을 만들었습니다.

보기
- 고급화
- 노후화
- 영화
- 신문
- 주차
- 소음

3일 개념 확인하기

○ 정답과 풀이 14쪽

1 다음 중 시 · 도청 누리집을 방문하여 지역 문제를 확인한 경우를 찾아 기호를 쓰시오.

㉠ 

㉡ 

㉢ 

( )

2 다음 지역 문제와 관련 있는 그림을 찾아 바르게 줄로 이으시오.

(1) 소음 문제 • • ㉠

(2) 환경 오염 문제 • • ㉡

3 다음 지역 문제를 해결하는 과정 중 가장 마지막에 해야 할 일은 어느 것입니까? ( )

① 지역 문제 확인
② 문제 해결 방안 결정
③ 문제 발생 원인 파악
④ 문제 해결 방안 탐색
⑤ 문제 해결 방안 실천

4 다음 주차 문제 해결을 위한 대표자 회의에서 ( ) 안의 알맞은 말에 ○표를 하시오.

> 사회자 : 대표자 회의를 시작하겠습니다. 지역의 주차 문제를 해결할 수 있는 바람직한 대안을 말씀해 주십시오.
> 시민 단체 대표 : 각 가정의 담장이나 대문을 허물면 개인 (주차장 / 공원)을 만들 수 있습니다.

5 다음 대화와 관련 있는 주차 문제 해결 방안을 보기에서 찾아 기호를 쓰시오.

미류 : 공공 기관의 협조가 있어야 가능한 방법이야.
지성 : 주로 저녁 시간에 주차 공간이 부족하니 효과적인 방법이야.

보기
㉠ 각 가정의 담장을 허물어 개인 주차장 마련하기
㉡ 저녁 시간에 공공 기관의 주차장을 주민에게 개방하기

( )

집중 연습 문제 지역 문제의 발생 원인 파악

6 다음 자동차 수와 주차 공간의 수를 보고 바르게 말한 어린이는 누구인지 쓰시오.

구역 \ 항목	자동차 수(대)	개인 주차장 주차 공간의 수(개)	공용 주차장 주차 공간의 수(개)
1구역	90	56	주차장 없음.
2구역	130	28	74
3구역	120	12	80

소형 : 우리 지역은 자동차 수가 너무 부족해요.
나진 : 자동차 수에 비해 주차 공간의 수가 부족해요.

( )

지역 문제를 확인한 뒤에는 왜 문제가 발생했는지 원인을 파악할 수 있는 자료를 수집해.

그래프의 가로축과 세로축에 써 있는 내용을 살펴볼까?

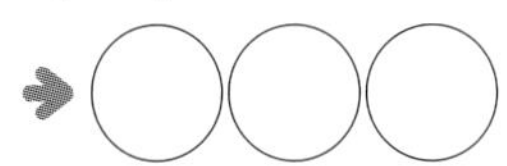

• 가로축

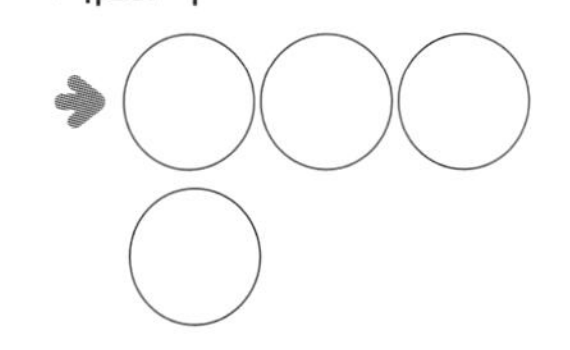

• 세로축

7 다음 그래프를 보고, ( ) 안의 알맞은 말에 ○표를 하시오.

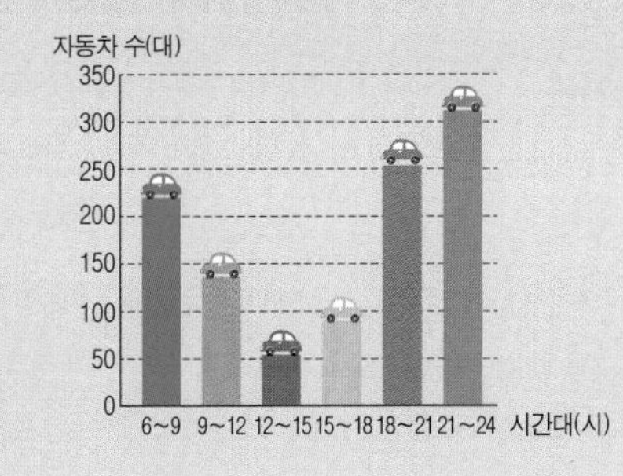

왼쪽 그래프는 전체 구역에 (시간대별 / 면적별)로 주차된 자동차 수를 나타내고 있습니다.

4일 주민 참여

지역의 일에 주민들이 꼭 참여해야 해?

용어 체크

주민 참여

지역 주민들이 지역의 정책 결정 또는 집행 과정에 참여하는 방법

예 시·도청 누리집에 의견을 올리는 것도 ❶ ______ 의 방법이다.

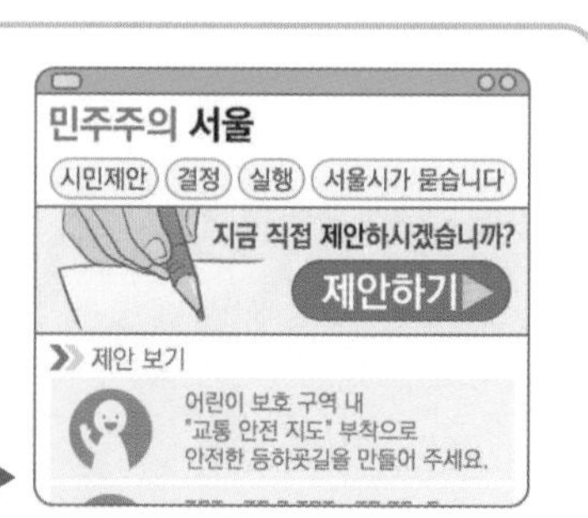

시·도청 누리집에 의견 올리기 ▶

정답 ❶ 주민 참여

주민 참여는 어떻게 할 수 있을까?

용어 체크

시민 단체

시민들이 스스로 모여 사회 전체의 이익을 위해 활동하는 단체

예 우리나라의 ❶ ______ 는 여러 분야에서 활동하고 있다.

주민 투표

선거 이외의 정책상 중요한 사항에 관해 주민이 행하는 투표

예 시민의 날 지정, 공원 조성과 같은 사항을 ❷ ______ 로 결정할 수 있다.

정답 ❶ 시민 단체 ❷ 주민 투표

4일 개념 익히기

▶ 개념 동영상

1 주민 참여의 방법에는 무엇이 있을까?

주민 참여는 지역 문제를 해결하는 과정에서 지역 주민이 중심이 되어 참여하는 것을 말해.

주민 참여 방법

- 서명 운동 하기
- 공청회 참여하기
- 주민 회의 참여하기
- 시·도청 누리집에 의견 올리기
- 시민 단체 활동하기

다양한 시민 단체 활동

환경 보호 활동을 함.

지역의 경제 정책을 살핌.

봉사 활동을 함.

주민 참여 사례

△△신문 20△△년 △△월 △△일

△△동 주민과 함께하는 '우리 마을 안전 지도' 완성

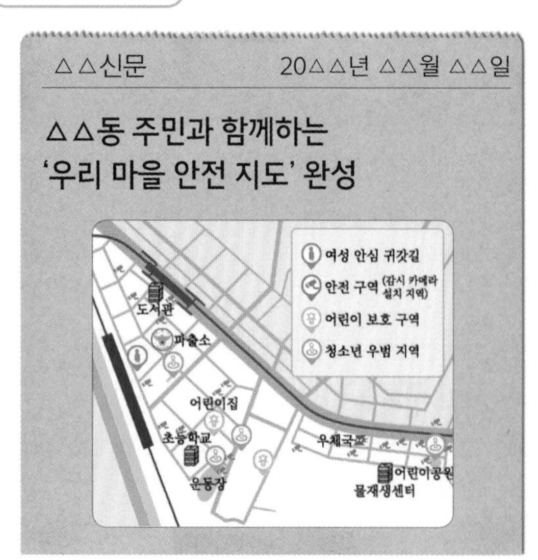

△△신문 20△△년 △△월 △△일

주민 참여 예산제, 주민 투표로 문제를 해결해요

○○구에서는 주민 참여 예산제를 도입하고 주민 참여 위원회를 운영하고 있다. ○○구 주민 참여 예산제의 가장 큰 특징은 주민들이 직접 의논할 문제를 제시하고 투표로 결정한 의견을 반영한다는 점이다.

☑ 공청회 참여, 주민 회의 참여, 서명 운동, 시민 단체 활동, [1](주민 투표 / 폭력) 등이 있습니다.

2 주민 참여의 바람직한 태도는 어떤 것일까?

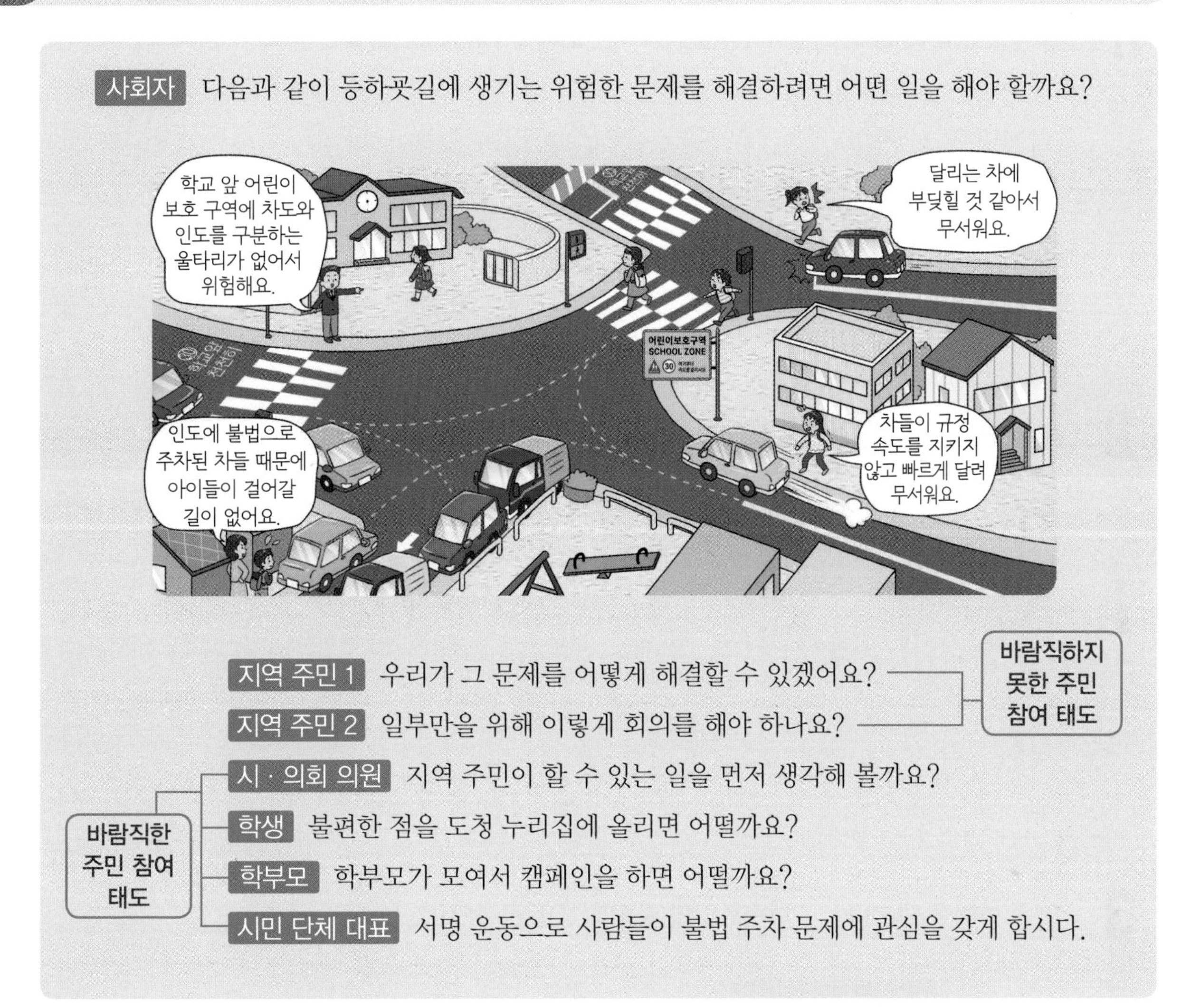

사회자 다음과 같이 등하굣길에 생기는 위험한 문제를 해결하려면 어떤 일을 해야 할까요?
학교 앞 어린이 보호 구역에 차도와 인도를 구분하는 울타리가 없어서 위험해요.
달리는 차에 부딪힐 것 같아서 무서워요.
어린이보호구역
SCHOOL ZONE
인도에 불법으로 주차된 차들 때문에 아이들이 걸어갈 길이 없어요.
차들이 규정 속도를 지키지 않고 빠르게 달려 무서워요.
지역 주민 1 우리가 그 문제를 어떻게 해결할 수 있겠어요?
지역 주민 2 일부만을 위해 이렇게 회의를 해야 하나요?
바람직하지 못한 주민 참여 태도
시 · 의회 의원 지역 주민이 할 수 있는 일을 먼저 생각해 볼까요?
학생 불편한 점을 도청 누리집에 올리면 어떨까요?
학부모 학부모가 모여서 캠페인을 하면 어떨까요?
시민 단체 대표 서명 운동으로 사람들이 불법 주차 문제에 관심을 갖게 합시다.
바람직한 주민 참여 태도

지역을 잘 알고 있는 지역 주민이 지역 문제 해결에 ❷(앞장서는 / 회피하는) 태도를 가져야 합니다.

정답 ❶ 주민 투표 ❷ 앞장서는

개념 체크

정답과 풀이 14쪽

1 지역 문제를 해결할 때 ☐☐ ☐☐이 중심이 되어 참여해야 합니다.

2 시민들은 시민 ☐☐를 만들어 사회 전체의 이익을 위해 활동합니다.

3 등하굣길 문제를 해결하기 위해 ☐☐ 운동을 할 수 있습니다.

보기
- 지역 주민
- 국회 의원
- 회사
- 단체
- 서명
- 폭력

4 주

정답과 풀이 14쪽

1 지역 주민들이 공개 회의에 참여하여 지역 문제를 해결하는 방법은 어느 것입니까? (　　　)

① 서명 운동 하기
② 선거에 참여하기
③ 시민 단체 만들기
④ 공청회에 참여하기
⑤ 시·도청 누리집에 의견 올리기

2 다음에서 설명하는 말을 보기에서 찾아 기호를 쓰시오.

지역 문제를 해결하는 과정에서 지역 주민이 중심이 되어 참여하는 것을 말합니다.

보기
㉠ 주민 참여
㉡ 문제 해결
㉢ 시민 사회

(　　　　　　　)

3 다음 그림을 보고, (　　) 안의 알맞은 말에 ○표를 하시오.

왼쪽 그림과 같이 지역 주민들이 주민 회의에 참여하여 지역의 다양한 일에 자신의 (의견 / 소득)을 반영할 수 있습니다.

4 시민 단체에 대해 바르게 말하고 있는 어린이는 누구인지 쓰시오.

주현 : 시민 단체는 경제 분야에서만 활동하고 있어요.
시후 : 사람들은 지역 문제를 해결하려고 시민 단체를 만들기도 해요.
재준 : 시민 단체는 나라에서만 만들 수 있어서 지역 주민들이 참여하기 어려워요.

(　　　　　　　)

주민 참여

5 다음 ○× 퀴즈의 정답을 알맞게 적은 어린이를 쓰시오.

지역 문제 해결에 참여하는 방법 ○× 퀴즈
(1) 마을 안전 지도를 직접 만들었습니다.
(2) 주민 투표에 참여하여 의견을 반영했습니다.

▲ 민우

▲ 해영

(　　　　　　　　)

6 다음 사회자의 질문에 바람직한 태도로 답하고 있는 사람은 누구입니까? (　　　　)

사회자 : 등하굣길에 생기는 위험한 문제를 해결하려면 어떤 일을 해야 할까요?

① 우리가 그 문제를 어떻게 해결할 수 있겠어요?
② 지역 주민 중 일부만을 위해 이렇게 회의를 해야 하는 건가요?
③ 지역 주민이 직접 할 수 있는 일이 없기 때문에 시위를 해야 해요.
④ 학부모들이 학교 앞에 불법 주차를 하는 사람들을 직접 혼내 주면 어떨까요?
⑤ 학교 앞에 차가 많아서 불편한 점을 학생들이 도청 누리집에 올리면 어떨까요?

똑똑한 하루 퀴즈

7 다음은 시민 단체에서 활동 사진으로 만든 우표입니다. 환경 분야에서 활동하는 시민 단체가 만든 우표를 찾아 기호를 쓰세요.

㉠

㉡

㉢

(　　　　　　　　)

4주

4주 마무리하기

1 우리 지역의 공공 기관

① 공공 기관의 뜻과 하는 일

뜻	주민 전체의 이익과 생활의 편의를 위해 국가가 세우거나 관리하는 곳
하는 일	주민들이 안전하고 편리하게 생활할 수 있도록 여러 가지 일을 함.

여러 사람을 위해 일한다고 모두 공공 기관은 아니야.

② 공공 기관의 종류와 역할

소방서

화재를 예방하고 응급 환자를 구조함.

보건소

감염병을 예방하고 치료하려고 노력함.

주민 센터

다양한 분야에서 주민 생활을 도움.

③ 공공 기관이 중요한 까닭 : 공공 기관이 없다면 지역에 여러 가지 문제가 생기거나 주민들의 생활이 불편해질 수 있기 때문입니다.

2 공공 기관 견학하기

① 공공 기관을 견학하는 과정

견학하기 전	1 견학하고 싶은 장소를 정함. 2 견학 장소에 관해 알고 있는 점과 알고 싶은 점을 정리함. 3 견학 계획을 세우고 준비물과 역할을 나눔.
견학하는 중	4 예절을 지키며 견학함.
견학을 다녀와서	5 견학하며 조사한 내용을 친구들과 이야기함. 6 견학하며 알게 된 점과 느낀 점을 보고서로 작성함.

견학은 직접 찾아가서 정보를 얻는 방법이야.

② 견학 계획서와 견학 보고서에 들어갈 내용

견학 계획서	견학 보고서
견학 주제, 견학 일시, 견학 장소, 알고 있는 점, 알고 싶은 점, 알고 싶은 내용을 조사하는 방법, 역할 나누기, 주의할 점 등	견학 주제, 견학 일시, 견학 장소, 알게 된 점, 느낀 점, 더 알고 싶은 점 등

3 지역 문제를 해결하는 과정

1 지역 문제 확인 ➡ 2 문제 발생 원인 파악 ⬇ 3 문제 해결 방안 탐색 ⬇ 4 문제 해결 방안 결정 ➡ 5 문제 해결 방안 실천

4 주민 참여

뜻	지역 문제를 해결하는 과정에서 지역 주민이 중심이 되어 참여하는 것
방법	공청회 참여하기, 주민 회의 참여하기, 시·도청 누리집에 의견 올리기, 서명 운동 하기 등
바람직한 태도	• 우리 지역을 잘 알고 있는 지역 주민이 지역 문제 해결에 앞장서는 태도를 가져야 함. • 지역 주민들은 행정 기관의 계획이나 정책 등에 적극적으로 참여해 의견을 반영해야 함.

하루 뉴스
20△△. △△. △△.
지역 주민의 참여로 지켜 낸 숲
한때 개발 계획에 밀려 사라질 위기에 처했던 곳이 도심 속 쉼터로 변신했습니다.
이 숲을 지켜 낸 주민들의 이야기를 박천재 기자가 취재했습니다.
지역 주민의 '숲 지키기' 실천
대나무 숲에 주민 한 분이 나와 계십니다. 이 숲을 지키려고 어떤 일을 하셨습니까?
토론회와 공청회를 열어 어떤 방법으로 숲을 지킬 것인지 의견을 나누고, '숲 지키기' 서명 운동도 벌였습니다.
그리고 지역의 공공 기관에서 큰 규모의 일들을 맡아 처리해 주어 큰 도움이 되었습니다.

1일 공공 기관의 뜻과 역할

1 다음 중 공공 기관인 것은 어느 것입니까? (   )

① 시장　② 학원　③ 아파트　④ 백화점　⑤ 우체국

2 공공 기관에 대해 바르게 설명하고 있는 어린이는 누구인지 쓰시오.

하율 : 여러 사람을 위해 일하는 곳은 모두 공공 기관이에요.
주호 : 주민들의 편리함을 위해서 만든 곳은 모두 공공 기관이에요.
성우 : 주민 전체를 위해 나라에서 설립하여 관리하는 곳은 공공 기관이에요.

(   )

3 다음 공공 기관과 하는 일을 바르게 줄로 이으시오.

(1) 소방서 •　　• ㉠ 교육과 관련된 일을 함.

(2) 교육청 •　　• ㉡ 책 읽는 공간을 제공함.

(3) 도서관 •　　• ㉢ 응급 환자를 구조함.

4 다음 기훈이가 엄마와 가야 할 공공 기관을 찾아 기호를 쓰시오.

기훈 : 이사를 와서 엄마가 전입 신고를 해야 한다고 해서 같이 갔어요.

㉠

▲ 우체국

㉡

▲ 경찰서

㉢

▲ 주민 센터

(   )

빠른 정답 보기
정답과 풀이 14쪽

2일 공공 기관 견학하기

[5~7] 다음 공공 기관 견학 계획서를 보고, 물음에 답하시오.

견학 주제	도청의 각 부서에서 하는 일
견학 일시와 장소	• 20△△년 △△월 △△일, 10:00~12:00 • 경상남도청
알고 있는 점	• 도청 공무원이 일하는 곳임. • 도민을 위해 여러 가지 일을 함.
알고 싶은 점	• 각 부서에서 하는 일 • 도청 공무원이 민원을 해결하는 방법
<u>알고 싶은 내용을 조사하는 방법</u>	도청에 전화하거나 누리집에 글을 올려 답변을 받음.
주의할 점	공공질서와 예절을 잘 지키고, 준비물을 잘 챙김.

5 위와 같은 견학 계획서는 (견학하기 전 / 견학하는 중)에 작성합니다.

6 위 견학 계획서에서 빠진 내용은 어느 것입니까? (　　　)

① 느낀 점　② 역할 나누기　③ 알게 된 점
④ 질문한 내용　⑤ 더 알고 싶은 점

서술형

7 위 밑줄 친 '알고 싶은 내용을 조사하는 방법'을 한 가지만 더 쓰시오.

8 다음 중 견학을 다녀와서 해야 할 일은 어느 것입니까? (　　　)

① 견학 주제를 정한다.
② 견학 보고서를 작성한다.
③ 알고 싶은 점을 정리한다.
④ 공공 기관 견학이 가능한지 확인한다.
⑤ 공공장소에서 지켜야 할 예절을 알아본다.

4주

3일 지역 문제

9 지역 문제를 해결하는 과정 중 두 번째로 해야 할 일은 어느 것입니까? (　　　　)

① 지역 문제 확인
② 문제 발생 원인 파악
③ 문제 해결 방안 탐색
④ 문제 해결 방안 결정
⑤ 문제 해결 방안 실천

10 다음에서 설명하는 지역의 문제는 어느 것입니까? (　　　　)

- 분리 배출이 제대로 되지 않습니다.
- 주변에 공장이 있어 공기질이 나빠졌습니다.
- 하천이 더러워져서 물고기들이 살기 힘듭니다.

① 환경 오염
② 시설 부족
③ 소음 공해
④ 교통 혼잡
⑤ 주택 노후화

11 다음 그래프를 보고, 바르게 말한 어린이는 누구인지 쓰시오.

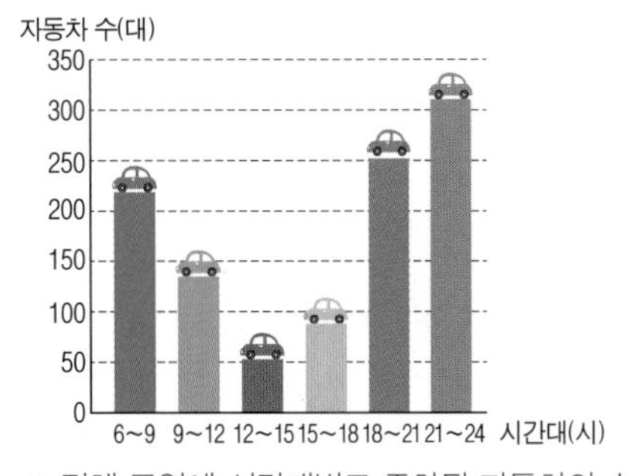

▲ 전체 구역에 시간대별로 주차된 자동차의 수

재한 : 주로 저녁 시간에 주차할 공간이 부족해요.
성오 : 주로 아침 시간에 주차할 공간이 가장 많아요.
미림 : 주차 문제는 개인의 노력만으로 해결해야 해요.

(　　　　　　　　)

12 다음 의견을 모으는 방법에 대해 읽고, (　　) 안의 알맞은 말에 ○표를 하시오.

다양한 의견을 하나로 모을 때에는 많은 사람이 원하는 것으로 결정하는 (다수결 / 타협)의 원칙에 따르되, 소수의 의견도 존중해야 합니다.

13 다음과 같이 시민들이 스스로 모여 사회 전체의 이익을 위해 활동하는 단체는 어느 것입니까? (　　　　)

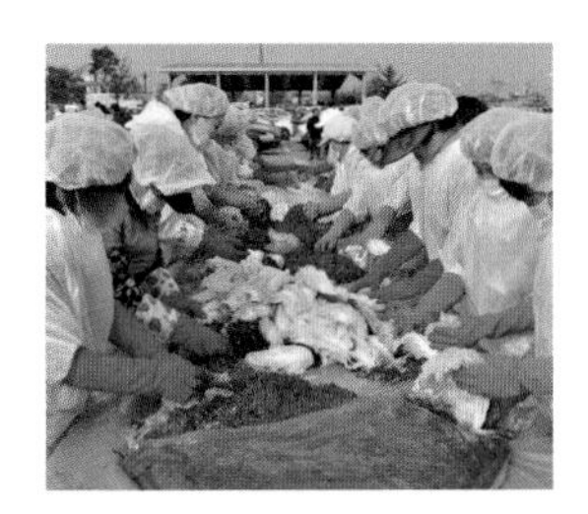
▲ 봉사 활동하기

▲ 환경 보호하기

▲ 지역 경제 살피기

① 학원　② 기업　③ 동호회
④ 국제기구　⑤ 시민 단체

14 다음 주민 참여 사례에서 (　　) 안의 알맞은 말에 ○표를 하시오.

△△구에서는 주민 참여 예산제를 도입하고 주민 참여 위원회를 운영하고 있습니다. △△구 주민 참여 예산제의 가장 큰 특징은 주민들이 직접 의논할 문제를 제시하고, 주민의 의견을 알아보기 위한 주민 (투표 / 공청회)로 결정한 내용을 반영한다는 점입니다.

15 다음 '주민 참여' 검색어에 대한 연관 검색어로 알맞지 않은 것을 찾아 기호를 쓰세요.

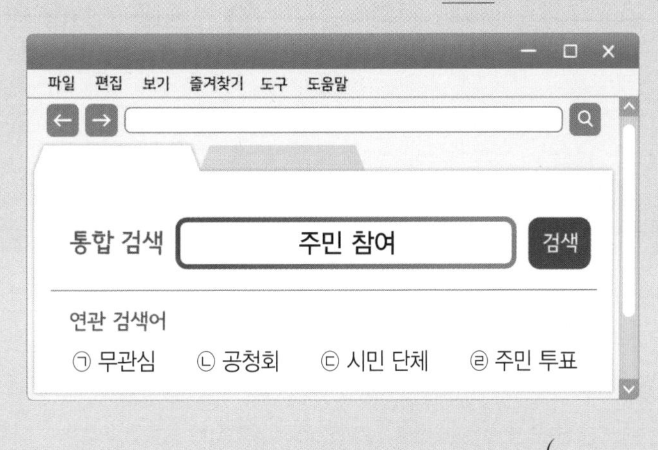

(　　　　　　　　)

4주 누구나 100점 TEST

맞은 개수 /10개

1 다음 지도에서 ○표한 곳의 공통점은 어느 것입니까? (　　　　)

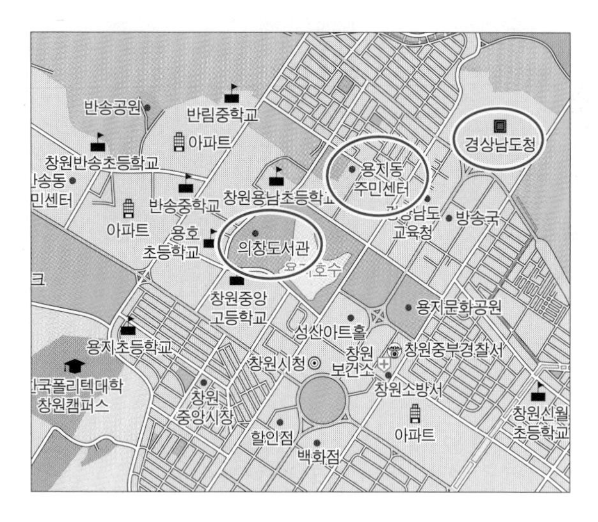

① 공공 기관이다.
② 개인이 만든 곳이다.
③ 개인이 관리하는 곳이다.
④ 주변에서 찾아보기 어렵다.
⑤ 주민들에게 도움이 되지 않는다.

2 다음에서 설명하는 공공 기관은 어느 것입니까? (　　　　)

감염병과 질병을 예방하고 치료하려고 노력하고 있어요.

① 교육청　② 경찰서　③ 보건소
④ 기상청　⑤ 도서관

3 소방서에서 학교와 협력하여 하는 일을 보기 에서 찾아 기호를 쓰시오.

보기
㉠ 화재 예방 교육을 합니다.
㉡ 학교 폭력 예방 교육을 합니다.
㉢ 건강과 관련된 다양한 교육을 합니다.

(　　　　　　　　　　　)

4 공공 기관을 견학하는 과정에서 더 먼저 해야 하는 일을 찾아 기호를 쓰시오.

㉠
어떤 공공 기관에 가 볼까?
㉡
누리집을 살펴보자.
누리집

(　　　　　　　　　　　)

5 공공 기관을 바르게 견학한 어린이는 누구입니까? (　　　　)

① 정하 : 준비물을 빼먹고 갔어요.
② 나윤 : 약속 시간을 지키지 않았어요.
③ 윤성 : 친구들과 배려하며 이동했어요.
④ 정우 : 주변의 물건들을 모두 만져 보았어요.
⑤ 세린 : 공공 기관에서 큰 소리로 떠들었어요.

6

다음과 같이 작성하는 것은 무엇입니까? (　　　)

견학 주제	도청의 각 부서에서 하는 일
견학 일시	20△△년 △△월 △△일, 10:00~12:00
견학 장소	경상남도청
알게 된 점	각 부서에서 하는 일이 다양함.
느낀 점	도청에서는 평소에 우리가 그냥 지나친 곳에도 관심을 기울임.

① 주제망　② 홍보 자료
③ 견학 요청서　④ 견학 계획서
⑤ 견학 보고서

7

위 6번 자료에서 추가해야 할 내용은 어느 것입니까? (　　　)

① 주의할 점　② 역할 나누기
③ 알고 있는 점　④ 더 알고 싶은 점
⑤ 알고 싶은 내용을 조사하는 방법

8

다음 내용에서 (　　) 안의 알맞은 말에 ○표를 하시오.

지역 주민들의 삶을 불편하게 하거나 지역 주민들 사이에 갈등을 일으키는 문제를 (지역 문제 / 경제 문제)라고 합니다.

9

다음 중 주차 문제를 나타낸 그림은 어느 것입니까? (　　　)

①

②

③

④

10

다음은 주민 참여와 관련 있는 활동입니다. □ 안에 공통으로 들어갈 말을 보기에서 찾아 기호를 쓰시오.

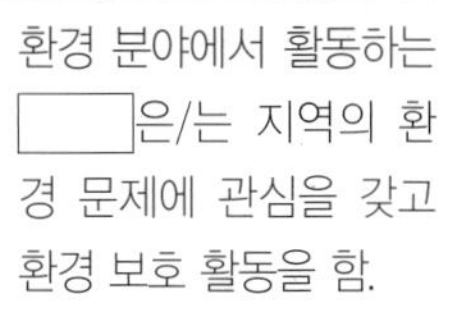

환경 분야에서 활동하는 □은/는 지역의 환경 문제에 관심을 갖고 환경 보호 활동을 함.

지역의 어려운 사람들을 돕고 봉사 활동을 하는 자원봉사 □도 있음.

보기
㉠ 회사　㉡ 가게
㉢ 시민 단체　㉣ 공공 기관

(　　　　　　　)

4주 특강 생활 속 사회

우리 지역의 공공 기관에서 하는 일을 알아봅니다.

1 다음은 서쪽 마왕이 지역을 다니며 본 모습이에요.

(1) 서쪽 마왕이 본 사람들이 속해 있는 공공 기관을 글자판에서 찾아 두 글자로 쓰세요.

( )

(2) 위 (1)번 답에서 하는 일을 바르게 말한 사람은 누구인지 쓰세요.

( )

정답과 풀이 16쪽

내가 직접 주민 참여 사업에 참여한다고 생각하며, 퀴즈를 풀어 봅니다.

2 다음은 △△동 주민 센터가 여는 주민 참여 사업에 대한 홍보물이에요.

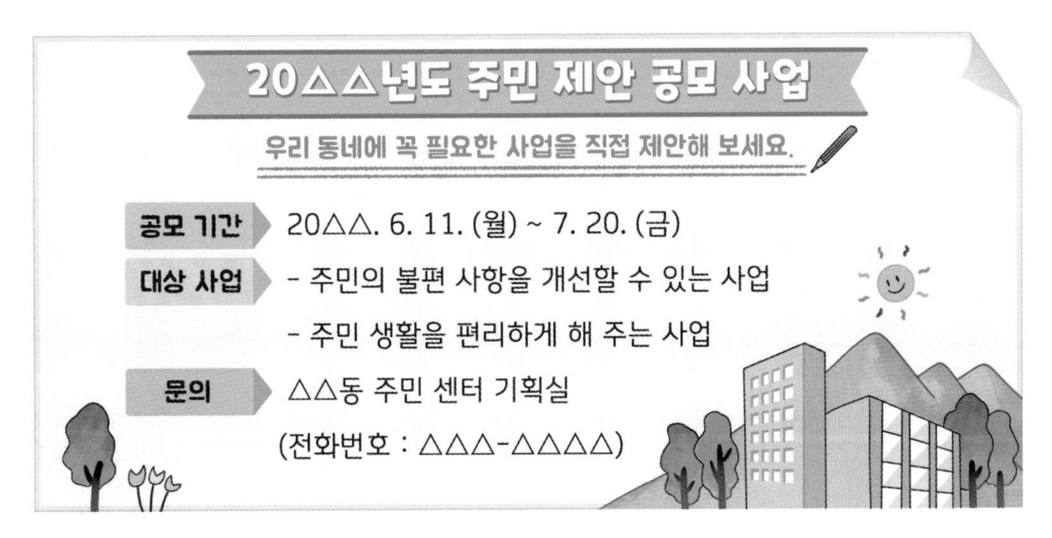

(1) 위 홍보물을 보고, 친구들이 직접 제안한 사업 내용입니다. 알맞지 않은 것을 찾아 기호를 쓰세요.

㉠ 쓰레기 문제가 매우 심각하여 거리의 쓰레기를 줄이는 사업이 필요합니다.

㉡ 지역 문제를 해결하려는 주민들이 너무 많아서 참여를 하지 못하도록 해야 합니다.

㉢ 지역에 주차할 공간이 부족하고 교통이 혼잡하여 교통 문제를 해결해야 합니다.

( )

(2) 위 (1)번의 ㉠ 사업을 실현하기 위해 공공 기관이 해야 할 일로 알맞은 것에 ○표를 하세요.

(가)
곳곳에 쓰레기통을 설치하겠습니다.
(나)
우리 지역에 많은 사람들이 이사 올 수 있도록 홍보하겠습니다.
(다)
주차할 공간을 공원으로 조성하겠습니다.

( ) ( ) ( )

창의·융합·코딩

사고 쑥쑥

각 공공 기관이 하는 일과 관련하여 별명을 지어 봅니다.

3 다음은 친구들이 지은 공공 기관의 별명입니다. ☐ 안에 들어갈 알맞은 별명을 보기에서 찾아 쓰고, 줄이 빠진 부분은 줄로 이으세요.

보기

• 마녀 • 유령 • 살림꾼 • 변덕쟁이

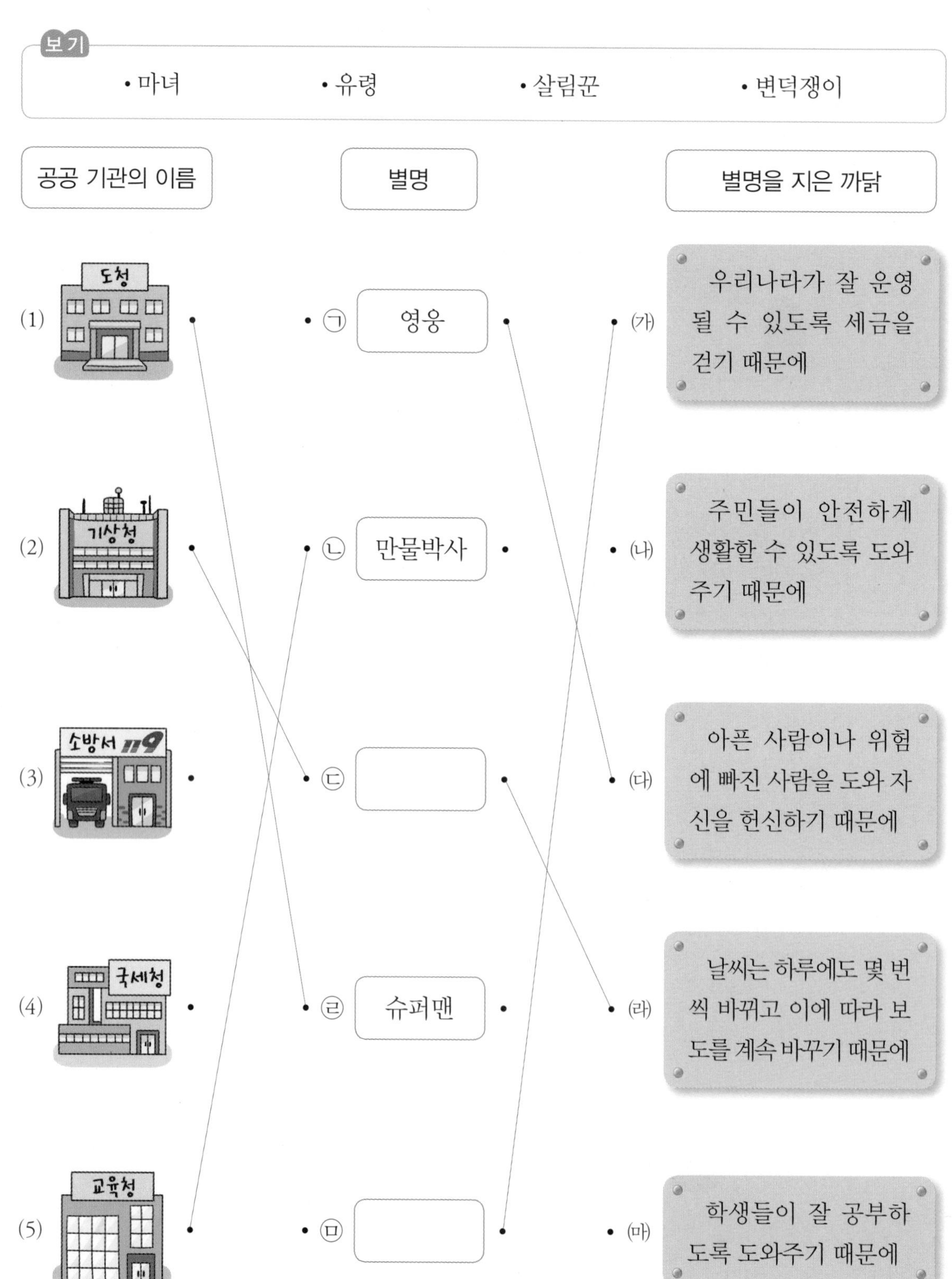

공공 기관의 이름
별명
별명을 지은 까닭
도청
(1)
㉠ 영웅
(가) 우리나라가 잘 운영될 수 있도록 세금을 걷기 때문에
기상청
(2)
㉡ 만물박사
(나) 주민들이 안전하게 생활할 수 있도록 도와주기 때문에
소방서 119
(3)
㉢
(다) 아픈 사람이나 위험에 빠진 사람을 도와 자신을 헌신하기 때문에
국세청
(4)
㉣ 슈퍼맨
(라) 날씨는 하루에도 몇 번씩 바뀌고 이에 따라 보도를 계속 바꾸기 때문에
교육청
(5)
㉤
(마) 학생들이 잘 공부하도록 도와주기 때문에

지역 문제와 주민 참여에 대한 설명으로 알맞은 것을 알아봅니다.

4 지역 문제와 주민 참여에 대해 바르게 이야기하는 사람이 가진 글자를 조합해 정답을 써 보세요.

(   )

4주 특강 논리 탄탄

주민을 위해 일하는 곳은 무엇인지 알아보고, 암호문을 해독해 봅니다.

5 암호 해독표를 보고, 다음 만화 속 암호문을 풀어 보세요.

암호 해독표

①	②	③	④	⑤	⑥	⑦	⑧	⑨	⑩	⑪	⑫	⑬	⑭
ㄱ	ㄴ	ㄷ	ㄹ	ㅁ	ㅂ	ㅅ	ㅇ	ㅈ	ㅊ	ㅋ	ㅌ	ㅍ	ㅎ

A	B	C	D	E	F	G	H	I	J	K	L	M	N
ㅏ	ㅑ	ㅓ	ㅕ	ㅗ	ㅛ	ㅜ	ㅠ	ㅡ	ㅣ	ㅐ	ㅒ	ㅔ	ㅖ

해독한 암호문

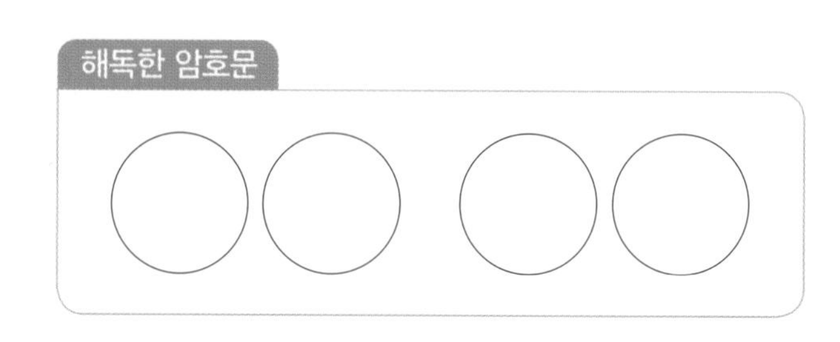

견학과 관련된 만화를 보고, 질문에 따라 도착까지 가는 길을 완성해 봅니다.

6 다음 도로시와 친구들이 대화하는 모습을 보고, 마지막 도로시의 질문에 알맞은 대답을 찾아 화살표로 가는 길을 표시해 보세요.

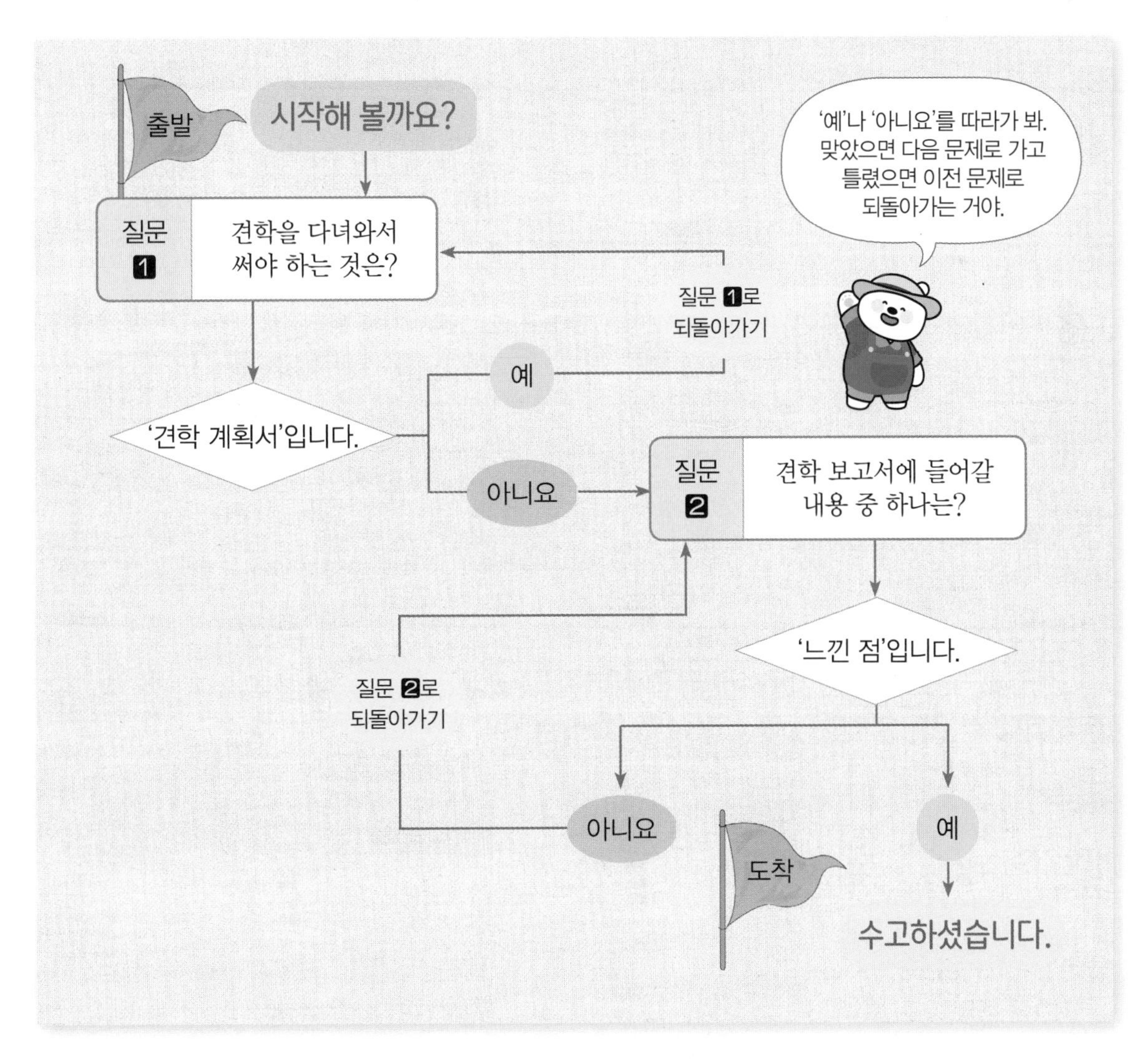

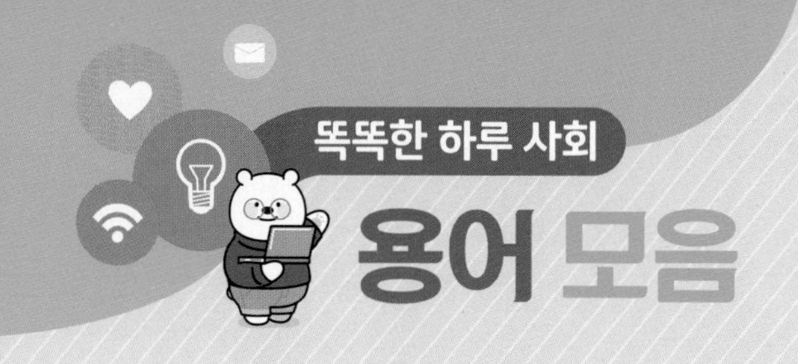

용어 모음

1~4주 동안 공부한 사회 용어를 ㄱㄴㄷ 순서로 정리했어요!

ㄱ

용어	뜻	쪽
간의	행성과 별의 위치, 시간의 측정, 고도와 방위를 정밀하게 측정할 수 있는 조선 시대의 천체 관측 기기	96쪽
견학	실제로 현장에 가서 보고 관찰, 체험함으로써 그 일에 관한 구체적인 지식을 넓히는 것	144쪽
견학 보고서	견학한 내용을 보고하는 글이나 문서	145쪽
고인돌	큰 돌을 몇 개 둘러 세우고 그 위에 넓적한 돌을 덮어 놓은 선사 시대의 무덤	75쪽
공간 조망력	마치 새가 되어 하늘에서 땅을 내려다보며 그 공간을 살피는 능력	52쪽
공공 기관	주민 전체의 이익과 생활의 편의를 위해 국가가 세우거나 관리하는 기관	138쪽
공영	주로 공적인 기관(지방 자치 단체, 나라 등)에서 공공의 이익을 위해 경영하거나 관리함.	151쪽
공청회	정책을 결정하기 전에 다양한 의견을 듣는 공개 회의	156쪽
관람	연극, 영화, 운동 경기, 미술품 따위를 구경하는 것	72쪽
교육청	지방 자치 단체의 교육, 학예에 관한 사무를 맡아보는 관청	60쪽
군청	군의 행정 사무를 맡아보는 기관 또는 그 청사	54쪽
기호	땅 위에 있는 건물이나 도로 등을 지도에 간단히 나타내는 표시	19쪽
길도우미	지도를 보이거나 지름길을 찾아 주어 자동차 운전을 도와주는 장치나 프로그램	31쪽

ㄴ

용어	뜻	쪽
남원 광한루	보물 제281호로, 조선 시대의 정승이었던 황희가 남원에 왔을 때 지은 작은 누각 예 남원 광한루는 『춘향전』의 배경으로 유명해졌다.	75쪽
노비	전통적 신분제 사회에서의 최하층 신분으로, 흔히 '종'이라 불렀음.	96쪽
누리집	개인이나 단체가 인터넷을 통해 정보를 제공하거나 의사소통을 하기 위해 특별한 형식으로 만든 것	66쪽

ㄷ

용어	뜻	쪽
다수결의 원칙	단체나 기관에서 의사 결정을 할 때, 많은 사람의 의견을 따르는 방법	151쪽
단속	규칙이나 법령, 명령 따위를 지키도록 통제함.	151쪽
답사	어떤 곳에 직접 찾아가 조사하는 것	61쪽
대본	연극의 상연이나 영화 제작에 있어서 기본이 되는 글	108쪽
대웅전	절에서 가장 주요한 불상을 모신 법당	72쪽
도청	도의 행정을 맡아 처리하는 지방 관청	60쪽
등고선	지도에서 높이가 같은 곳을 연결하여 땅의 높낮이를 나타낸 선	30쪽

면담	궁금한 점을 알려고 적절한 사람을 직접 만나 이야기를 나누는 조사 방법	**61쪽**
무형 문화재	예술 활동, 기술처럼 형태가 없는 문화유산	**67쪽**
문헌	특정한 연구를 할 때 참고가 되는 서적이나 문서	**66쪽**
문화 관광 해설사	관광객들에게 문화유산, 관광 자원 등에 대하여 재미있고 알기 쉽게 설명해 주는 전문 해설사	**66쪽**
문화유산	조상 대대로 전해 내려온 문화 중에서 다음 세대에 물려줄 만한 가치가 있는 것	**66쪽**
문화재 지킴이	소중한 문화유산을 국민의 자발적인 참여로 가꾸고 지키며, 조상으로부터 물려받은 문화유산뿐만 아니라 문화유산을 가꾸는 문화도 후손에게 함께 물려주고자 추진된 운동	**66쪽**
민원	주민이 행정 기관에 대하여 원하는 바를 요구하는 일	**144쪽**
민원실	관공서에서 민원 사무를 처리하는 부서	**143쪽**

방위	방향의 위치	**18쪽**
방위표	지도에서 동서남북의 방향을 알려 주는 표시	**18쪽**
범례	지도에 쓰인 기호와 그 뜻을 나타낸 것	**19쪽**
보건소	질병의 예방, 진료, 공중 보건을 향상시키기 위해 서울특별시와 각 광역시 및 각 시 · 군 · 구에 둔 공공 의료 기관	**138쪽**
보급	널리 펴서 많은 사람에게 골고루 미치게 하여 누리게 함.	**109쪽**
보물	국보 다음으로 중요한 유형 문화재	**70쪽**
부소산성	충청남도 부여군 부소산에 있는 백제 때의 성터	**60쪽**

상업	상품을 사고파는 일을 통해 이익을 얻는 일	**60쪽**
서명 운동	어떤 주장이나 의견에 대한 찬성의 뜻으로 서명을 받는 운동	**156쪽**
석탑	돌로 쌓은 탑 예 경주 불국사 삼층석탑	**67쪽**
선자장	고려 시대부터 전해 내려오는 대표적인 공예품인 전통 부채를 만드는 기술과 그 기술을 가진 장인	**75쪽**
시민 단체	시민들이 스스로 모여 사회 전체의 이익을 위해 활동하는 단체	**156쪽**
시외버스	시내에서 그 도시 바깥의 특정한 지역까지 운행하는 버스	**54쪽**

앙부일구	조선 시대에 사용하던 해시계로, 솥 모양의 그릇 안쪽에 24절기를 나타내는 눈금을 새기고, 북극을 가리키는 바늘을 꽂아 이 바늘의 그림자가 가리키는 눈금에 따라 시각을 알 수 있게 만들었음.	**96쪽**
약도	간단히 줄여 중요한 부분만 대략적으로 그린 지도	**31쪽**
역할극	참여자가 주어진 상황에서 특정 역할을 담당하여 연기하는 극	**108쪽**
우범 지역	범죄가 자주 일어나거나 일어날 가능성이 높은 지역	**156쪽**
위인전	뛰어나고 훌륭한 사람의 업적과 삶을 적은 글 또는 그런 책	**97쪽**
유형 문화재	석탑, 건축물, 책처럼 형태가 있는 문화유산	**67쪽**

정답과 풀이

1주 지도로 본 우리 지역

1일 지도

13쪽 개념 체크

1 하늘　　2 위　　3 지도

14~15쪽 개념 확인하기

1 ㉠　　2 ①　　3 ②　　4 ㉠
5 민혁

똑똑한 하루 퀴즈

6 ㉡

풀이

1 ㉠은 위에서 내려다본 아파트 모습이고, ㉡은 정면에서 바라본 아파트 모습입니다. ㉠과 같이 하늘에서 내려다보면 넓은 땅의 모습과 특징을 한눈에 볼 수 있습니다.

2 지도에는 방위표, 기호와 범례, 축척, 등고선 등이 나타나 있습니다.

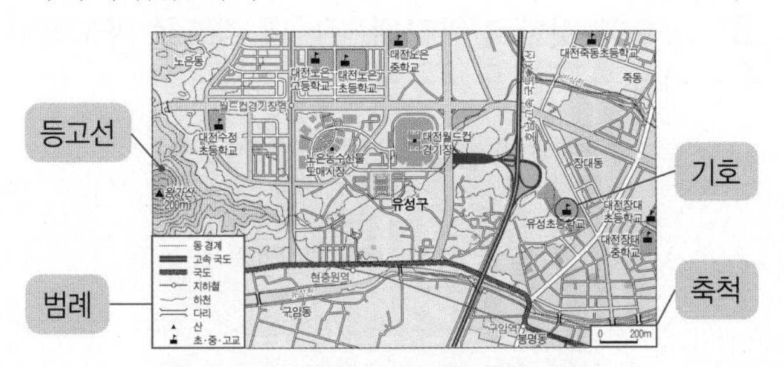

3 항공 사진과 지도 모두 위에서 내려다본 모습을 나타내고 있습니다.

4 지도는 정해진 약속에 따라 그려야 합니다.

5 ㉠과 같은 그림은 그리는 사람의 마음대로 표현할 수 있어서 그림을 보는 사람마다 그 지역을 다르게 이해할 수 있습니다.

6 항공 사진에는 건물이나 지하철역 등의 이름이 나타나 있지 않지만, 지도에는 나타나 있어서 쉽게 건물 등의 위치를 찾을 수 있습니다.

2일 방위와 범례

19쪽 개념 체크

1 방위표　　2 동쪽　　3 기호

20~21쪽 개념 확인하기

1 ②　　2 (1) ㉣ (2) ㉢ (3) ㉠ (4) ㉡
3 기호　　4 ②

집중 연습 문제

5

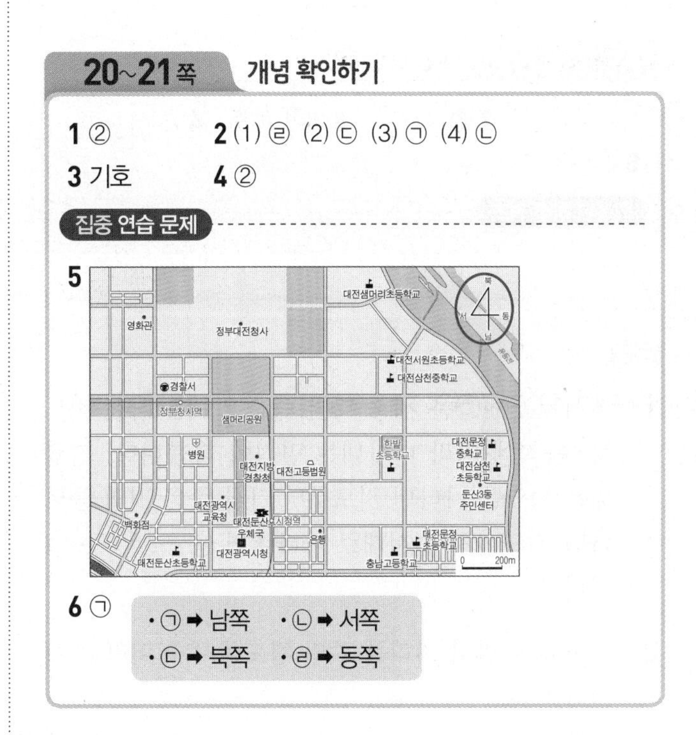

6 ㉠

• ㉠ ➡ 남쪽　• ㉡ ➡ 서쪽
• ㉢ ➡ 북쪽　• ㉣ ➡ 동쪽

풀이

1 전라북도의 북쪽에는 충청남도, 대전광역시 등이 있고, 남쪽에는 광주광역시, 제주특별자치도 등이 있습니다.

2 지도에 방위표가 없으면 오른쪽이 동쪽, 왼쪽이 서쪽, 아래쪽이 남쪽, 위쪽이 북쪽이라고 약속합니다.

3 지도에서는 건물의 모양이 어떻게 생겼는지 자세하게 그릴 수 없기 때문에 실제 모습을 간단하게 표현한 기호가 필요합니다.

4 범례를 먼저 읽으면 지도에 사용된 기호의 뜻을 알 수 있습니다.

5 지도에서 동서남북의 방향을 알려 주는 표시를 방위표라고 합니다.

6 지도에서 한 곳을 기준으로 정해 방위표에 따라 여러 장소의 위치를 말할 수 있습니다.

3일 축척

25쪽 개념 체크

1 축척 2 조금 3 막대자

26~27쪽 개념 확인하기

1 ㉢ 2 ③ 3 이현, 혜준 4 ⑤
5 2

똑똑한 하루 퀴즈

6 ㉡

풀이

1 제시된 ㉠~㉢은 서로 다른 축척으로 그려진 지도로, 축척에 따라 나타내는 면적이 다릅니다. 가장 넓은 지역을 나타낸 지도부터 가장 좁은 지역을 나타낸 지도까지 순서대로 나타내면 ㉢ → ㉡ → ㉠입니다.

2 지도에서 실제 거리를 줄인 정도를 축척이라고 합니다.

왜 틀렸을까?
①은 방위, ②는 범례, ④는 등고선, ⑤는 기호에 대한 설명입니다.

3 ㈎ 지도는 넓은 지역을 간략하게 보여 주고, ㈏ 지도는 좁은 지역을 자세하게 보여 줍니다. 축척이 0 ___ 2km라고 표시된 ㈎ 지도에서 1cm는 실제 거리 2km를 뜻하고, 축척이 0 ___ 500m라고 표시된 ㈏ 지도에서 1cm는 실제 거리 500m를 뜻합니다.

4 축척 막대자를 활용하면 비례식을 이용해 거리를 계산하지 않아도 지도상의 실제 거리를 손쉽게 측정할 수 있습니다.

5 제시된 지도에서 1cm는 실제 거리 1km를 뜻합니다. 따라서 대전시청과 한밭수목원 사이의 실제 거리는 2km입니다.

6 ㉠ 퍼즐 조각에는 방위표가, ㉡ 퍼즐 조각에는 축척이 표시되어 있습니다.

4일 등고선과 다양한 지도

31쪽 개념 체크

1 등고선 2 진해 3 길도우미

32~33쪽 개념 확인하기

1 ⑤ 2 ㉠ 3 ① 4 ④

집중 연습 문제

5 ㉠
- 가장 높은 곳 ➡ ㉠
- 가장 낮은 곳 ➡ ㉢

6 완만

풀이

1 등고선은 지도에서 해발 고도가 같은 지점을 연결한 곡선입니다. 해발 고도가 변하면 여러 개의 곡선이 만들어지고, 이 곡선의 모양을 보고 땅의 높낮이나 지형의 모습을 읽어 낼 수 있습니다.

2 지도에서는 땅의 높낮이를 등고선과 색깔로 나타내는데, 땅의 높이가 높을수록 색이 진해집니다.

3 중요한 것만 간략하게 나타낸 지도를 약도라고 합니다.

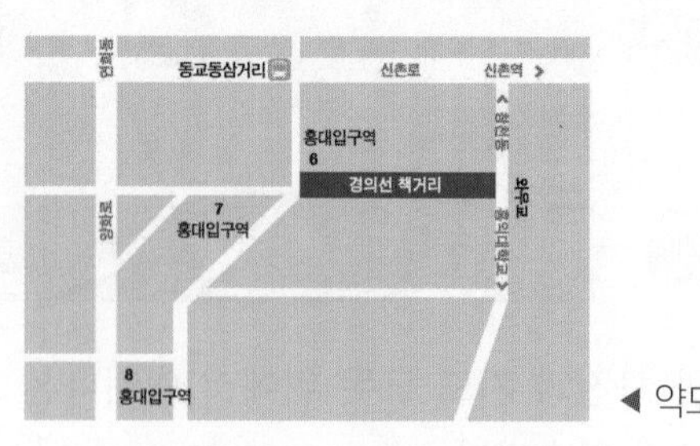

◀ 약도

4 지하철이 운행하는 노선을 기입한 지도를 지하철 노선도라고 합니다. 지하철을 타서 어느 역에서 내려야 하는지를 알고 싶다면 지하철 노선도를 보는 것이 좋습니다.

5 제시된 지도에서 ㉠이 가장 높고, ㉢이 가장 낮습니다.

6 등고선 간의 간격이 넓을수록 완경사, 등고선 간의 간격이 좁을수록 급경사입니다.

5일 1주 마무리하기

36~39쪽 마무리하기 문제

1 ㉠ 지도 ㉡ 항공 사진 2 하온 3 ④
4 ⑤ 5 범례 6 (2) ○ 7 ㉠, ㉡
8 3 9 ②, ⑤ 10 ㉠
11 예 길도우미를 본다. 도로가 나타난 교통 지도를 본다.
12 ③

똑똑한 하루 퀴즈

13

방	범	례	축	척
후	위	성		소
기	사	진	대	등
호	연	지	도	고
우		리	노	선

❶ 지도 ❷ 방위 ❸ 기호 ❹ 등고선

풀이

1 ㉠은 위에서 내려다본 땅의 실제 모습을 일정한 형식으로 줄여서 나타낸 지도이고, ㉡은 비행 중인 항공기에서 땅의 모습을 찍은 항공 사진입니다.

2 지도와 항공 사진은 위에서 내려다본 모습을 나타내고 있습니다.

3 지도에서는 사람이나 건물이 향한 방향에 따라 오른쪽, 왼쪽, 아래쪽, 위쪽이 달라지지 않도록 방위표를 이용해서 위치를 나타냅니다.

4 학교를 기준으로 동쪽에 공원, 서쪽에 우체국, 남쪽에 시장, 북쪽에 시청이 있습니다.

5 범례는 지도에 쓰인 기호와 그 뜻을 나타냅니다. 범례를 활용해 지도를 보면 지도에서 나타내는 정보를 좀 더 쉽고 정확하게 알 수 있습니다.

6 실제 세계를 얼마나 줄이는지에 따라 지도가 나타내는 범위가 다릅니다.

7 축척에 따라 지도의 자세한 정도가 달라집니다. 실제 거리를 조금 줄여서 지도에 나타내면 관찰하고자 하는 지역을 자세히 볼 수 있습니다.

8 축척 막대자를 사용하면 지도에 표시된 두 지점 사이의 실제 거리를 쉽게 알 수 있습니다. 제시된 지도에서 1 cm는 실제 거리 1 km를 뜻합니다.

9 지도에서는 땅의 높낮이를 등고선과 색깔로 나타냅니다.

10 등고선 모형에서 가장 높은 곳은 ㉠이고, 가장 낮은 곳은 ㉣입니다.

11 인정 답안

자동차를 운전하면서 길을 찾을 수 있는 방법을 지도와 관련지어 썼으면 정답으로 인정합니다.

인정 답안의 예
- 길도우미를 본다.
- 도로 교통 지도를 본다.

12 안내도를 사용하면 가고자 하는 곳이 어디에 있는지 쉽게 알 수 있습니다.

1주 | TEST+특강

40~41쪽 누구나 100점 TEST

1 혜준 2 ① 3 ② 4 (2) ○
5 ㉡ 6 ② 7 ㉡ 8 ④
9 ㉠ 10 (1) ○

풀이

1 제시된 자료는 위에서 내려다본 땅의 실제 모습을 일정한 형식으로 줄여서 나타낸 지도입니다.

2 지도에서 방위표에 따라 여러 지역의 위치를 말할 수 있습니다.

3 방위에는 동서남북이 있고 방위표로 나타냅니다.

4 (1)은 축척, (2)는 기호, (3)은 방위표입니다.

5 모든 정보를 글자로만 표시하면 지도를 알아보기가 어렵습니다.

6 범례는 지도에 쓰인 기호와 그 뜻을 나타냅니다.

7 ㉠ 지도는 좁은 지역을 자세하게 보여 주고, ㉡ 지도는 넓은 지역을 간략하게 보여 줍니다.

8 지도에서 실제 거리를 줄인 정도를 축척이라고 합니다.

9 지도에서 높이가 같은 곳을 연결하여 땅의 높낮이를 나타낸 선을 등고선이라고 합니다.

10 간단히 줄여 중요한 부분만 대략적으로 그린 지도를 약도라고 합니다.

43쪽 생활 속 사회 융합

❶ ㉠ 방위표 ㉡ 북

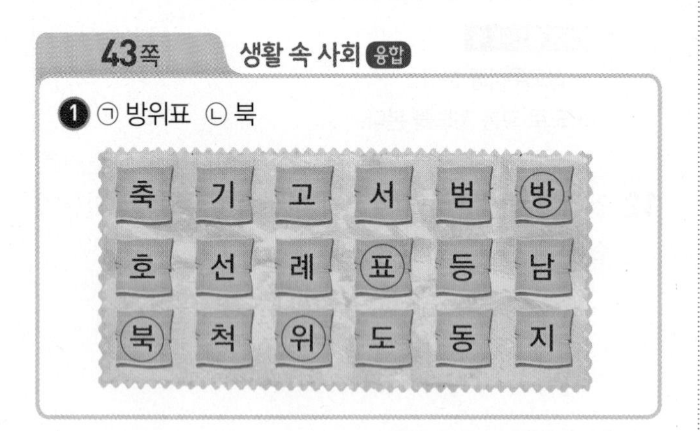

축	기	고	서	범	(방)
호	선	례	(표)	등	남
(북)	척	(위)	도	동	지

풀이

❶ 지도에 방위표가 없으면 오른쪽이 동쪽, 왼쪽이 서쪽, 아래쪽이 남쪽, 위쪽이 북쪽이라고 약속합니다.

44~45쪽 사고 쑥쑥 창의

❷ (1) 빙고 판

(2) 3

❸ (1) 등고선 (2) 0

풀이

❷ (1) 위에서 내려다본 땅의 실제 모습을 일정한 형식으로 줄여서 나타낸 그림을 지도라고 합니다.

(2) 완성된 빙고는 가로, 세로, 대각선 모두 합해 3줄입니다.

❸ (1) 도로시는 알맞게 설명한 부분에 화살을 던졌습니다.

(2) 서쪽 마왕은 10점을 얻었지만 틀린 내용 두 곳에 화살을 던져 10점이 감점되었습니다.

46~47쪽 논리 탄탄 코딩

❹ ❻ ❶ ❸

❺

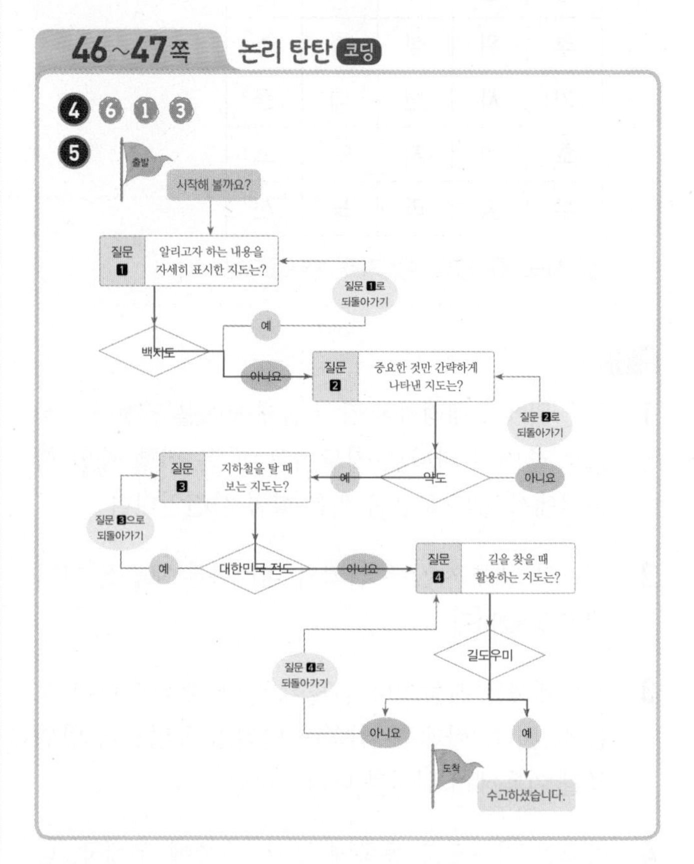

출발
시작해 볼까요?
질문 1
알리고자 하는 내용을 자세히 표시한 지도는?
질문 1로 되돌아가기
예
백지도
아니요
질문 2
중요한 것만 간략하게 나타낸 지도는?
질문 2로 되돌아가기
질문 3
지하철을 탈 때 보는 지도는?
예
약도
아니요
질문 3으로 되돌아가기
예
대한민국 전도
아니요
질문 4
길을 찾을 때 활용하는 지도는?
길도우미
질문 4로 되돌아가기
아니요
예
도착
수고하셨습니다.

풀이

❹ 축척에 대한 설명 중 ❻, ❶, ❸만 알맞은 내용이므로 비밀번호는 613입니다.

왜 틀렸을까?
- ❽ 지도에서 실제 거리를 줄인 정도를 축척이라고 해요.
- ❹ 지도에 나타난 축척을 보고 실제 거리를 알 수 있어요.
- ❺ 대한민국 전도, 세계 전도 등은 소축척 지도예요.
- ❼ 지도에 쓰이는 기호의 뜻을 나타낸 것은 범례예요.

❺ 질문 1에 대한 답은 안내도이고, 질문 3에 대한 답은 지하철 노선도입니다.

2주 중심지와 문화유산

1일 중심지

55쪽 개념 체크

1 중심지 2 군청 3 건물

56~57쪽 개념 확인하기

1 ㉠ 2 중심지 3 ② 4 ㉡
5 ④

똑똑한 하루 퀴즈

6 예 중심지에 가면 시장도 있고, 우체국도 있고, 터미널도 있고, 도서관도 있고

풀이

1 ㉠에는 군청, 버스 터미널, 시장, 우체국 등이 있습니다.

2 중심지에는 사람들이 편리하게 이용할 수 있는 시설들이 밀집해 있습니다.

3 사람들은 다른 고장이나 지역에 가기 위해 시외버스 터미널에 갑니다.

4 중심지는 복잡해 보이고 건물이 많습니다.

5 중심지는 사람들이 많이 오고가기 때문에 복잡해 보입니다. ④는 중심지가 아닌 곳에서 나타나는 특징입니다.

6 중심지에는 사람들의 생활과 관련된 여러 시설이 모여 있습니다. 시장, 우체국, 터미널에 이어 은행, 도서관, 병원, 군청 등이 들어갈 수 있습니다.

2일 중심지의 기능과 답사

61쪽 개념 체크

1 상업 2 답사 3 계획

62~63쪽 개념 확인하기

1 ⑤ 2 ㉢ 3 ② 4 (2) ○

집중 연습 문제

5 ③
6 ㉡ ㉡ ➡ ㉠ ➡ ㉣ ➡ ㉢

풀이

1 사람들은 다양한 필요와 욕구를 해결하고자 중심지에 모입니다. 산업의 중심지에는 물건을 만드는 회사나 공장이 밀집해 있어 사람들이 모입니다.

2 충청남도청은 홍성군에 있습니다.

3 지역에는 문화유산을 직접 보기 위해 사람들이 모이는 관광의 중심지가 있습니다. 국립 부여 박물관, 부소산성 등이 있는 충청남도 부여군은 관광의 중심지입니다.

4 (1)은 중심지의 모습을 관찰하고 사진을 찍는 모습이며, (3)은 지도를 이용해 중심지의 위치를 확인하는 모습입니다.

5 답사 계획을 세울 때에는 답사 장소와 날짜, 목적, 내용, 방법, 준비물 등을 정해야 합니다.

6 중심지를 답사하기 위해 가장 먼저 중심지를 답사할 계획을 세워야 합니다.

3일 문화유산

67쪽 개념 체크

1 검색 2 청소 3 유형

68~69쪽 개념 확인하기

1 ③ 2 면담 3 ④, ⑤ 4 ③
5 (가) ㉠, ㉢ (나) ㉡, ㉣

똑똑한 하루 퀴즈

6 ㉡

풀이

1 제시된 그림은 문화유산을 답사하는 모습입니다.

2 면담을 하기 위해서는 미리 전화해 면담 약속을 정해야 합니다.

3 문화재 지킴이들은 문화재 주변 청소, 문화재 점검 활동, 문화재 홍보 활동, 문화재 화재 감시와 순찰 활동 등을 하고 있습니다.

4 문화유산은 형태가 있는 문화유산과 형태가 없는 문화유산으로 성격을 구분할 수 있습니다.

5 책, 석탑, 건축물 등은 유형 문화재이고 기술, 예술 활동 등은 무형 문화재입니다.

6 임실 필봉 농악은 전라북도 임실군 필봉 마을에 이어져 내려오는 농악으로, 국가 무형 문화재 제11-5호입니다.

▲ 임실 필봉 농악

왜 틀렸을까?
㉠ 고창 읍성과 ㉢ 김제 금산사 미륵전은 전라북도에 있는 유형 문화재입니다.

4일 문화유산 답사

73쪽 개념 체크

1 계획서 2 알게 된 3 위치

74~75쪽 개념 확인하기

1 ⑤ 2 ㉣ 3 ⑤ 4 답사 보고서
5 ④

똑똑한 하루 퀴즈

6 ❶

풀이

1 ⑤ 새롭게 알게 된 점은 답사 보고서에 들어갈 내용입니다.

2 답사 계획을 세울 때에는 어떤 방법으로 답사할 것인지도 정해야 합니다.

3 사진 촬영을 하면 안 되는 곳에서는 조사할 대상을 그림으로 그리거나 글로 씁니다.

4 문화유산을 답사하면서 보고 들은 내용을 정리해 문화유산 답사 보고서를 작성합니다.

5 문화유산 안내도를 보면 지역에 있는 문화유산의 위치, 분포, 특징을 알 수 있습니다.

6 문화유산을 답사할 때에는 조용히 이야기하고 뛰지 않아야 합니다.

5일 2주 마무리하기

78~81쪽 마무리하기 문제

1 ⑤ 2 ③ 3 ㉠, ㉣ 4 ④
5 ⑤ 6 ㉡, ㉢, ㉠ 7 ㉠ 8 ①, ④
9 (1) 예 필기도구, 사진기 (2) 예 문화유산을 만지지 않는다.
10 ③ 11 ㉡, ㉢

똑똑한 하루 퀴즈

12

고창 읍성	판소리	아리랑
경주 첨성대	서울 숭례문	김제 금산사 미륵전
종묘 제례악	농악	가야금 병창
강강술래	수원 화성	화살을 만드는 전통장
서울 흥인지문	익산 미륵사지 석탑	경주 불국사 다보탑

유형 문화재가 있는 칸을 모두 색칠하면 글자 '노'이/가 나와.

풀이

1 고장에는 군청이나 구청, 시장, 버스 터미널 등 사람들이 많이 모이는 곳이 있는데, 이러한 곳을 고장의 중심지라고 합니다.

2 중심지에는 사람들이 편리하게 이용할 수 있는 시설들이 밀집해 있습니다.

3 중심지에는 건물이 많고, 사람들이 많이 오고가서 복잡해 보입니다.

4 지역 사람들은 필요한 물건을 사려고 상업의 중심지에 모입니다.

5 행정의 중심지에는 도청, 교육청 등이 있어 행정 업무를 처리할 수 있습니다.

6 중심지를 답사하기 전에는 답사 계획을 세우며, 그 계획에 따라 답사합니다. 답사 후에는 답사에서 얻은 자료를 정리해 발표 자료를 만들고, 그 내용을 친구들에게 발표합니다.

7 ㉡은 누리집 검색, ㉢은 면담과 관련 있습니다.

8 유형 문화재에는 석탑, 건축물, 책, 과학 발명품 등이 있고 무형 문화재에는 예술 활동, 기술 등이 있습니다.

9 문화유산을 답사할 때에는 질서를 지키는 등 안전에 유의해야 합니다.

인정 답안

문화유산을 답사할 때 필요한 준비물과 주의할 점을 모두 알맞게 썼으면 정답으로 인정합니다.

인정 답안의 예

(1) 필기도구, 사진기, 휴대 전화, 기록장
(2) • 문화유산을 만지지 않는다.
• 보호자와 함께 답사를 간다.
• 관람이 허락된 곳에만 들어간다.

10 역할 나누기는 답사 계획서에 들어갈 내용입니다.

11 지역에 있는 중요한 문화유산의 위치, 분포, 특징을 알려 주는 지도를 문화유산 안내도라고 합니다.

12 건축물, 회화, 조각, 공예품, 책, 고문서 등과 같이 형태가 있는 문화유산을 유형 문화재라고 합니다.

2주 | TEST+특강

82~83쪽 누구나 100점 TEST

1 ②	2 ③, ⑤	3 ③	4 ㉣
5 ㉢	6 ②	7 ④	8 ㉡, ㉢
9 ①	10 ③		

풀이

1 중심지에는 사람들의 생활과 관련된 여러 시설이 모여 있습니다.

2 중심지는 교통이 편리하고, 건물이 많습니다.

3 산업의 중심지에는 물건을 생산하는 공장 등이 밀집해 있습니다.

4 부소산성은 충청남도 부여군에 있습니다. 관광의 중심지인 부여군에는 문화유산을 직접 보려는 사람들이 찾아옵니다.

5 답사할 중심지를 사전 조사할 때 답사할 중심지에 대한 자료는 인터넷을 검색하거나 책, 지도, 지역 신문 등에서 찾아볼 수 있습니다.

6 문화유산을 자세히 알고 있는 문화유산 해설사, 박물관 학예사 등을 면담하며 문화유산을 조사할 수 있습니다.

왜 틀렸을까?

① 문화유산과 관련 있는 책이나 문서, 기록물을 찾아보는 모습입니다.
③ 문화재청, 지역 문화원 등 문화유산 관련 기관의 누리집에서 문화유산을 검색하는 모습입니다.
④ 문화유산을 직접 찾아가 조사하는 모습입니다.

7 석탑, 건축물, 책처럼 형태가 있는 문화유산을 유형 문화재라고 합니다.

8 ㉠과 ㉣은 문화유산 답사 보고서에 들어갈 내용입니다.

9 문화유산을 답사할 때에는 조용히 이야기합니다.

10 제시된 문화유산 답사 보고서에는 고창 선운사 대웅전을 답사한 내용이 적혀 있습니다.

85쪽 생활 속 사회 융합

❶

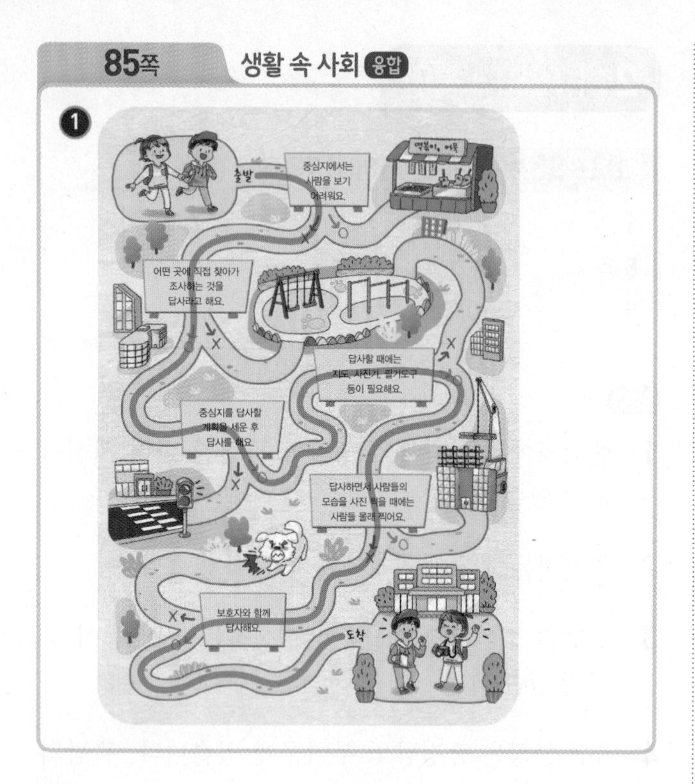

풀이

❶ 중심지에는 사람이 많이 모이며, 답사하면서 사진을 찍을 때에는 먼저 허락을 받아야 합니다.

86~87쪽 사고 쑥쑥 창의

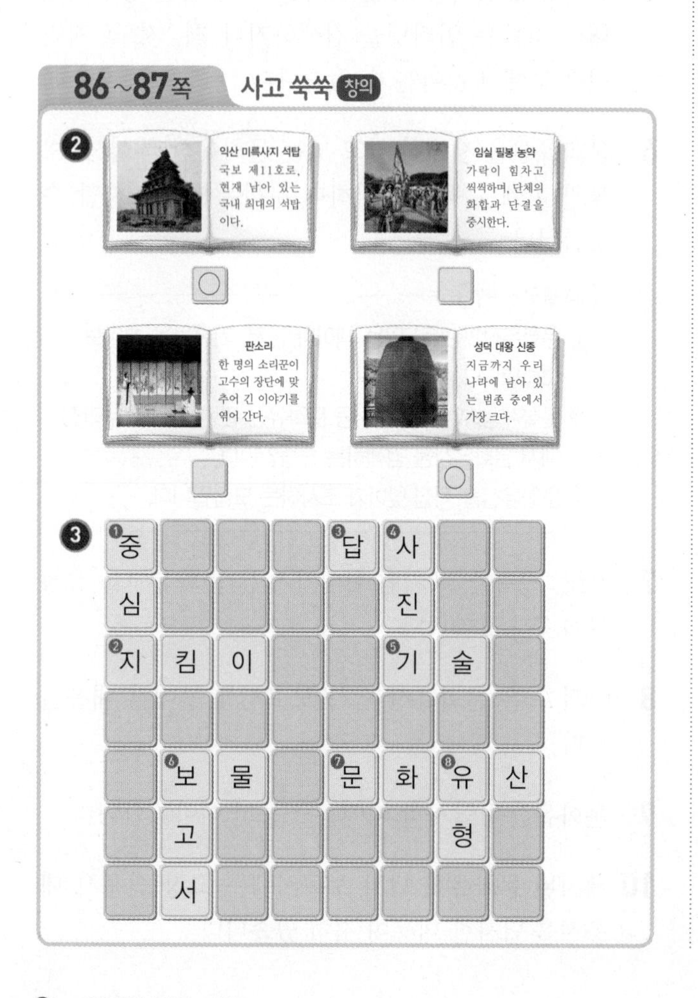

풀이

❷ 서쪽 마왕이 훔치려는 문화유산은 유형 문화재이므로 익산 미륵사지 석탑과 성덕 대왕 신종에 ○표를 해야 합니다. 임실 필봉 농악과 판소리는 무형 문화재입니다.

❸ 중심지, 답사, 유형 문화재, 무형 문화재 등은 중요한 용어이므로 잘 기억해 두어야 합니다.

88~89쪽 논리 탄탄 코딩

❹ 상업 중심지

❺ (1) ↓ (2) 듬이, 토리

풀이

❹ 한 지역에는 다양한 중심지가 있으며, 중심지마다 모습, 역할, 기능이 다릅니다. 지역의 사람들은 생활에 필요한 물건을 사려고 백화점, 대형 할인점 등이 있는 상업의 중심지에 모입니다.

❺ (1) 친구들이 전라북도 지역의 무형 문화재를 답사하기로 했기 때문에 임실 필봉 농악이 있는 곳으로 이동해야 합니다.

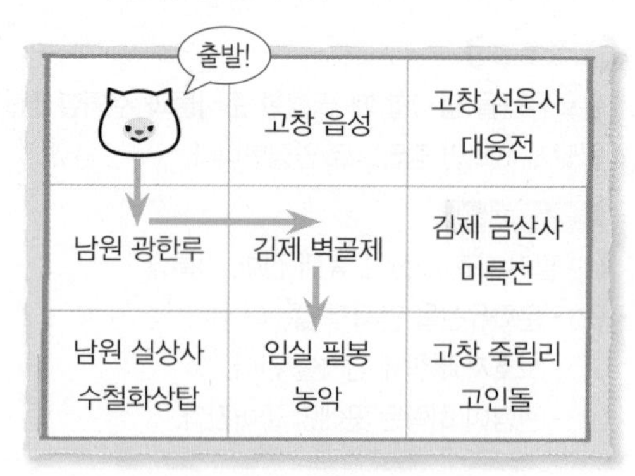

(2) 문화유산은 조상들에게 물려받았고, 우리의 역사가 담겨 있기 때문에 소중히 여겨야 합니다. 문화유산을 보호하기 위해서는 문화유산을 자랑스럽게 생각하고 널리 알려야 합니다.

3주 우리 지역의 역사적 인물

1일 역사적 인물 조사 계획

97쪽 개념 체크

1 역할　2 장영실　3 계획서

98~99쪽 개념 확인하기

1 ③　2 주제망　3 ⑤
4 예 사진 찍기

집중 연습 문제

5 ①
- ㉡ ➡ 기간
- ㉤ ➡ 역할

6 훈영

풀이

1 장영실은 노비 출신이었지만 과학자로서 눈부신 업적을 세웠고, 벼슬도 했습니다.

왜 틀렸을까?
① 황희는 조선 시대 문신으로, 어질고 깨끗한 관리의 표본입니다.
② 이성계는 조선을 세운 조선의 제1대 왕입니다.
④ 신사임당은 조선 중기의 화가이자 문인입니다.
⑤ 세종 대왕은 조선의 제4대 왕입니다.

2 큰 종이를 이용해 주제를 적고 붙임쪽지를 이어 붙여 주제망을 완성할 수 있습니다.

3 장영실은 다양한 발명품을 만들었기 때문에 발명품을 중심으로 조사할 수 있습니다.

4 모둠별 활동 내용과 방법을 바탕으로 어떻게 역할을 나누면 좋을지 토의해서 역할을 정합니다.

5 조사 계획서를 쓸 때에는 주제, 활동 기간, 활동 내용, 활동 방법, 역할 나누기, 주의할 점을 고려하여 씁니다.

6 역사적 인물을 조사할 때 자료의 출처는 꼭 밝히고, 모둠 활동 계획은 친구들과 함께 세웁니다.

2일 역사적 인물 조사

103쪽 개념 체크

1 위인전　2 검색　3 해설사

104~105쪽 개념 확인하기

1 ③　2 ②　3 해영　4 ㉢
5 나래

똑똑한 하루 퀴즈

6

세	종	대	왕
✿	탐	위	도
원	✿	인	자
시	제	전	격
험	계	✿	루

❶ 위인전 ❷ 세종 대왕 ❸ 자격루 ❹ 시계

풀이

1 도서관에 가서 위인전을 찾아 읽으며 장영실의 일생을 살펴볼 수 있습니다.

2 이천이 세종 대왕에게 장영실을 인재로 추천했기 때문에 장영실이 실력을 펼칠 수 있었습니다.

3 역사적 인물을 조사할 때 책으로 알아보기, 인터넷 검색으로 알아보기, 현장 체험으로 알아보기 등을 할 수 있습니다.

4 현장 체험으로 알아볼 때에는 발명품에 대한 설명을 적거나 동영상을 찍을 수 있습니다.

왜 틀렸을까?
㉡ 도서관에서 책 보기

㉣ 인터넷 백과사전 살펴보기

5 직접 현장을 방문하기 위해서는 준비 과정이 필요하고, 모둠 친구들과 함께 시간을 맞춰서 이동해야 합니다.

3일 역사적 인물 소개 자료

109쪽 개념 체크

1 역할극　2 과학자　3 간의

110~111쪽 개념 확인하기

1 ③　2 ㉠　3 ③　4 이은
5 ㉡

집중 연습 문제

6 ③ · ㉠ ➡ 물 · ㉡ ➡ 왕
7 ⑤

풀이

1 역할극은 참여자가 주어진 상황에서 특정 역할을 담당하여 연기하는 극입니다.

2 장영실을 소개하는 역할극에는 세종 대왕과 장영실의 만남, 앙부일구와 자격루를 열심히 만드는 장영실, 장영실이 만든 물건을 보고 기뻐하는 세종 대왕과 백성들 등의 장면이 들어갈 수 있습니다.

3 장영실은 혼천의, 간의, 앙부일구, 자격루 등의 발명품을 만들었습니다.

4 역사적 인물을 소개하는 자료를 만들 때에는 역사적인 사실을 바탕으로 만들어야 합니다.

5 짧은 동요의 노랫말을 바꿔서 우리 지역의 인물을 홍보하는 노래를 만들 수 있습니다.

6 장영실은 해시계인 앙부일구와 물시계인 자격루를 만들어서 백성들이 시간을 알 수 있게 해 주었습니다.

7 세종 대왕은 장영실에게 발명품을 만들 수 있는 기회를 준 왕입니다.

4일 역사적 인물 소개

115쪽 개념 체크

1 뉴스　2 시간　3 자부심

116~117쪽 개념 확인하기

1 ③　2 남윤　3 ㉠　4 ②, ⑤
5 ㉠　6 ㉠

똑똑한 하루 퀴즈

7 장영실

풀이

1 역사적 인물을 소개하는 뉴스를 만들 때에는 아나운서, 장영실 후손, 문화 관광 해설사, 교수 등이 등장인물로 나옵니다.

2 우리 지역의 역사적 인물을 모둠별로 다양한 방법으로 소개할 수 있습니다.

3 발표를 들으면서 궁금한 내용을 정리해서 질문하고, 조사한 내용을 바탕으로 대답합니다.

4 백성들은 장영실이 만든 앙부일구와 자격루로 시간을 알 수 있었습니다.

5 우리 지역의 역사적 인물을 소개하는 활동을 되돌아보며 스스로 점검하고 모둠별로 평가할 수 있습니다.

6 활동을 마친 후 친구들과 활동 소감을 나눌 수 있습니다.

7 장영실은 우리나라의 발전을 위해 많은 발명품을 만들어 백성들의 생활이 편리해지고 과학 기술이 발달하도록 노력했습니다.

5일 3주 마무리하기

120~123쪽 마무리하기 문제

1 ㉢　2 주제망　3 ②　4 ②
5 진율　6 ㉢　7 ③　8 ②
9 ④　10 예 동래현에 소속된 노비였습니다.
11 (1) ㉡ (2) ㉠　12 ②, ④

똑똑한 하루 퀴즈

13 장영실

풀이

1 역사적 인물을 조사하기 전에 가장 먼저 주제망을 만들고, 주제를 정한 뒤에 조사 계획서를 작성합니다.

왜 틀렸을까?
'㉠ → ㉡ → ㉣ → ㉢'의 순서로 조사 계획을 세웁니다.

2 구체적인 조사 활동을 하기 전에 떠오르는 생각들을 적어서 주제망으로 나타낼 수 있습니다.

3 부산에서 태어난 과학자 장영실의 업적을 기리기 위해 동래 읍성 북문에 장영실 과학 동산을 만들었습니다.

4 조사 계획을 세울 때에는 주제, 활동 기간, 활동 내용, 활동 방법, 역할 나누기, 주의할 점을 정합니다.

5 장영실은 원래 동래현에 소속된 노비였습니다.

6 현장 체험을 가면 문화 관광 해설사께 미리 작성한 질문 내용을 여쭤볼 수 있고, 자세히 설명도 들을 수 있습니다.

7 장영실은 물시계를 만들라는 세종 대왕의 지시를 받고 중국에 가서 이를 연구했습니다.

8 세종 대왕과 장영실은 조선 시대 사람입니다.

9 이천은 장영실의 스승이며, 장영실과 함께 세종의 천문대 사업을 이끌었습니다.

10 동래현은 부산광역시 동래구 일대의 옛 이름으로, 장영실은 이곳에 소속된 노비였습니다.

인정 답안
장영실이 노비였다는 내용을 썼으면 정답으로 인정합니다.
인정 답안의 예
• 동래현에서 일한 노비였습니다.

11 장영실에 대한 발표를 들을 뒤에 궁금한 점을 질문하고 답변을 들을 수 있습니다.

12 서로 평가할 때에는 결과만을 할 것이 아니라 활동 과정을 평가해야 합니다.

13 우리 지역을 빛낸 역사적 인물에게 고마운 마음을 담아서 감사장을 쓸 수 있습니다.

3주 | TEST + 특강

124~125쪽 누구나 100점 TEST

1 ③ 2 ④ 3 ⑤ 4 ②
5 문화 관광 해설사 6 ③ 7 상윤
8 ⑤ 9 ④ 10 감사장

풀이

1 장영실은 노비 출신이었지만 세종 대왕의 지원 아래 다양한 발명품을 만들었습니다.

왜 틀렸을까?
① 이이는 조선 시대의 유학자이자 정치가입니다.
④ 이순신은 조선 시대의 장군입니다.

2 조사 계획서는 주제, 활동 기간, 활동 내용, 활동 방법, 역할 나누기, 주의할 점 등을 넣어 작성합니다.

3 조사 활동을 하기 위해 모둠 친구들이 역할을 나누어 맡습니다.

4 장영실은 물시계를 만들라는 세종 대왕의 지시를 받고 연구한 끝에 자격루를 만들었습니다.

5 역사적 인물과 관련된 장소에 직접 찾아가면 문화 관광 해설사를 만날 수 있습니다.

6 역사적 인물을 소개하는 역할극을 만들기 위해 대본을 먼저 써야 합니다.

7 장영실은 노비 출신이었지만 이천의 소개로 왕실에서 발명품을 만들게 되었습니다.

8 장영실을 소개하는 노랫말을 만들 때에는 장영실이 만든 발명품이 들어가야 합니다.

왜 틀렸을까?
⑤ 훈민정음은 백성을 가르치는 바른 소리라는 뜻으로, 1443년에 세종이 창제한 우리나라 글자입니다.

9 역사적 인물을 소개하는 활동을 다 한 후에 자신이 잘했다고 생각한 부분을 정리해 볼 수 있습니다.

10 우리 지역을 빛낸 역사적 인물에게 고마운 마음을 담아서 감사장을 쓸 수 있습니다.

정답과 풀이

126~127쪽 생활 속 사회 융합

❶ (1) 예 문화 관광 해설사
(2) ㉠

❷ (1) 서쪽 마왕
(2) 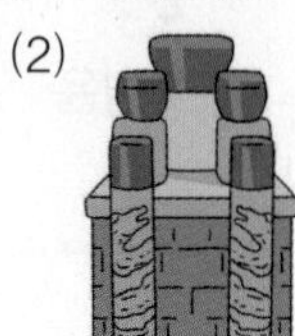

풀이

❶ (1) 문화 관광 해설사는 관광객들에게 문화유산, 관광 자원 등에 대하여 재미있고 알기 쉽게 설명해 주는 전문 해설사입니다.
(2) ㉠은 장영실이 발명한 간의입니다. ㉡은 고려청자이고, ㉢은 거중기입니다.

❷ (1) 천 원권 지폐에는 이황, 오천 원권 지폐에는 이이, 만 원권 지폐에는 세종 대왕, 오만 원권 지폐에는 신사임당이 그려져 있습니다.
(2) 장영실과 관련 있는 그림은 혼천의입니다.

128~129쪽 사고 쑥쑥 창의

❸ (1) ㉡, ㉠
(2) 발명품
(3) 

❹ (1) 자격루
(2) 3

풀이

❸ (1) 역사적 인물에 대해 조사할 때 주제망부터 만든 후에 조사 계획서를 써야 합니다.
(2) 장영실의 발명품에는 앙부일구, 자격루, 간의 등이 있습니다.
(3) 장영실의 위인전을 읽으면 장영실이 궁궐에 가서 벼슬을 하고 발명품을 만들게 되는 과정을 알 수 있습니다.

❹ (1) 장영실이 발명한 물시계는 자격루입니다. 자격루는 백성들의 생활을 편리하게 해 준 발명품입니다.
(2) 자격루는 조선 시대에 만들어진 발명품으로, 매우 정교한 시계입니다. 달력을 만드는 바탕이 된 것은 혼천의입니다.

130~131쪽 논리 탄탄 코딩

❺
❻
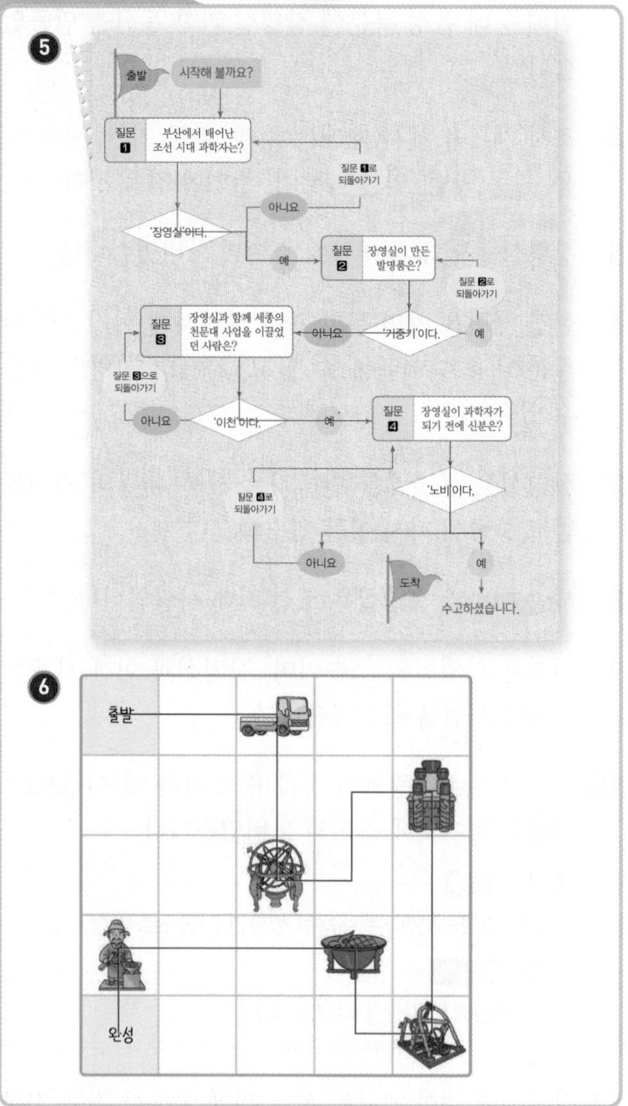

풀이

❺ 이천은 장영실의 스승으로, 세종 대왕에게 장영실을 인재로 추천했습니다.

❻ 차에 쌓여 있는 발명품의 순서를 잘 보고, 경로를 직접 표시해 볼 수 있습니다.

4주 공공 기관과 주민 참여

1일 공공 기관의 뜻과 역할

139쪽 개념 체크

1 시청 2 소방서 3 보건소

140~141쪽 개념 확인하기

1 (법원) (경찰서) 아파트(△) 슈퍼마켓(△)
2 ②, ④ 3 ③ 4 ② 5 ②

집중 연습 문제

6 ④
- ㉠ ➡ 소방서
- ㉡ ➡ 보건소
- ㉢ ➡ 교육청

7 가은

풀이

1 공공 기관이 아닌 것에는 슈퍼마켓, 백화점, 시장, 아파트 등이 있습니다.

2 공공 기관은 개인이나 기업이 재산상의 이익을 위해서 설립한 곳이 아니라 나라에서 설립하여 관리하는 곳입니다.

3 도서관은 책을 읽고 공부하는 공간을 제공하며 책과 관련 있는 강좌도 엽니다.

4 공공 기관에서는 지역 주민이 요청하는 일을 처리하기도 합니다.

5 주민들의 요청이 있을 때 시·도청이나 군·구청에서 학교 가는 길에 자전거 도로를 설치해 줍니다.

6 공공 기관은 지역 주민들이 안전하고 편리한 생활을 할 수 있게 도와줍니다.

7 경찰서는 우리 지역의 안전을 책임지고 질서를 유지합니다.

왜 틀렸을까?
- 지한 : 화재를 예방하는 공공 기관은 소방서입니다.
- 현중 : 학교를 도와주는 공공 기관은 교육청입니다.

2일 공공 기관 견학하기

145쪽 개념 체크

1 견학 2 역할 3 보고서

146~147쪽 개념 확인하기

1 ②, ④ 2 견학 계획서 3 ㉢
4 ② 5 ㉡ 6 ①

똑똑한 하루 퀴즈

7 3

풀이

1 견학을 하기 전에 견학 계획을 세우고 역할을 나눕니다.

왜 틀렸을까?
①, ⑤는 견학을 하고 나서 할 일이고, ③은 견학하는 중에 할 일입니다.

2 견학하기 전에 친구들과 함께 의논하여 견학 계획서를 작성합니다.

3 견학 계획서가 완성되어야 실제 견학을 할 수 있습니다.

4 견학을 하면서 주의할 점을 기억하고 견학을 합니다.

5 견학한 내용을 바탕으로 보고서에 들어갈 요소에 맞게 견학 보고서를 작성합니다.

6 견학 보고서에는 견학하고 알게 된 점, 느낀 점, 더 알고 싶은 점 등을 적을 수 있습니다.

7 공공 장소에서는 함부로 물건을 만지지 않고 예절을 지키며 견학합니다.

3일 지역 문제

151쪽 개념 체크

1 노후화 2 신문 3 주차

152~153쪽 개념 확인하기

1 ㉡ 2 (1) ㉠ (2) ㉡ 3 ⑤
4 주차장 5 ㉡

집중 연습 문제

6 나진
7 시간대별 · 가로축 ➡ 시간대 · 세로축 ➡ 자동차 수

풀이

1 시·도청의 누리집을 방문해 검색하여 지역에서 발생하는 문제를 확인할 수 있습니다.

2 환경 오염 문제에는 하천 오염, 대기 오염 등이 있습니다.

3 지역 문제 해결은 지역 문제 확인, 문제 발생 원인 파악, 문제 해결 방안 탐색, 문제 해결 방안 결정, 문제 해결 방안 실천 등의 순서로 이루어집니다.

4 지역 대표자 회의를 통해 다양한 의견을 들어 보고 해결 방안을 탐색할 수 있습니다.

5 저녁 시간에 공공 기관의 주차장을 주민에게 개방하면 새로 주차장을 만들지 않아도 되어서 비용이 절감됩니다.

6 1구역에서 3구역 모두 자동차 수가 주차 공간의 수보다 많습니다.

7 그래프를 보면 낮보다는 주로 저녁 시간에 주차 공간이 부족합니다.

4일 주민 참여

157쪽 개념 체크

1 지역 주민 2 단체 3 서명

158~159쪽 개념 확인하기

1 ④ 2 ㉠ 3 의견 4 시후
5 민우 6 ⑤

똑똑한 하루 퀴즈

7 ㉠

풀이

1 공청회는 정책을 결정하기 전에 다양한 의견을 듣는 공개 회의입니다.

2 대부분의 지역 문제는 지역 주민들과 직접적으로 관련 있기 때문에 주민 참여가 중요합니다.

3 주민 참여 방법으로 공청회 참여하기, 주민 회의 참여하기, 시·도청 누리집에 의견 올리기, 서명 운동 하기 등이 있습니다.

4 시민 단체는 시민들이 스스로 모여 사회 전체의 이익을 위해 활동하는 단체입니다.

왜 틀렸을까?
주현 : 시민 단체는 환경 분야, 경제 분야, 교육 분야, 정치 분야 등 다양한 분야에서 활동합니다.
재준 : 시민 단체는 시민들이 스스로 모여 만든 것입니다.

5 주민 투표는 지역의 일을 결정하기 전에 주민의 의견을 알아보려고 실시하는 투표입니다.

6 우리 지역을 잘 알고 있는 지역 주민이 지역 문제 해결에 앞장서는 태도를 가져야 합니다.

7 환경 분야에서 활동하는 시민 단체는 지역의 환경 문제에 관심을 가지고 환경 보호 활동을 합니다.

5일 4주 마무리하기

162~165쪽 마무리하기 문제

1 ⑤ 2 성우 3 (1) ㉢ (2) ㉠ (3) ㉡
4 ㉢ 5 견학하기 전 6 ②
7 예 궁금한 점과 관련된 일을 하는 공무원을 만나 면담한다.
8 ② 9 ② 10 ① 11 재한
12 다수결 13 ⑤ 14 투표

똑똑한 하루 퀴즈

15 ㉠

풀이

1 공공 기관에는 경찰서, 시청, 우체국, 주민 센터 등이 있습니다.

2 공공 기관은 주민 전체의 이익을 위해 나라에서 운영합니다.

3 지역에는 지역 주민의 생활에 도움을 주는 공공 기관이 많습니다.

4 주민 센터에서는 주민 등록증 발급, 전입 신고 등의 일을 처리합니다.

5 견학을 하기 전에 사전 준비를 잘 해야 견학을 효율적으로 할 수 있습니다.

6 견학을 하기 전에 모둠 친구들과 역할을 나눕니다.

7 면담을 할 때에는 질문할 내용을 미리 준비합니다.

인정 답안

관련된 일을 하는 공무원을 만나 질문을 하고, 면담을 한다는 내용을 썼으면 정답으로 인정합니다.

인정 답안의 예

- 궁금한 점과 관련된 일을 하는 공무원을 만나 질문을 한다.

8 각 모둠이 조사한 내용을 견학 보고서에 들어갈 내용에 알맞게 정리합니다.

9 지역 문제를 확인한 뒤에는 왜 그러한 문제가 발생했는지 원인을 파악할 수 있는 자료를 수집합니다.

10 많은 지역에서 다양한 환경 문제가 나타나고 있습니다.

11 그래프를 보면 21~24 시간대에 주차하는 자동차의 수가 가장 많습니다.

12 어떤 집단에서 의사를 결정할 때 다수의 의견을 전체의 의사로 보고 결정하는 것을 다수결의 원칙이라고 합니다.

13 시민 단체 활동을 하며 지역의 일에 참여할 수 있습니다.

14 주민 투표는 지역의 일을 결정하기 전에 주민의 의견을 알아보려고 실시하는 투표입니다.

15 지역 문제를 해결하는 과정에서 적극적인 주민 참여가 중요합니다. 무관심한 자세는 바람직하지 못한 주민 참여 태도입니다.

4주 | TEST+특강

166~167쪽 누구나 100점 TEST

1 ①	2 ③	3 ㉠	4 ㉠
5 ③	6 ⑤	7 ④	8 지역 문제
9 ③	10 ㉢		

풀이

1 도서관, 도청, 주민 센터 등은 우리 주변에서 볼 수 있는 공공 기관입니다.

2 보건소에서는 예방 접종을 해 주는 등 지역 주민의 건강을 위해 노력하고 있습니다. 병원이 먼 지역에 사는 주민들을 위해 보건소에서 버스로 주민들을 찾아가 건강을 관리해 주기도 합니다.

3 소방서에서는 학생들에게 화재 예방 교육, 화재 대비 훈련을 실시합니다.

4 견학을 하기 전에 제일 먼저 해야 하는 일은 견학 장소를 정하는 것입니다.

5 공공 기관을 견학할 때에는 공공질서와 예절을 잘 지키고, 서로 배려하며 안전하게 이동해야 합니다.

6 견학한 내용을 바탕으로 견학 보고서를 작성합니다.

7 견학을 하면서 더 알고 싶은 점을 정리하여 다음에 조사해 볼 수 있습니다.

8 지역에서 많은 사람이 함께 살아가면서 여러 가지 문제가 발생합니다.

9 지역에서 주차 공간이 부족한 문제가 자주 발생하고 있습니다.

왜 틀렸을까?

① 환경 오염 문제입니다.
② 소음 문제입니다.
④ 주택 노후화 문제입니다.

10 시민 단체는 시민들이 스스로 모여 사회 전체의 이익을 위해 활동하는 단체입니다. 시민 단체는 개인이나 집단의 이익을 추구하지 않으며 시민들이 더 나은 생활을 할 수 있도록 노력하고 있습니다.

168~169쪽 생활 속 사회 융합

❶ (1) 도청
(2) 도민준
❷ (1) ㉡
(2) (가) ○

풀이

❶ (1) 지역의 도청에서는 지역 주민들이 편리하게 생활할 수 있도록 여러 가지 일을 하고 있습니다.
(2) 더 싸고 좋은 품질의 물건을 만드는 것은 기업이고, 나쁜 일을 한 사람을 잡는 것은 경찰서입니다.

❷ (1) 지역의 문제를 해결하기 위해서는 지역 주민들의 적극적인 참여가 필요합니다.
(2) 곳곳에 쓰레기통을 설치하면 거리의 쓰레기를 줄일 수 있습니다.

170~171쪽 사고 쑥쑥 창의

❸

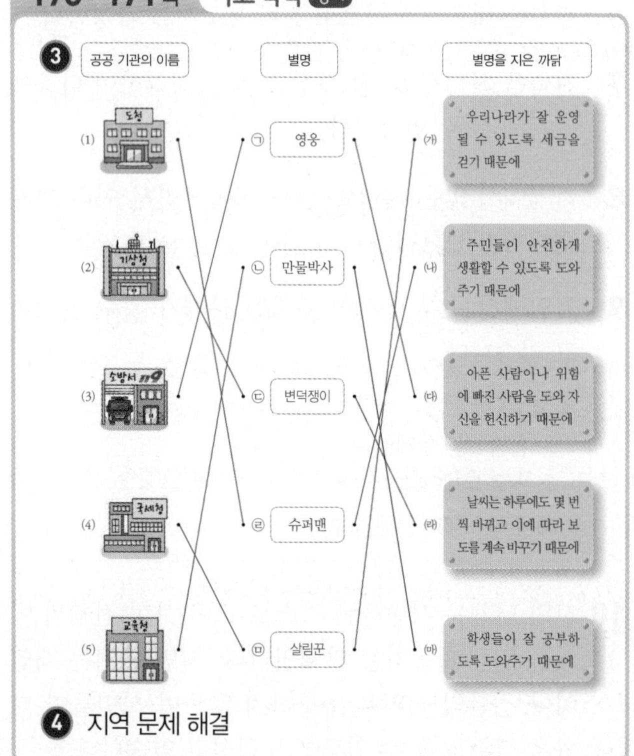
공공 기관의 이름
별명
별명을 지은 까닭
(1) 도청
(2) 기상청
(3) 소방서 119
(4) 국세청
(5) 교육청
㉠ 영웅
㉡ 만물박사
㉢ 변덕쟁이
㉣ 슈퍼맨
㉤ 살림꾼
(가) 우리나라가 잘 운영될 수 있도록 세금을 걷기 때문에
(나) 주민들이 안전하게 생활할 수 있도록 도와주기 때문에
(다) 아픈 사람이나 위험에 빠진 사람을 도와 자신을 헌신하기 때문에
(라) 날씨는 하루에도 몇 번씩 바뀌고 이에 따라 보도를 계속 바꾸기 때문에
(마) 학생들이 잘 공부하도록 도와주기 때문에

❹ 지역 문제 해결

풀이

❸ 공공 기관의 특징을 떠올리며 별명을 지을 수 있습니다. 도청은 도민을 위해서 여러 가지 일을 하는 곳입니다. 기상청은 우리 지역의 날씨를 알려 줍니다. 소방서는 화재를 예방하고, 화재가 발생했을 때 불을 끕니다. 국세청은 세금을 걷는 것에 관한 사무를 맡아봅니다. 교육청은 학생들의 교육과 관련된 일을 하고, 학교를 도와줍니다. 지방 법원은 해결사라는 별명을 붙여 줄 수 있고, 지방 경찰청은 홍길동이라는 별명을 붙여 줄 수도 있습니다.

❹ 지역 문제는 지역 주민이 중심이 되어 해결해야 하고, 시민 단체는 지역 문제를 지역 주민들에게 알려야 합니다.

172~173쪽 논리 탄탄 코딩

❺ 공공 기관
❻

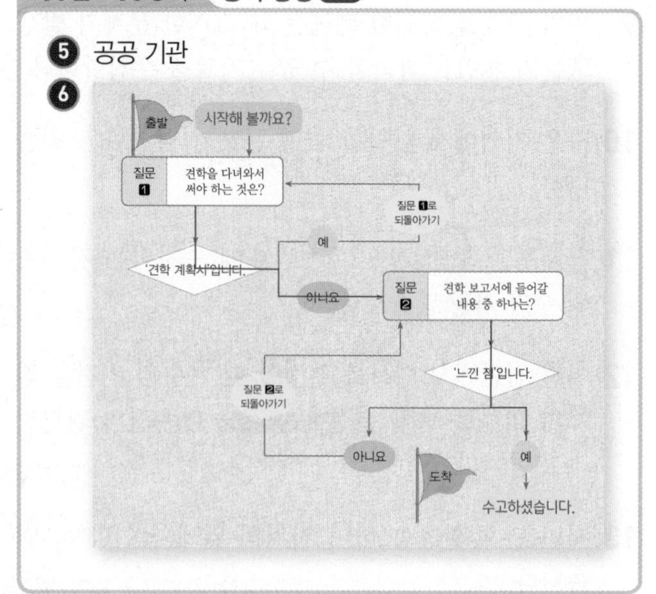
출발
시작해 볼까요?
질문 1
견학을 다녀와서 써야 하는 것은?
질문 1로 되돌아가기
예
'견학 계획서'입니다.
아니요
질문 2
견학 보고서에 들어갈 내용 중 하나는?
'느낀 점'입니다.
질문 2로 되돌아가기
아니요
예
도착
수고하셨습니다.

풀이

❺ 나라에서 설립하여 여러 사람들을 위해 일하는 곳을 공공 기관이라고 합니다.

❻ 견학을 다녀와서 견학 보고서를 쓰고, 견학 보고서에는 느낀 점 등이 들어갑니다.

꼭 알아야 할
사자성어

水 漁 之 交

물	물고기	갈	사귈
수	어	지	교

물고기에게 물은 정말 소중한 존재이지요.
수어지교란 물고기와 물의 관계처럼,
아주 친밀하여 떨어질 수 없는 사이
또는 깊은 우정을 일컫는 말이랍니다.

정답은
이안에
있어!

기초 학습능력 강화 프로그램

매일 조금씩 공부력 UP!

국어
예비초~초6

수학
예비초~초6

영어
예비초~초6

봄·여름 가을·겨울
(바·슬·즐)
초1~초2

안전
초1~초2

사회·과학
초3~초6

배움으로 행복한 내일을 꿈꾸는

천재교육 커뮤니티 안내

교재 안내부터 구매까지 한 번에!

천재교육 홈페이지

자사가 발행하는 참고서, 교과서에 대한 소개는 물론
도서 구매도 할 수 있습니다. 회원에게 지급되는 별을 모아
다양한 상품 응모에도 도전해 보세요!

다양한 교육 꿀팁에 깜짝 이벤트는 덤!

천재교육 인스타그램

천재교육의 새롭고 중요한 소식을 가장 먼저 접하고 싶다면?
천재교육 인스타그램 팔로우가 필수!
깜짝 이벤트도 수시로 진행되니 놓치지 마세요!

수업이 편리해지는

천재교육 ACA 사이트

오직 선생님만을 위한, 천재교육 모든 교재에 대한 정보가 담긴
아카 사이트에서는 다양한 수업자료 및 부가 자료는 물론
시험 출제에 필요한 문제도 다운로드하실 수 있습니다.

https://aca.chunjae.co.kr

천재교육을 사랑하는 샘들의 모임

천사샘

학원 강사, 공부방 선생님이시라면 누구나 가입할 수 있는 천사샘!
교재 개발 및 평가를 통해 교재 검토진으로 참여할 수 있는 기회는 물론
다양한 교사용 교재 증정 이벤트가 선생님을 기다립니다.

아이와 함께 성장하는 학부모들의 모임공간

툰맘 학습연구소

툰맘 학습연구소는 초·중등 학부모를 대상으로 다양한 이벤트와 함께
교재 리뷰 및 학습 정보를 제공하는 네이버 카페입니다.
초등학생, 중학생 자녀를 둔 학부모님이라면 툰맘 학습연구소로 오세요!

똑똑한 하루 사회

5-1

쉬운 용어 학습
교과 용어를 쉽게 설명하여
교과 이해력 향상!

재미있는 비주얼씽킹
만화, 사진으로
흥미로운 탐구 학습!

간편한 스케줄링
하루 6쪽, 주 5일, 4주 학습
한 학기 공부습관 완성!

똑똑한 하루 사회

어떤 책인지 알면 공부가 더 재미있어.

똑똑한 하루 사회 **구성**과 **특징**

핵심 용어

- 핵심 용어만 쏙!
- 한자와 예문으로 이해 쏙쏙!
- 그림으로 기억력 UP!

개념 동영상

빠른 정답 보기

① 개념 만화

1일 국토의 위치와 영역

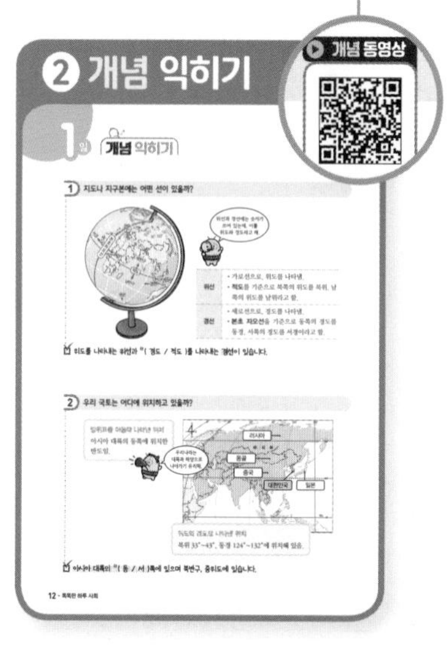

③ 개념 확인하기

1일 개념 확인하기

빠른 정답 보기

- '① 개념 만화 → ② 개념 익히기 → ③ 개념 확인하기' 3단계로 하루 학습
- 하루 6쪽, 4주면 한 학기 공부 끝!

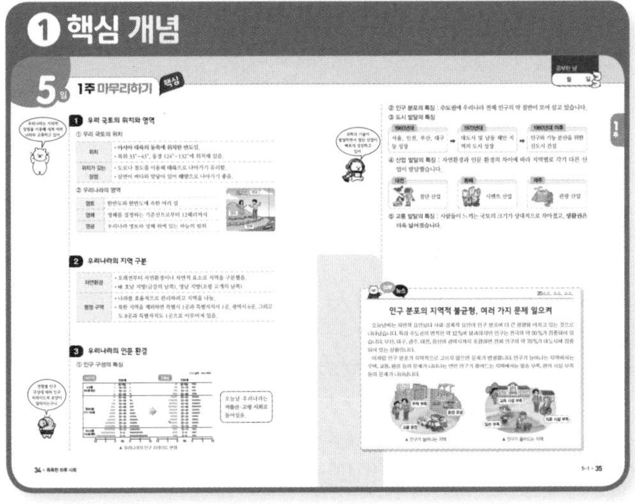

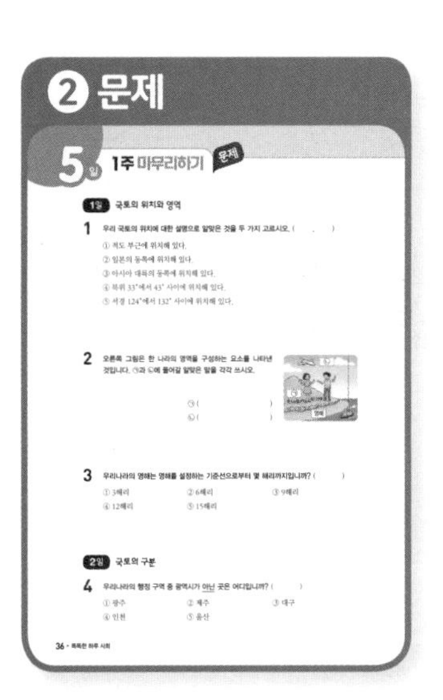

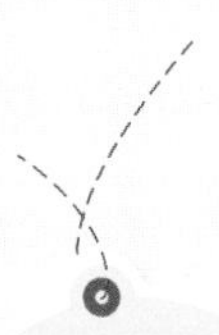

• '1 핵심 개념 → 2 문제' 2단계로 하루 학습

특강

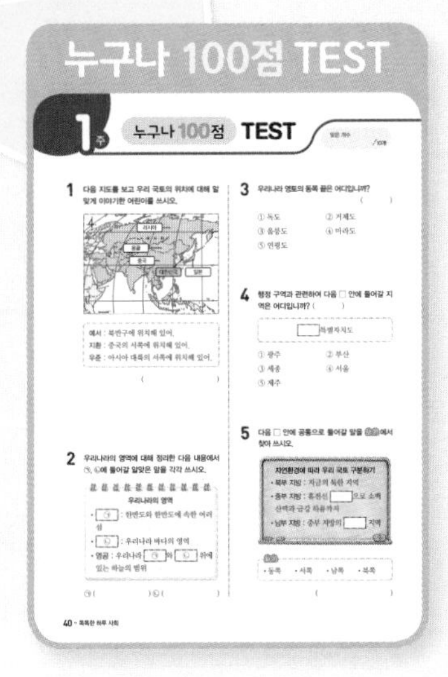

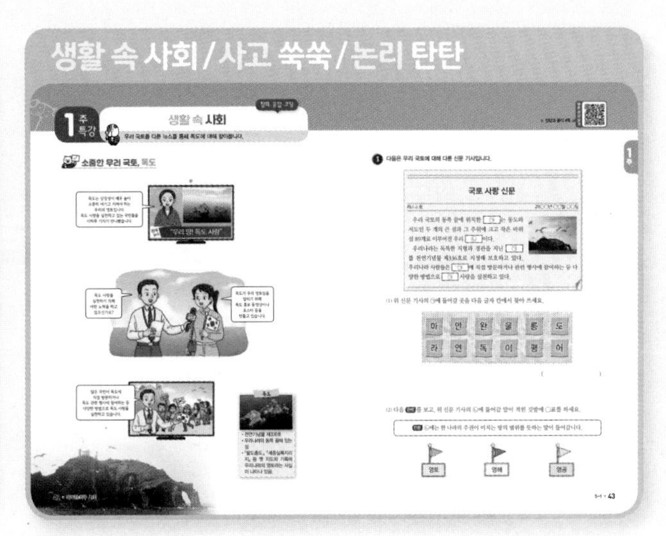

• 한 주에 배운 내용을 확인하는 누구나 100점 맞는 TEST
• 재미있고 새로운 유형의 특강으로 창의력, 사고력, 논리력 UP!

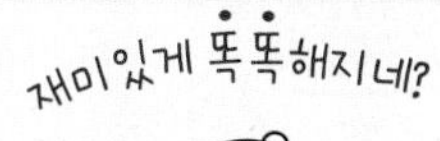

하루하루 조금씩 기초부터 쌓다 보면 어느새 자신감이 생겨.

똑똑한 하루 사회 **차례**

인권과 법

국민을 위한 헌법

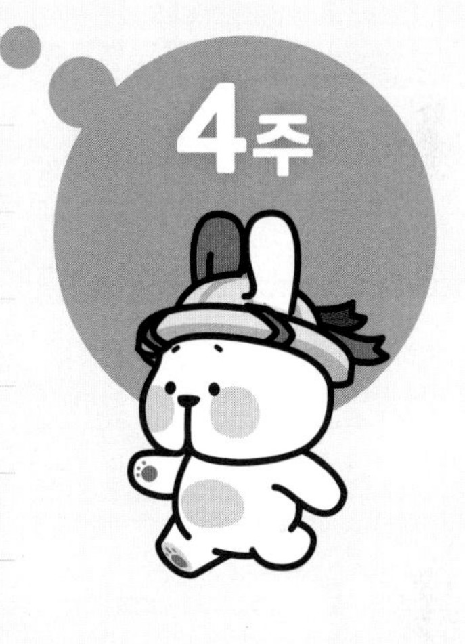

똑똑한 하루 사회를 함께할 친구들

인디 박사
다른 사람의 말에 잘 흔들리는 박사

제시
믿음직하지만 허점이 많은 조수

지미
궂은일을 도맡아 하는 팀원

현수
인디 박사 일행을 도와주는 5학년 학생

1주 우리 국토와 인문 환경

이번 주에는 무엇을 공부할까? 1

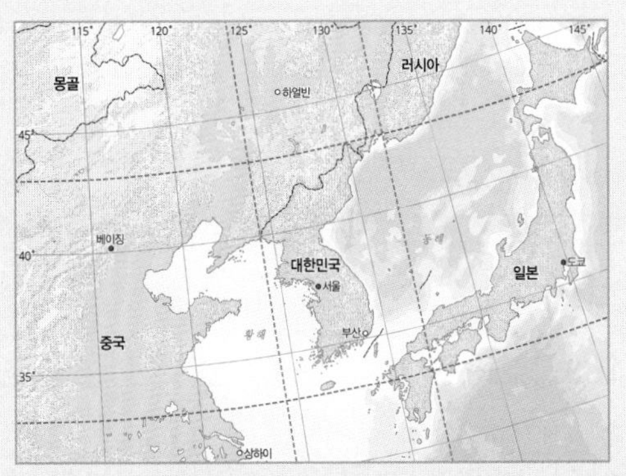

▲ 우리 국토의 위치

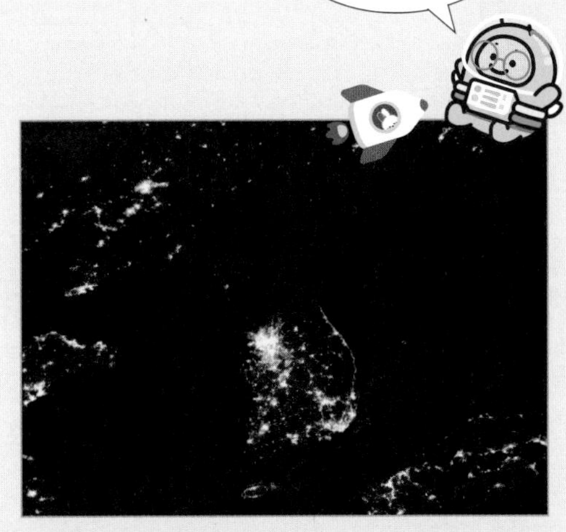

사람이 많이 모여 사는 도시는 불빛으로 밝게 빛나네.

▲ 밤에 우리나라를 찍은 위성 사진

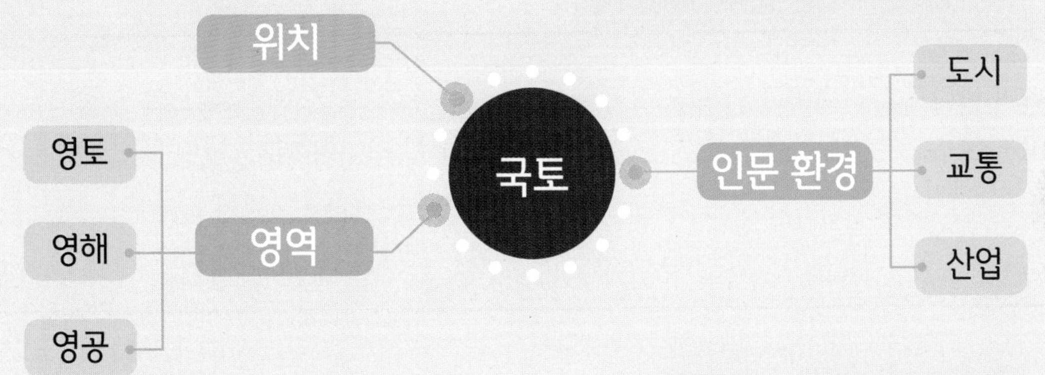

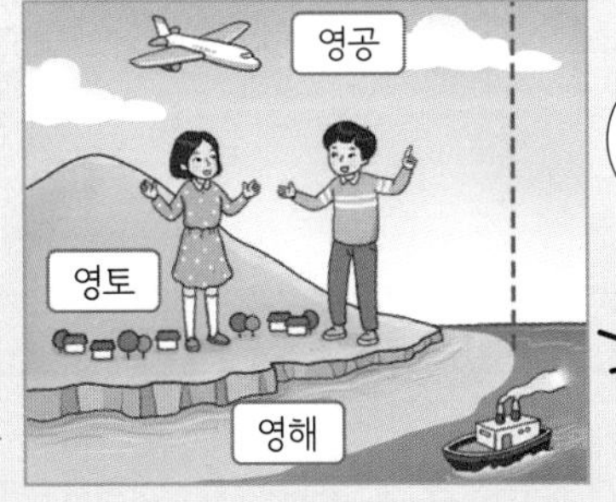

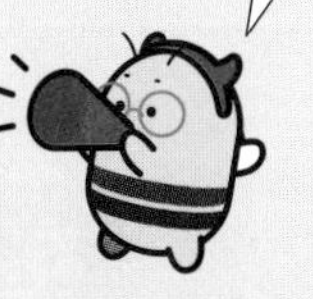

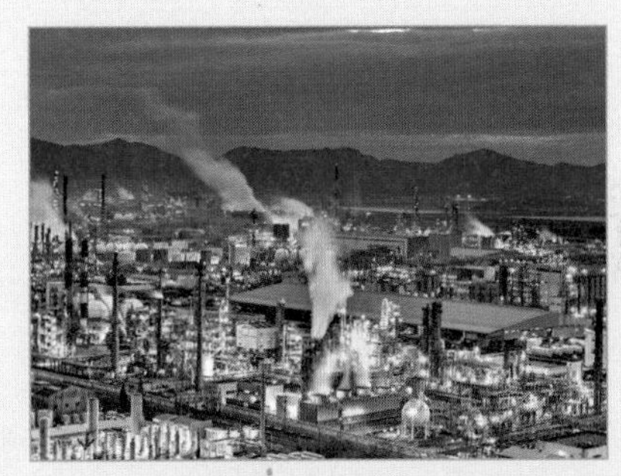

▲ 산업 단지

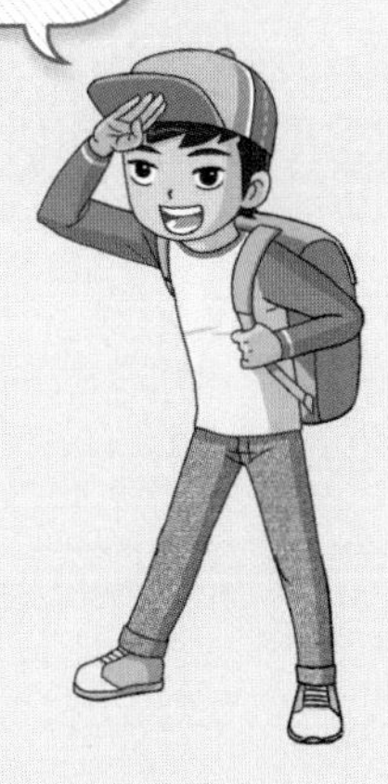

1주 핵심 용어 이번 주에는 무엇을 공부할까? ❷

반도

半 島
반 반 섬 도

뜻 **삼면이 바다로 둘러싸이고 한 면은 육지에 이어진 땅**

예 **반도**인 우리나라는 대륙과 해양으로 나아가기 유리하다.

영역

領 域
거느릴 영 구역 역

뜻 **영토, 영해, 영공으로 구성되는, 한 나라의 주권이 미치는 범위**

예 다른 나라 비행기나 배가 우리나라의 **영역**에 들어오려면 허가를 받아야 한다.

영토는 땅,
영해는 바다, 영공은
하늘에서의 영역을
말해.

우리나라 영토의
동쪽 끝인 독도예요.
괭이갈매기를
만나게 될 줄이야.
독도는 독특한 지형과 경관을 지녔구나.
독도에는 대한민국의 주권이 미친다는데~
독도는 우리 땅! 아니 대한민국 땅!

행정 구역

행정 구역으로 지역을
구분하기도 해.

뜻 **특별시, 광역시, 도 등과 같이 행정 기관의 권한이 미치는 범위의 일정한 구역**

예 우리 집이 위치한 지역의 **행정 구역** 명칭은 경기도이다.

우리나라의 인문 환경 특징을 설명하는 다양한 용어가 있어.
특히 인구와 관련된 고령 사회, 인구 밀도 등의 용어는 꼭 기억해!

고령 사회

高齡社會

높을 고 | 나이 령 | 모일 사 | 모일 회

뜻 **전체 인구 가운데 65세 이상에 해당하는 인구가 14% 이상 20% 미만인 사회**

예 평균 수명이 점차 길어지고 노인 인구가 늘어나면서 우리나라는 2018년에 **고령 사회**에 도달했다.

우리 사회의 저출산·고령화 현상은 점점 더 심각해지고 있어.

인구 밀도

人口密度

사람 인 | 입 구 | 빽빽할 밀 | 정도 도

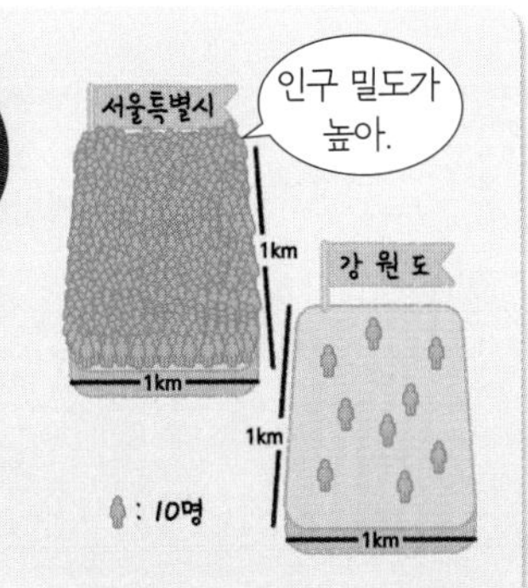

뜻 **일정한 넓이(1㎢) 안에 머물러 사는 사람의 수**

예 서울특별시의 **인구 밀도**는 높은 반면 강원도의 **인구 밀도**는 낮다.

수도권

首都圈

머리 수 | 도읍 도 | 범위 권

인구가 가장 밀집한 지역은 수도권이야.

뜻 **수도를 중심으로 이루어진 대도시권으로, 우리나라의 경우 서울특별시와 인천광역시 및 경기도 일원이 해당함.**

예 우리나라 전체 인구의 약 절반이 **수도권**에 모여 살고 있다.

생활권

生活圈

날 생 | 살 활 | 범위 권

뜻 **행정 구역과는 관계없이 통학, 통근, 쇼핑 등의 일상생활을 하느라고 활동하는 범위**

예 우리나라는 고속 열차와 고속 국도의 발달로 전국이 반나절 **생활권**으로 접어들었다.

1일 국토의 위치와 영역

그곳은 어디일까?

용어 체크

대륙

지구 표면에 거대한 면적을 가진 육지

예 세계에는 아시아, 아프리카, 유럽, 오세아니아, 북아메리카, 남아메리카 등의 ❶ [ ]이 있다.

반도

대륙에서 바다 쪽으로 길게 내민 땅으로, 삼면이 바다로 둘러싸이고 한 면은 육지에 이어진 땅을 뜻함.

예 우리나라가 있는 ❷ [ ]를 한반도라고 한다.

정답 ❶ 대륙 ❷ 반도

대한민국으로 출발!

문서에 나온 이야기를 종합해 보니 빛나는 가치가 있는 곳은…….

짜잔! 대한민국 바로 이곳이에요.
동해
대한민국
황해
일

이제 어디인지 알았으니 우리 비행기로 몰래 가서 가져오자고~ 준비해!
안 됩니다!

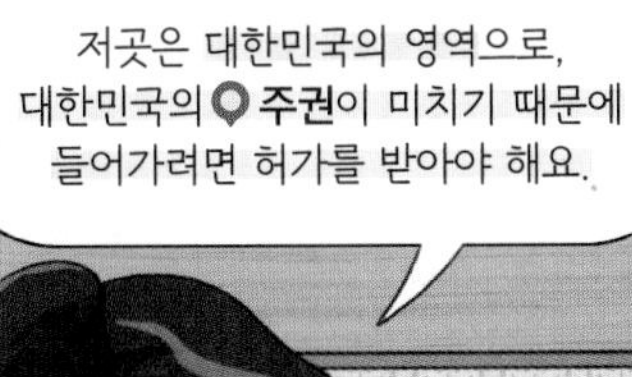

저곳은 대한민국의 영역으로, 대한민국의 주권이 미치기 때문에 들어가려면 허가를 받아야 해요.

일단 관광객으로 속여 대한민국에 가도록 해요.
나쁜 사람
으흐흐~ 좋아.

드디어 대한민국에 도착했어. 그런데 사람들이 왜 우리만 쳐다볼까?

용어 체크

주권

다른 나라의 간섭 없이 나라의 중요한 일을 스스로 결정하는 권리

예 우리나라의 영역에는 우리 ❶ [ ] 이 미치기 때문에 다른 나라가 함부로 들어올 수 없다.

여기는 대한민국의 영공입니다. 지나가려면 허가를 받아야 합니다.

정답 ❶ 주권

1일 개념 익히기

1 지도나 지구본에는 어떤 선이 있을까?

서경
본초 자오선
동경
북반구
적도
남반구
경선
위선
위선과 경선에는 숫자가 쓰여 있는데, 이를 위도와 경도라고 해.

위선	• 가로선으로, 위도를 나타냄. • **적도**를 기준으로 북쪽의 위도를 북위, 남쪽의 위도를 남위라고 함.
경선	• 세로선으로, 경도를 나타냄. • **본초 자오선**을 기준으로 동쪽의 경도를 동경, 서쪽의 경도를 서경이라고 함.

위도를 나타내는 위선과 ❶(경도 / 적도)를 나타내는 경선이 있습니다.

2 우리 국토는 어디에 위치하고 있을까?

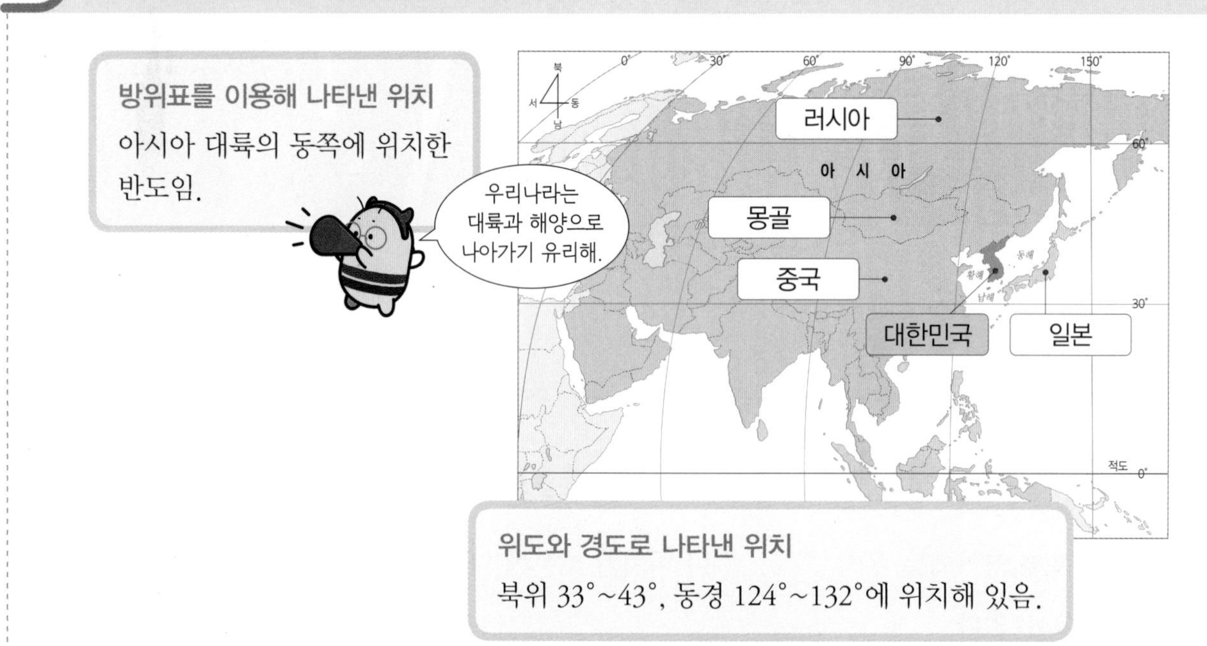
방위표를 이용해 나타낸 위치
아시아 대륙의 동쪽에 위치한 반도임.
우리나라는 대륙과 해양으로 나아가기 유리해.
러시아
아 시 아
몽골
중국
대한민국
일본
적도
위도와 경도로 나타낸 위치
북위 33°~43°, 동경 124°~132°에 위치해 있음.

아시아 대륙의 ❷(동 / 서)쪽에 있으며 북반구, 중위도에 있습니다.

3 우리나라의 영역은 어떤 특징을 가지고 있을까?

개념 동영상

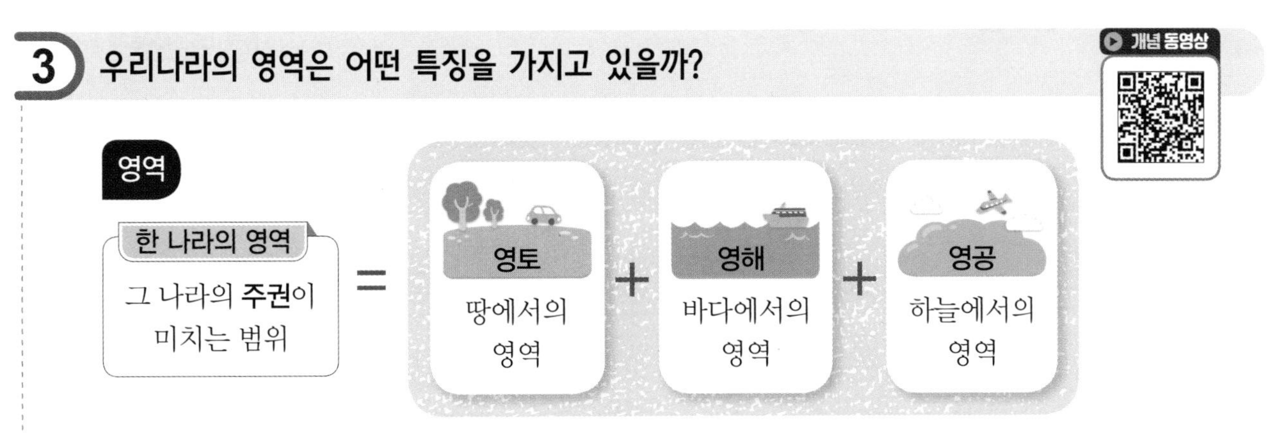

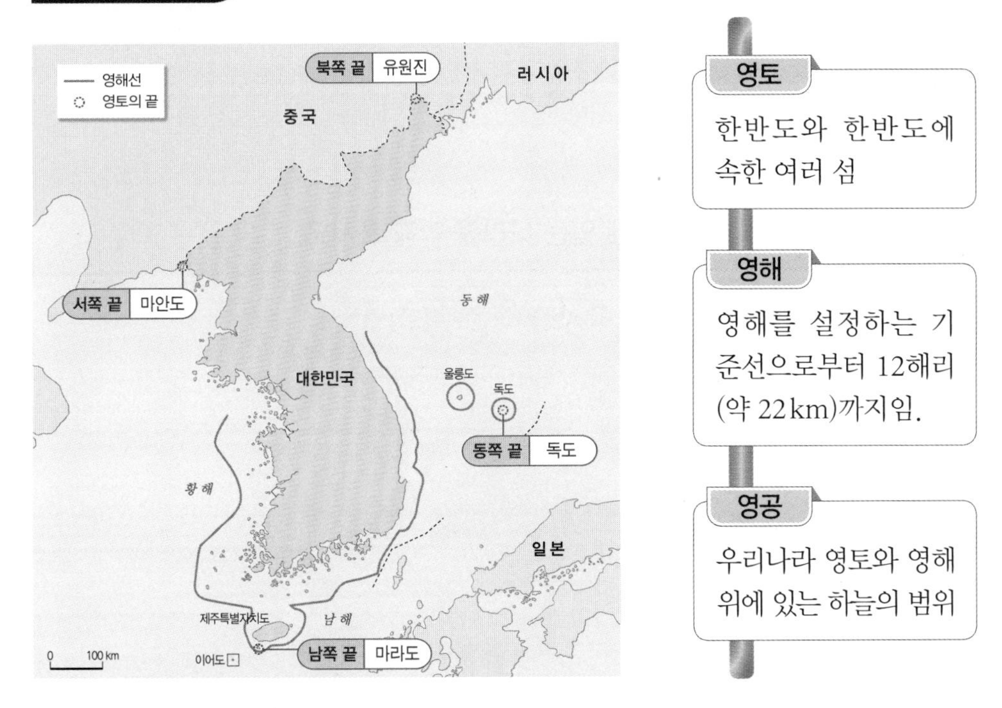

영토
한반도와 한반도에 속한 여러 섬

영해
영해를 설정하는 기준선으로부터 12해리(약 22 km)까지임.

영공
우리나라 영토와 영해 위에 있는 하늘의 범위

영토, ③(공해 / 영해), 영공으로 이루어지며, 우리나라의 주권이 미칩니다.

정답 ❶ 경도 ❷ 동 ❸ 영해

개념 체크

정답과 풀이 1쪽

1 경선은 ☐☐ 선으로, 경도를 나타냅니다.

2 우리 국토는 북위 33°~43°, ☐☐ 124°~132°에 위치해 있습니다.

3 우리나라의 ☐☐ 는 한반도와 한반도에 속한 여러 섬입니다.

보기
- 가로
- 세로
- 동경
- 서경
- 영해
- 영토

개념 확인하기

정답과 풀이 1쪽

1 지구본에 있는 선 중 가로로 그어진 선을 보기에서 찾아 기호를 쓰시오.

보기
㉠ 경선 ㉡ 위선 ㉢ 본초 자오선

( )

2 우리나라가 속해 있는 대륙은 어디입니까? ( )

① 유럽 ② 아시아 ③ 아프리카
④ 북아메리카 ⑤ 오세아니아

3 다음 ㉠과 ㉡에 들어갈, 우리나라 주변에 있는 나라를 각각 쓰시오.

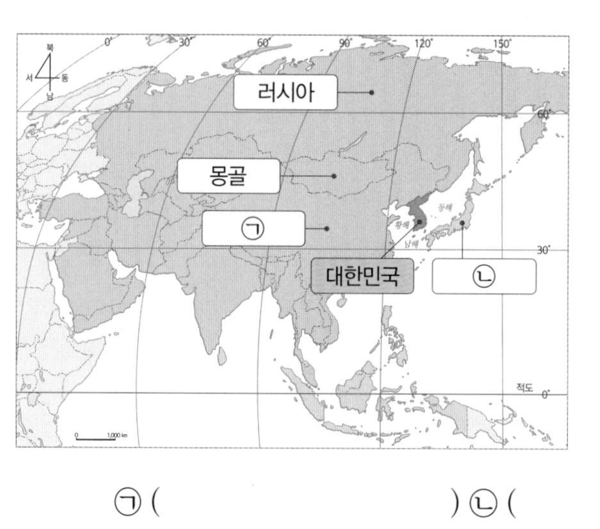

㉠ ( ) ㉡ ( )

4 우리 국토의 위치에 대해 알맞게 이야기한 어린이를 쓰시오.

건후 : 우리 국토는 남반구에 있어.
다인 : 우리 국토는 주변이 모두 바다야.
이안 : 우리 국토는 아시아 대륙의 서쪽에 위치한 반도야.
하율 : 우리 국토는 동경 124°에서 132° 사이에 위치해 있어.

( )

5 한 나라의 영역과 관련 있는 것끼리 줄로 바르게 이으시오.

6 우리나라의 영역에 대한 설명으로 알맞지 않은 것은 어느 것입니까? (　　　　)

① 우리나라의 주권이 미친다.
② 다른 나라가 함부로 들어올 수 없다.
③ 독도, 울릉도 등은 우리나라의 영토이다.
④ 우리나라의 영공은 우리나라 영토와 영해 위에 있는 하늘의 범위이다.
⑤ 우리나라의 영해는 영해를 설정하는 기준선으로부터 10해리까지이다.

똑똑한 하루 퀴즈

7 우리나라 영토의 끝과 관련하여 사다리를 타고 내려갔을 때 ㉠과 ㉡은 어디인지 각각 쓰세요.

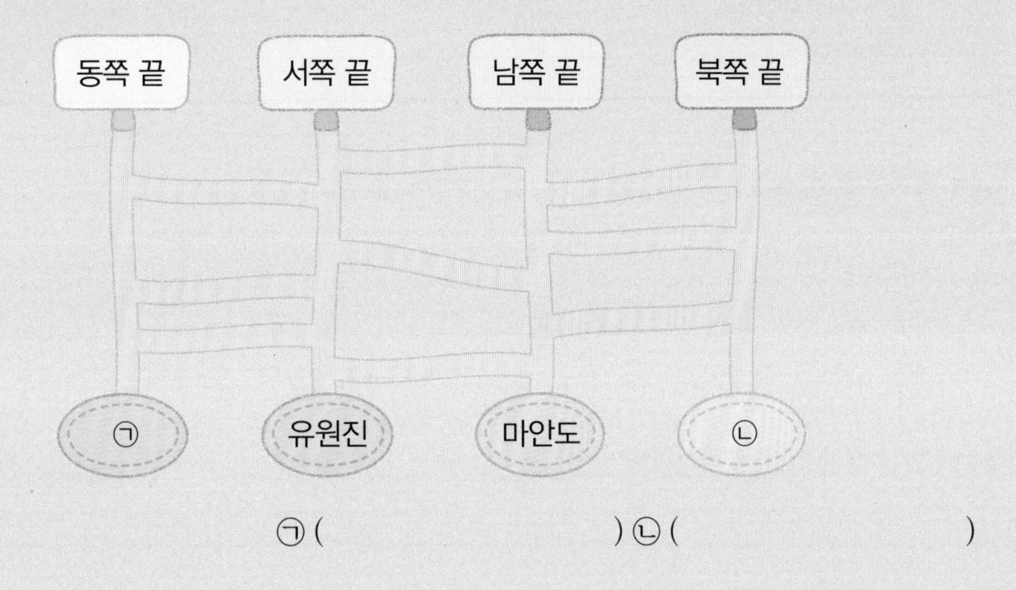

㉠ (　　　　　　　　　　) ㉡ (　　　　　　　　　　)

2일 국토의 구분

그 지역의 명칭은 바로!

용어 체크

행정 구역

나라를 효율적으로 관리하려고 나눈 지역

예 서울특별시, 경기도, 대전광역시와 같이 ❶ (　　　　) 은 어떤 지역의 명칭을 의미한다.

강원도 / 서울특별시 / 인천광역시 / 경기도 / 충청북도 / 세종특별자치시 / 충청남도 / 대전광역시 / 경상북도

정답 ❶ 행정 구역

이 지역에 대한 소개를 부탁하마!

이상한 섬에 다녀오느라
하루나 소비했어요!
누구 때문이더라?
I'm sorry.

오, 듣던 대로 산맥이
길게 뻗어 있네.
보물을 찾으려면 저 산들을
모두 올라가 봐야겠네요.

아이고~
갑자기 지긋지긋한
관절염이…….
탁
탁 탁
거짓말!
거짓말!

외국에서 오셨나 봐요. 그런데
저 산을 모두 다 올라가 보시게요?
높고 험한 산도 있어 힘들 텐데요.
?!
탁

오~ 이 지역에 대해
잘 아니?
그럼요. 여기는 철령관 동쪽에
위치한 관동 지방이고요. 태백산맥을
기준으로 동쪽인 이곳은 영동 지방,
서쪽은 영서 지방이죠.

그럼 우리가 산에서 보물…
아니 관광하는 걸 도와줄 수 있겠니?
우선 할머니께 말씀드리고요.
저희 집에 함께 가실래요?

용어 체크

산맥

산지의 여러 산들이 이어진 지형

예 산지의 여러 산은 연속적으로 이어져 ❶ ( ) 을 이룬다.

철령관

군사적으로 매우 중요한 고개인 철령에 외적의 침입을 막으려고 건설한 요새

예 조선 시대에는 적을 방어하기 위해 철령이라는 고개에 ❷ ( ) 이라는 요새를 만들었다.

정답 ❶ 산맥 ❷ 철령관

2일 개념 익히기

1 우리나라의 행정 구역은 어떻게 이루어져 있을까?

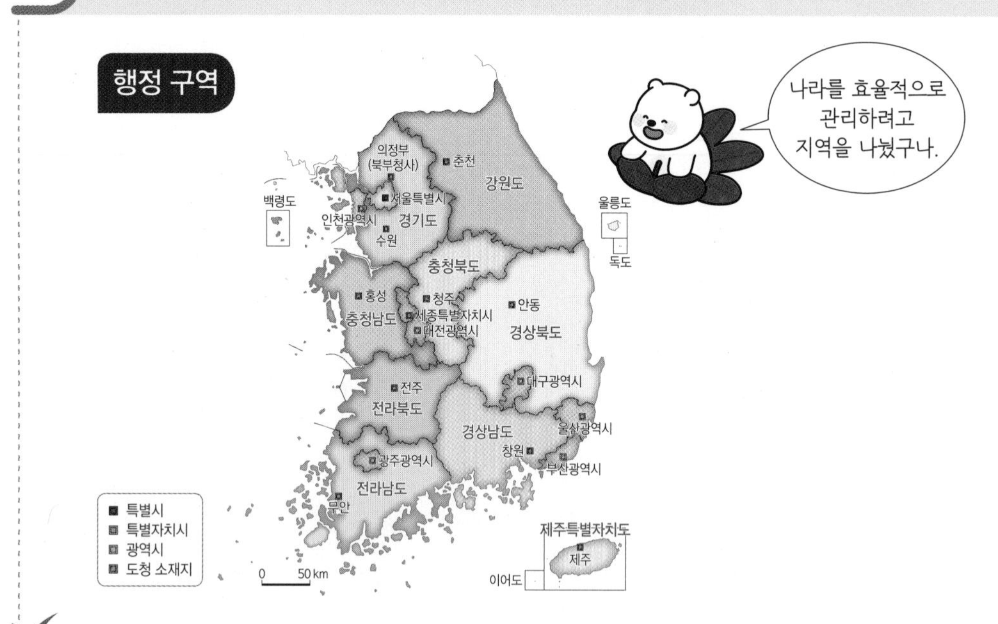

북한 지역을 제외하면 특별시 ❶(1 / 2)곳과 특별자치시 1곳, 광역시 6곳, 그리고 도 8곳과 특별자치도 1곳으로 이루어져 있습니다.

2 자연환경에 따라 우리 국토를 어떻게 구분할 수 있을까?

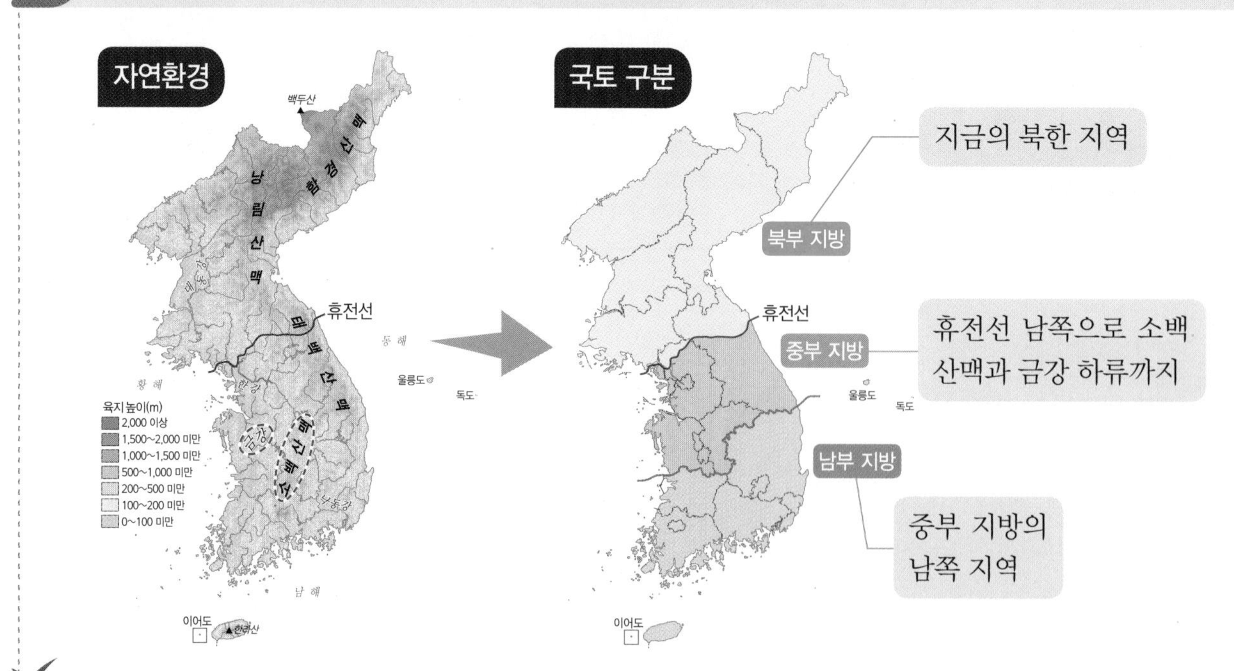

큰 산맥과 하천을 중심으로 북부, 중부, 남부 지방으로 구분할 수 있습니다.

3 오늘날 행정 구역을 정하는 기초가 된 것은 무엇일까?

우리나라의 전통적인 지역 구분

오래전부터 **산, 호수, 강, 바다** 등의 ❷(자연환경 / 인문 환경)을 기준으로 지역을 구분했는데, 오늘날 행정 구역을 정하는 기초가 되었습니다.

정답 ❶ 1 ❷ 자연환경

개념 체크

정답과 풀이 1쪽

1 대전, 광주, ☐☐ 등은 광역시에 해당합니다.

2 남부 지방은 중부 지방의 ☐☐ 지역을 의미합니다.

3 철령관을 기준으로 서쪽 지방을 ☐☐ 지방이라고 합니다.

보기

- 세종
- 대구
- 남쪽
- 북쪽
- 관서
- 호서

2일 개념 확인하기

○ 정답과 풀이 1쪽

1 다음 지역의 명칭과 같이, 나라를 효율적으로 관리하려고 나눈 지역을 무엇이라고 하는지 쓰시오.

• 서울특별시 • 강원도 • 제주특별자치도

( )

2 다음 ㉠과 ㉡에 들어갈 곳을 보기에서 찾아 각각 쓰시오.

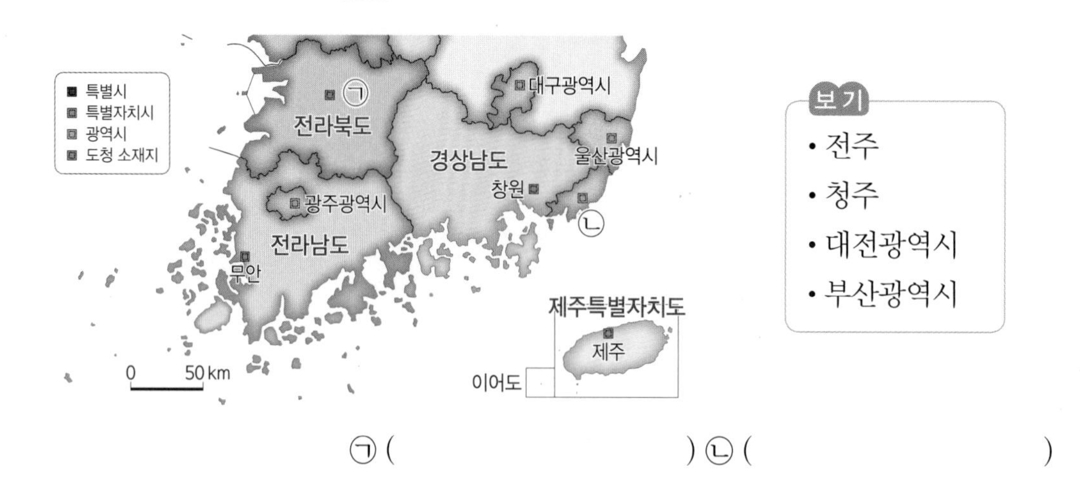

㉠ ( ) ㉡ ( )

3 중부 지방과 남부 지방을 구분하는 기준과 관련하여 다음 ㉠에 들어갈 산맥은 어느 것입니까? ( )

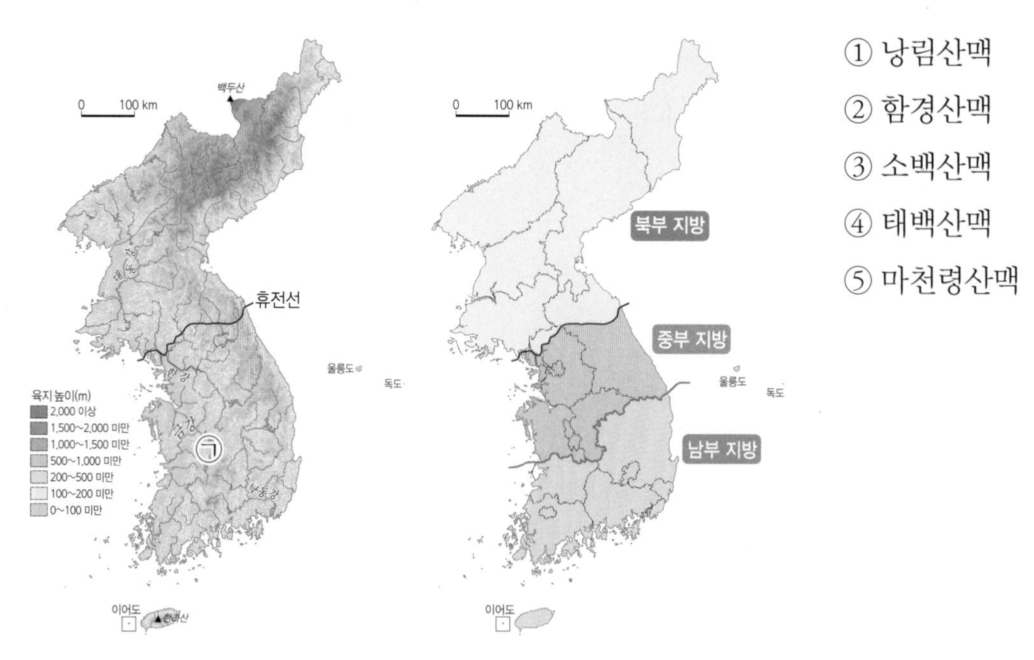

① 낭림산맥
② 함경산맥
③ 소백산맥
④ 태백산맥
⑤ 마천령산맥

4 관서 지방, 관북 지방, 관동 지방을 나누는 기준이 되는 ㉠은 어디입니까? (   )

① 마안도
② 의림지
③ 휴전선
④ 철령관
⑤ 조령(문경 새재)

집중 연습 문제 호남 지방

5 오른쪽 지도에서 호남 지방을 찾아 기호를 쓰시오.

(   )

'호남'은 금강의 남쪽을 의미한대. ㉠~㉢은 어디인지 써 볼까?

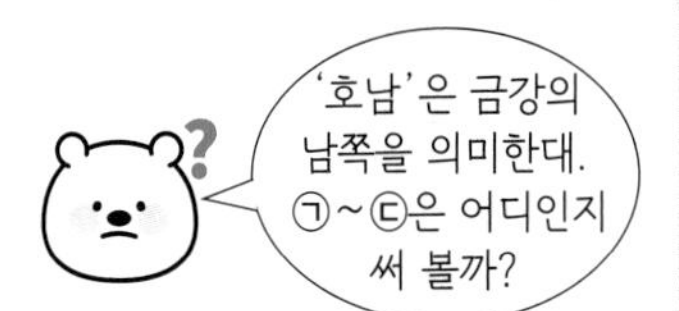

6 다음 일기 예보의 밑줄 친 부분에 들어갈 알맞은 말을 보기에서 찾아 기호를 쓰시오.

보기
㉠ 구름이 많겠습니다.
㉡ 날씨가 화창합니다.
㉢ 비가 내리는 곳이 있습니다.

(   )

일기 예보에서 호남 지방, 영남 지방, 영동 지방 등의 이름을 들어본 적이 있지?

3일 인구와 도시

어린이들이 보이지 않아!

용어 체크

저출산

태어나는 아이의 수가 줄어드는 현상

예 예전에 비해 출생아 수가 많이 줄어드는 등 ❶ [ ] 현상이 점점 더 심해지고 있다.

고령 사회

65세 이상 인구가 전체 인구의 14 % 이상 20 % 미만인 사회

예 65세 이상 인구 비율이 7 %를 넘으면 고령화 사회, 14 %를 넘으면 ❷ [ ], 20 %를 넘으면 초고령 사회로 구분한다.

정답 ❶ 저출산 ❷ 고령 사회

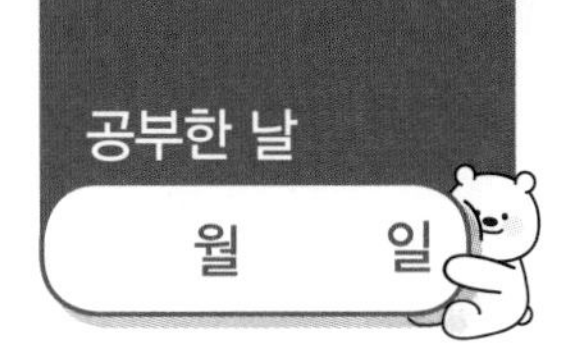

보물을 찾으러 신도시로!

용어 체크

인구 밀도

일정한 넓이(1 km^2) 안에 거주하는 인구로 인구의 밀집 정도를 나타냄.

거주하는: 일정한 곳에 머물러 삶.

예 대도시 지역은 사람들이 많이 모여 살아 ❶ [ ] 가 높다.

신도시

계획적으로 새로 개발된 도시

예 대도시의 인구 집중 문제를 해결하려고 그 주변에 ❷ [ ] 를 건설했다.

정답 ❶ 인구 밀도 ❷ 신도시

3일 개념 익히기

1 우리나라 인구 구성 변화의 특징은 무엇일까?

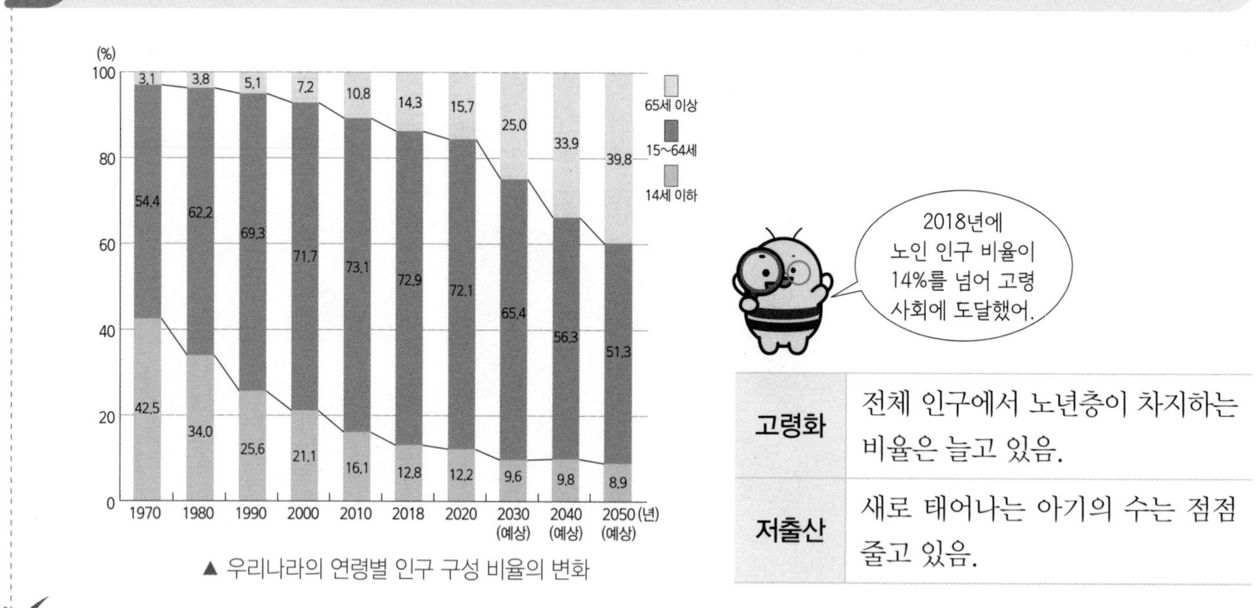

▲ 우리나라의 연령별 인구 구성 비율의 변화

연도	14세 이하	15~64세	65세 이상
1970	42.5	54.4	3.1
1980	34.0	62.2	3.8
1990	25.6	69.3	5.1
2000	21.1	71.7	7.2
2010	16.1	73.1	10.8
2018	12.8	72.9	14.3
2020	12.2	72.1	15.7
2030 (예상)	9.6	65.4	25.0
2040 (예상)	9.8	56.3	33.9
2050 (예상)	8.9	51.3	39.8

고령화	전체 인구에서 노년층이 차지하는 비율은 늘고 있음.
저출산	새로 태어나는 아기의 수는 점점 줄고 있음.

오늘날 우리나라의 연령별 인구 구성 비율은 ❶(저출산 / 고출산)·고령 사회의 특징이 나타납니다.

2 사람들은 어디에 더 많이 모여 살고 있을까?

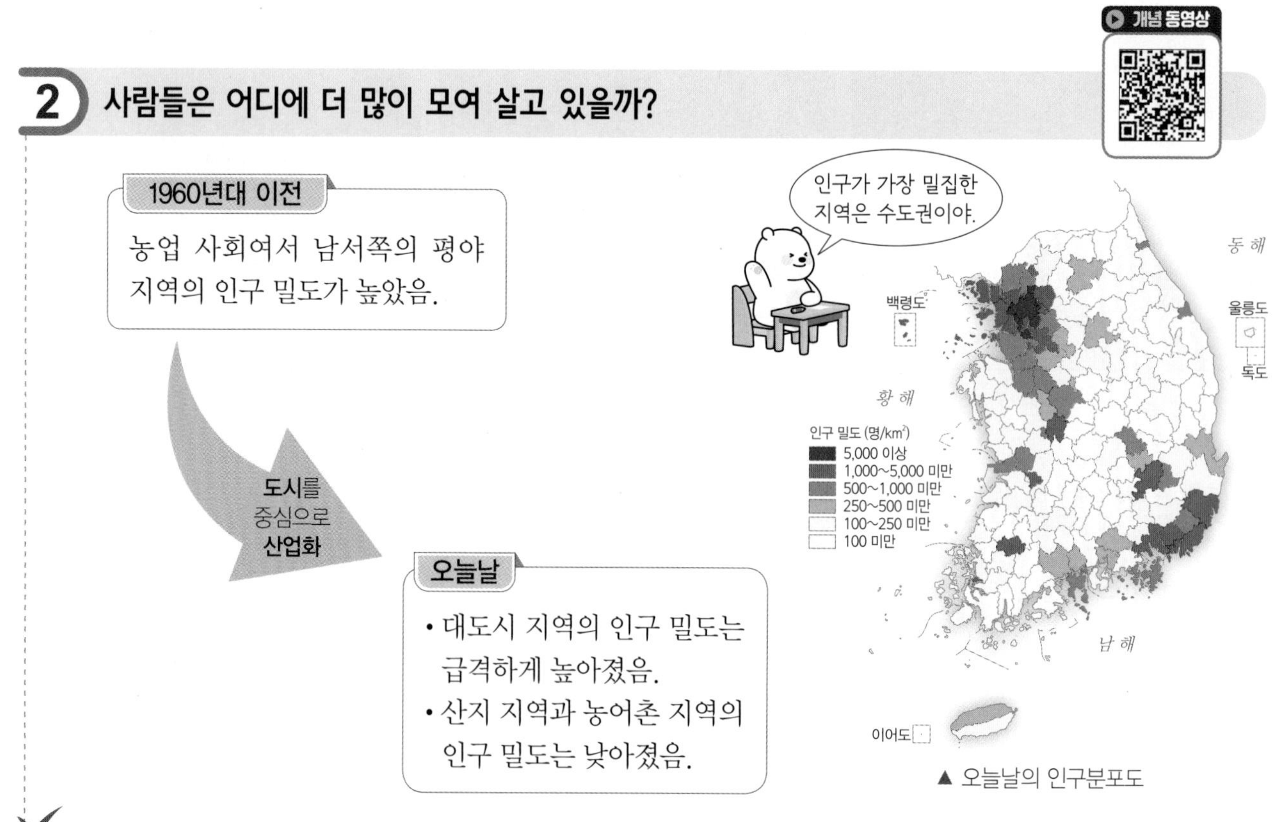

▲ 오늘날의 인구분포도

오늘날에는 산업이 발달한 수도권과 ❷(촌락 / 대도시)에 인구가 밀집되어 있습니다.

3 우리나라 도시 발달의 특징은 무엇일까?

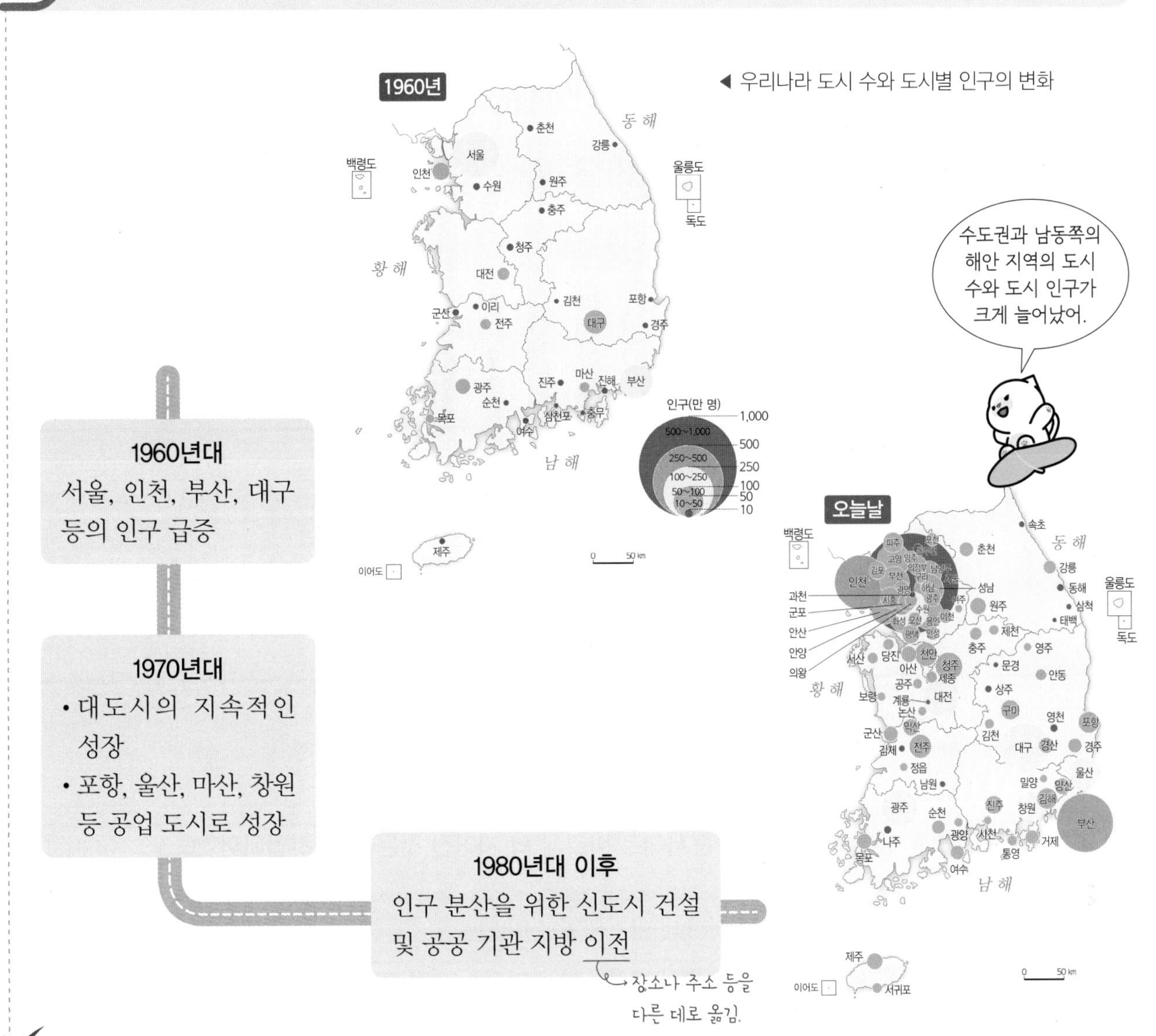

◀ 우리나라 도시 수와 도시별 인구의 변화

1960년대 이후 본격적으로 도시가 발달하기 시작했으며, 도시의 수와 인구가 ❸(증가 / 감소)했습니다.

정답 ❶ 저출산 ❷ 대도시 ❸ 증가

개념 체크

정답과 풀이 2쪽

1 전체 인구에서 노년층이 차지하는 비율은 계속해서 ☐☐ 있습니다.

2 오늘날 ☐☐☐ 지역의 인구 밀도는 급격하게 높아졌습니다.

3 1970년대에는 ☐☐, 울산 등이 새로운 공업 도시로 성장했습니다.

보기
• 늘고 • 줄고
• 농어촌 • 대도시
• 고양 • 포항

3일 개념 확인하기

정답과 풀이 2쪽

1 다음 ㉠~㉢ 중 65세 이상의 노년층을 나타낸 것을 찾아 기호를 쓰시오.

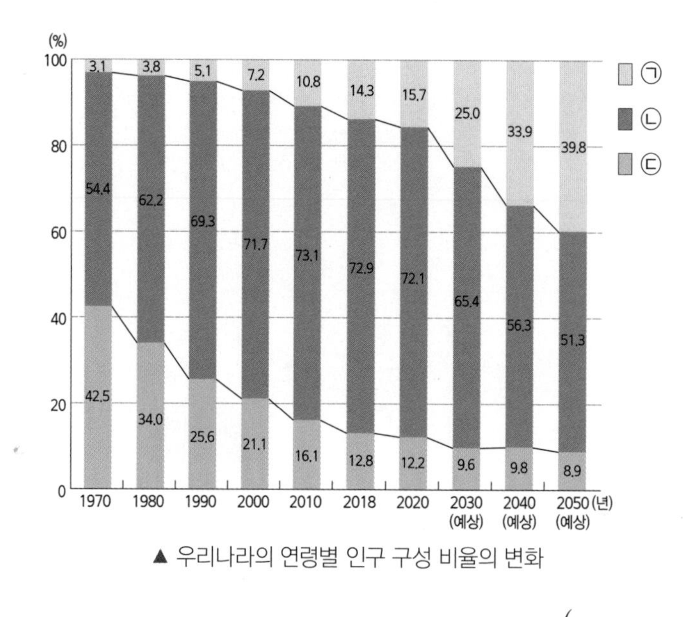

▲ 우리나라의 연령별 인구 구성 비율의 변화

( )

2 다음 ㉠과 ㉡에 들어갈 기호가 순서대로 바르게 짝 지어진 것은 어느 것입니까? ( )

우리나라 인구 구성의 변화	• 새로 태어나는 아기의 수 : ㉠ • 전체 인구에서 노년층이 차지하는 비율 : ㉡

(증가 : ⬆ / 감소 : ⬇ / 유지 : ▬)

① ⬆, ⬆ ② ⬆, ⬇ ③ ⬇, ▬
④ ⬇, ⬇ ⑤ ⬇, ⬆

3 우리나라의 인구 분포와 관련하여 다음 ( ) 안의 알맞은 말에 ○표를 하시오.

1960년대 이전까지 우리나라는 벼농사 중심의 농업 사회였습니다. 농사지을 땅이 넓은 (남서 / 북동)쪽의 평야 지역에는 사람들이 많이 모여 살아 인구 밀도가 높았습니다.

4 1960년과 비교해 볼 때 도시 수가 가장 많이 늘어난 지역은 어디입니까? (　　　　)

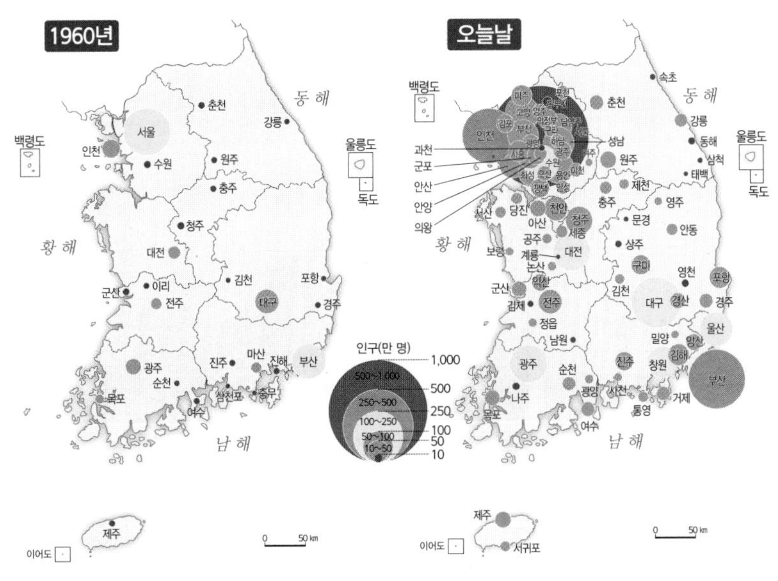

▲ 우리나라 도시 수와 도시별 인구의 변화

① 강원도 지역　　② 수도권 지역　　③ 충청 내륙 지역
④ 남동쪽의 내륙 지역　　⑤ 남서쪽의 해안 지역

5 1960년대에 인구가 급속히 증가한 도시가 아닌 곳은 어디입니까? (　　　　)

① 서울　　② 인천　　③ 세종
④ 부산　　⑤ 대구

6 다음에서 설명하는 용어를 말 상자에서 찾아 모두 ○표를 하세요. 말 상자의 용어는 가로, 세로, 대각선에 숨어 있어요.

촌	락	저	신	
고		출	도	인
	령	산	시	구
분	포	사		밀
수	도	권	회	도

❶ 일정한 넓이(1 km^2) 안에 거주하는 인구
❷ 65세 이상 인구가 전체 인구의 14 %를 넘는 사회
❸ 서울특별시와 인천광역시, 경기도 일대를 부르는 말

4일 산업과 교통

부산행이라고?

빨리 와! 기차가 출발하려고 하잖아.
헉헉! 갑니다. 가요!

후유~ 겨우 서울 방향으로 가는 기차를 탔어.

쿨 쿨

이 주변은 중화학 공업이 발달했나 봐요.
남동쪽 해안가에 중화학 공업 단지가 형성 되었다는 글을 본 적이 있어.

바다! 바다!
이곳은 물류 산업이 발달한 곳인가 봐. 그런데 여긴 어디지?

잠시 후 부산역에 도착하겠습니다.
기차 잘못 탔어요!
흔들
흔들

용어 체크

중화학 공업

비교적 무거운 물건을 만들거나 원유를 이용해 다양한 물건을 만드는 산업

예 1980년대에는 우리나라의 산업 구조가 경공업에서 ❶ [　　　　] 중심으로 바뀌었다.

물류

생산자가 만든 상품을 소비자에게 수송, 운반, 보관하는 과정

예 부산 주변에 바다가 있어 ❷ [　　　　] 산업이 발달했다.

정답 ❶ 중화학 공업 ❷ 물류

부산에서 서울까지 그것밖에 안 걸려?

네? 기차를 잘못 타서 부산으로 갔다고요?
박사님! 걱정 마세요. 고속 철도가 개통되면서 반나절 생활권이 가능해졌거든요.
후훗! KTX를 타기 위한 나의 큰 그림이었지.
잠시 후
지도로 봤을 때에는 꽤 멀어 보였는데, 부산에서 서울까지 세 시간도 안 걸렸어.
도시에 오니 몸도, 마음도 가벼워진 느낌이에요.
짐이 없어서 가벼워진 거다!
폴짝
폴짝
아차! 열차에 짐을 놓고 내렸어요.
뭐라고?
망했다!

용어 체크

고속 철도

시속 약 200 km 이상으로 운행되는 철도

예 2004년 이후 ❶ ______ 가 등장하면서 서울에서 부산까지 3시간 내에 이동이 가능해졌다.

▲ 우리나라의 고속 열차인 KTX

생활권

통학, 통근 등 사람이 일상생활을 할 때 활동하는 범위

예 교통의 발달로 ❷ ______ 이 넓어졌다.

정답 ❶ 고속 철도 ❷ 생활권

4일 개념 익히기

1 지역별로 각기 다른 산업이 발달한 까닭은 무엇일까?

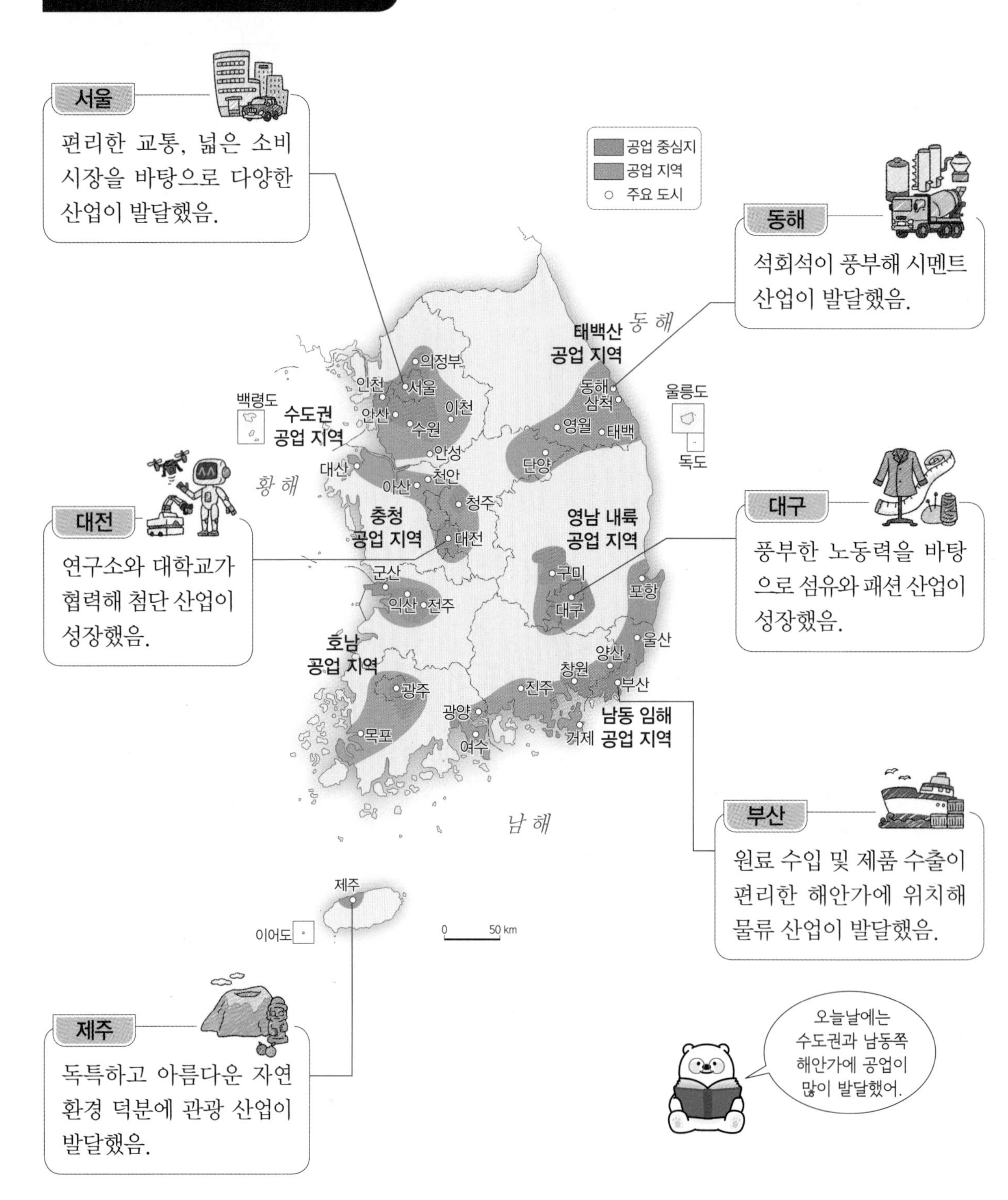

지역마다 자연환경과 인문 환경이 ❶(갈기 / 다르기) 때문에 발달한 산업이 다릅니다.

2 교통의 발달로 어떤 변화가 생겼을까?

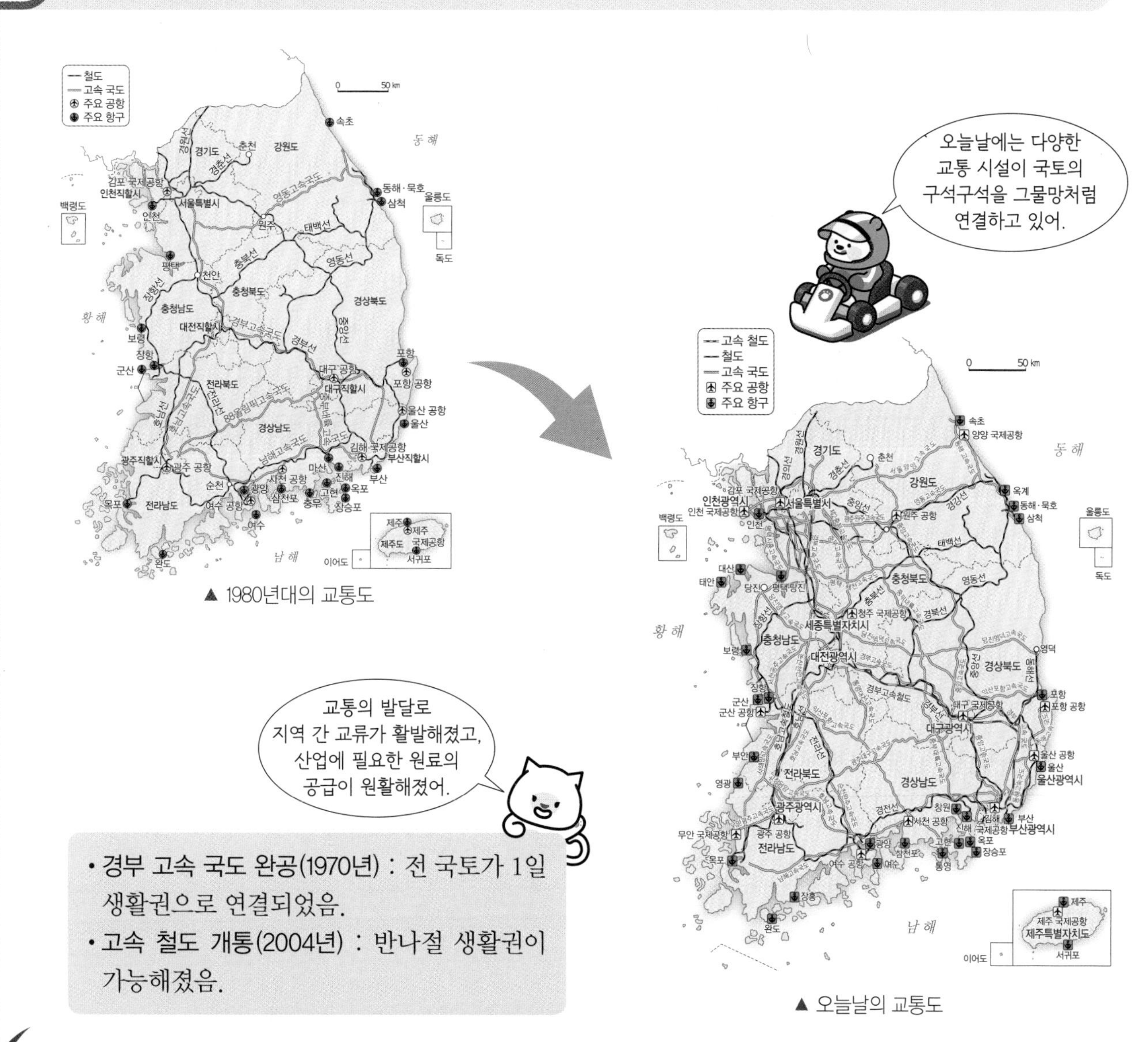
철도
고속 국도
주요 공항
주요 항구
오늘날에는 다양한 교통 시설이 국토의 구석구석을 그물망처럼 연결하고 있어.
고속 철도
철도
고속 국도
주요 공항
주요 항구
교통의 발달로 지역 간 교류가 활발해졌고, 산업에 필요한 원료의 공급이 원활해졌어.

▲ 1980년대의 교통도

▲ 오늘날의 교통도

- 경부 고속 국도 완공(1970년) : 전 국토가 1일 생활권으로 연결되었음.
- 고속 철도 개통(2004년) : 반나절 생활권이 가능해졌음.

교통의 발달로 사람과 물자의 이동이 더욱 활발해지고 지역 간의 이동 시간이 ❷(줄면서 / 늘면서) 지역 간 거리는 점점 가깝게 느껴지고 있습니다.

정답 ❶ 다르기 ❷ 줄면서

개념 체크

정답과 풀이 2쪽

1 독특하고 아름다운 자연환경이 있는 제주도는 ☐☐ 산업이 발달했습니다.

2 시멘트 산업이 발달한 곳은 ☐☐ 입니다.

3 1970년, ☐☐ 고속 국도의 완공으로 전 국토가 1일 생활권으로 연결되었습니다.

보기
- 관광
- 첨단
- 서울
- 동해
- 경부
- 남해

4일 개념 확인하기

정답과 풀이 2쪽

1 우리나라의 주요 공업 지역 지도를 보고, ㉠에 공통으로 들어갈 알맞은 말을 쓰시오.

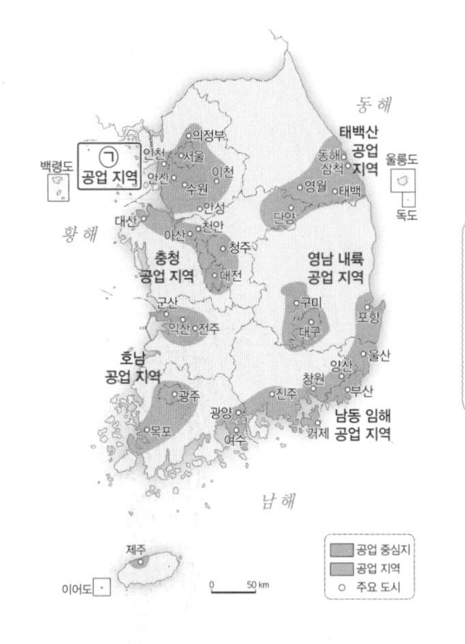

오늘날에는 [㉠]과 남동쪽 해안가에 공업이 많이 발달했습니다.

( )

2 풍부한 노동력을 바탕으로 섬유와 패션 산업이 성장한 지역은 어디입니까? ( )

① 대구 ② 대전 ③ 동해
④ 광주 ⑤ 제주

3 교통의 발달과 관련하여 다음 [ ] 안에 공통으로 들어갈 알맞은 말을 쓰시오.

경부 고속 국도 완공

전 국토가 1일 [ ]으로 연결되었음.

고속 철도 개통

반나절 [ ]이 가능해졌음.

( )

4 교통의 발달로 달라진 점에 대해 알맞게 이야기하지 않은 어린이는 누구입니까? (   )

① 세현 : 지역 간 교류가 더욱 활발해졌어.

② 재원 : 지역 간의 이동 시간이 늘어났어.

③ 은빈 : 사람과 물자의 이동이 더욱 활발해졌어.

④ 소율 : 산업에 필요한 원료의 공급이 원활해졌어.

⑤ 영리 : 지역 간 거리가 점점 가깝게 느껴지고 있어.

집중 연습 문제 지역별 발달한 산업

5 연구소와 대학교의 협력으로 첨단 산업이 성장한 지역을 오른쪽 지도에서 찾아 기호를 쓰시오.

(   )

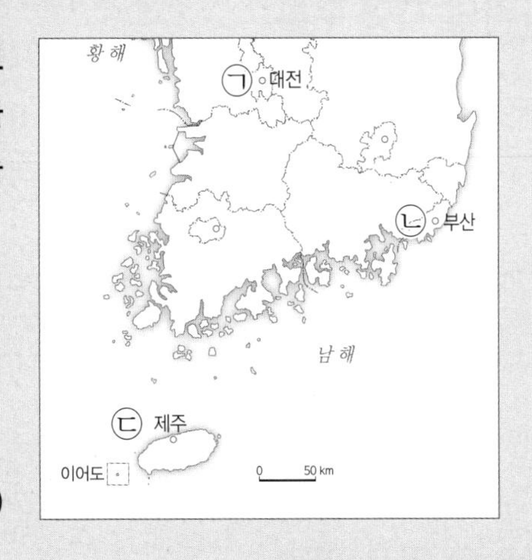

㉠~㉢에는 어떤 산업이 발달했는지 써 볼까?
• ㉠ → ◯◯ 산업
• ㉡ → ◯◯ 산업
• ㉢ → ◯◯ 산업

6 동해에서 시멘트 산업이 발달한 까닭으로 알맞은 것은 어느 것입니까? (   )

① 편리한 교통 ② 풍부한 석회석

③ 풍부한 노동력 ④ 넓은 소비 시장

⑤ 아름다운 자연환경

시멘트 산업에 필요한 원료는 무엇인지 생각해 봐.

5일 1주 마무리하기 핵심

우리나라는 지리적 장점을 이용해 세계 여러 나라와 교류하고 있어.

1 우리 국토의 위치와 영역

① 우리 국토의 위치

위치	• 아시아 대륙의 동쪽에 위치한 반도임. • 북위 33°~43°, 동경 124°~132°에 위치해 있음.
위치가 갖는 장점	• 도로나 철도를 이용해 대륙으로 나아가기 유리함. • 삼면이 바다와 맞닿아 있어 해양으로 나아가기 좋음.

② 우리나라의 영역

영토	한반도와 한반도에 속한 여러 섬
영해	영해를 설정하는 기준선으로부터 12해리까지
영공	우리나라 영토와 영해 위에 있는 하늘의 범위

2 우리나라의 지역 구분

자연환경	• 오래전부터 자연환경이나 자연적 요소로 지역을 구분했음. • ㉠ 호남 지방(금강의 남쪽), 영남 지방(조령 고개의 남쪽)
행정 구역	• 나라를 효율적으로 관리하려고 지역을 나눔. • 북한 지역을 제외하면 특별시 1곳과 특별자치시 1곳, 광역시 6곳, 그리고 도 8곳과 특별자치도 1곳으로 이루어져 있음.

3 우리나라의 인문 환경

① 인구 구성의 특징

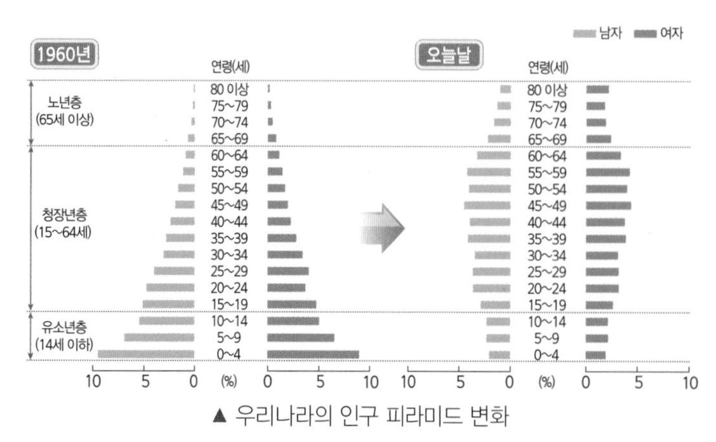

▲ 우리나라의 인구 피라미드 변화

오늘날 우리나라는 저출산·고령 사회로 들어섰음.

② 인구 분포의 특징 : 수도권에 우리나라 전체 인구의 약 절반이 모여 살고 있습니다.

③ 도시 발달의 특징

1960년대		1970년대		1980년대 이후
서울, 인천, 부산, 대구 등 성장	➡	대도시 및 남동 해안 지역의 도시 성장	➡	인구와 기능 분산을 위한 신도시 건설

과학과 기술이 발달하면서 첨단 산업이 빠르게 성장하고 있어.

④ 산업 발달의 특징 : 자연환경과 인문 환경의 차이에 따라 지역별로 각기 다른 산업이 발달했습니다.

대전	동해	제주
 첨단 산업	 시멘트 산업	 관광 산업

⑤ 교통 발달의 특징 : 사람들이 느끼는 국토의 크기가 상대적으로 작아졌고, 생활권은 더욱 넓어졌습니다.

20△△. △△. △△.

인구 분포의 지역적 불균형, 여러 가지 문제 일으켜

오늘날에는 자연적 요인보다 사회·경제적 요인이 인구 분포에 더 큰 영향을 미치고 있는 것으로 나타났습니다. 특히 수도권의 면적은 약 12 %에 불과하지만 인구는 전국의 약 50 %가 집중되어 있습니다. 부산, 대구, 광주, 대전, 울산의 광역시까지 포함하면 전체 인구의 약 70 %가 대도시에 집중되어 있는 상황입니다.

이처럼 인구 분포가 지역적으로 고르지 않으면 문제가 발생합니다. 인구가 늘어나는 지역에서는 주택, 교통, 환경 등의 문제가 나타나는 반면 인구가 줄어드는 지역에서는 일손 부족, 편의 시설 부족 등의 문제가 나타납니다.

▲ 인구가 늘어나는 지역

▲ 인구가 줄어드는 지역

1일 국토의 위치와 영역

1 우리 국토의 위치에 대한 설명으로 알맞은 것을 두 가지 고르시오. (　　,　　)

① 적도 부근에 위치해 있다.
② 일본의 동쪽에 위치해 있다.
③ 아시아 대륙의 동쪽에 위치해 있다.
④ 북위 33°에서 43° 사이에 위치해 있다.
⑤ 서경 124°에서 132° 사이에 위치해 있다.

2 오른쪽 그림은 한 나라의 영역을 구성하는 요소를 나타낸 것입니다. ㉠과 ㉡에 들어갈 알맞은 말을 각각 쓰시오.

㉠ (　　　　　　　　)
㉡ (　　　　　　　　)

3 우리나라의 영해는 영해를 설정하는 기준선으로부터 몇 해리까지입니까? (　　　)

① 3해리　② 6해리　③ 9해리
④ 12해리　⑤ 15해리

2일 국토의 구분

4 우리나라의 행정 구역 중 광역시가 아닌 곳은 어디입니까? (　　　)

① 광주　② 제주　③ 대구
④ 인천　⑤ 울산

5 다음 ㉠과 ㉡에 들어갈 알맞은 말을 보기에서 찾아 각각 쓰시오.

> 중부 지방은 휴전선 남쪽으로 ㉠ 산맥과 ㉡ 하류까지입니다.

보기
- 소백
- 태백
- 금강
- 한강

㉠ (　　　　　　) ㉡ (　　　　　　)

6 조령 고개의 남쪽을 부르는 말로 알맞은 것은 어느 것입니까? (　　　)

① 경기 지방　② 관동 지방　③ 영남 지방
④ 호남 지방　⑤ 호서 지방

3일 인구와 도시

7 우리나라의 연령별 인구 구성 비율의 변화를 나타낸 다음 그래프에서 65세 이상의 노년층은 어떻게 변화하고 있는지 쓰시오.

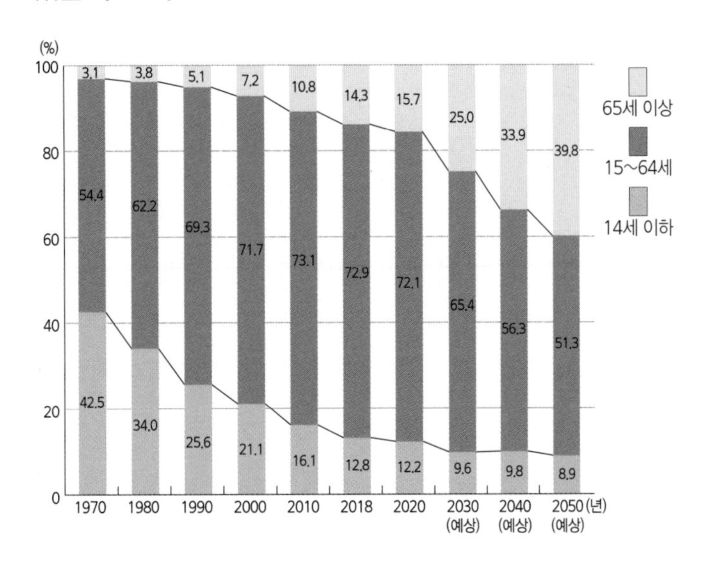

8 우리나라 인구 분포의 특징으로 알맞지 않은 것은 어느 것입니까? (　　　　)

① 지역마다 인구 분포가 다르다.
② 오늘날 농어촌 지역의 인구 밀도는 낮아졌다.
③ 오늘날에는 수도권에 우리나라 전체 인구의 약 절반이 모여 살고 있다.
④ 1960년대 이전까지 인구 밀도가 가장 높은 곳은 북동쪽의 산지 지역이었다.
⑤ 1960년대 이후에는 서울, 부산 등 대도시 지역의 인구 밀도가 급격하게 높아졌다.

9 다음 지도에 대한 설명으로 알맞은 것에 ○표를 하시오.

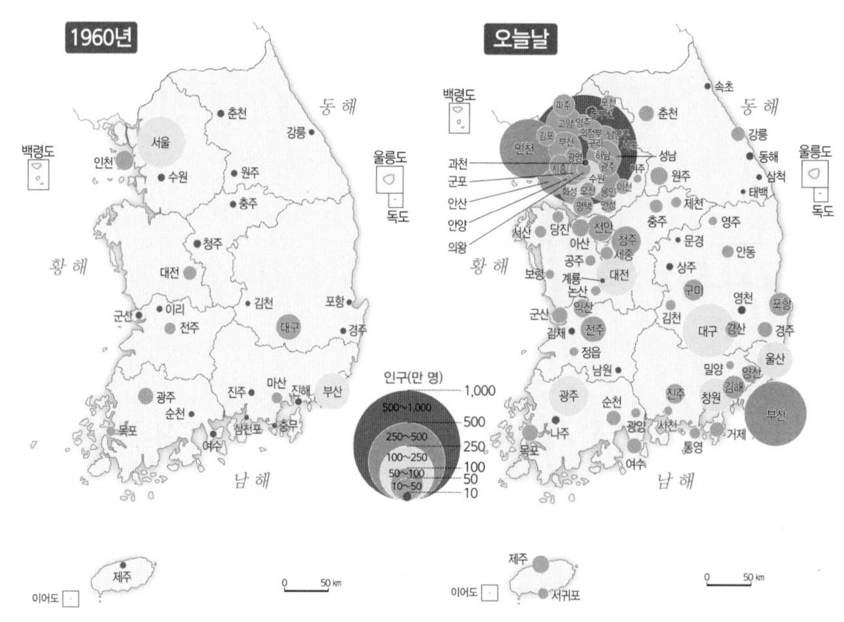

▲ 우리나라 도시 수와 도시별 인구의 변화

(1) 1960년에는 인구가 100만 명이 넘는 도시가 한 곳도 없었습니다. (　　　　)
(2) 수도권과 남동쪽의 해안 지역의 도시 인구가 크게 증가했습니다. (　　　　)

4일 산업과 교통

10 원료를 수입하고 제품을 수출하기 좋은 해안가에 위치해 물류 산업이 발달한 지역은 어디입니까? (　　　　)

① 광주　② 대구　③ 대전
④ 전주　⑤ 부산

11 제주도에 관광 산업이 발달한 까닭으로 알맞은 것은 어느 것입니까? (   )

① 노동력이 풍부해서
② 소비 시장이 넓어서
③ 국토의 중앙에 위치해 있어서
④ 독특하고 아름다운 자연환경이 있어서
⑤ 연구소와 대학교가 협력해 연구를 해서

12 다음 검색 결과를 보고, □ 안에 들어갈 알맞은 인문 환경을 쓰시오.

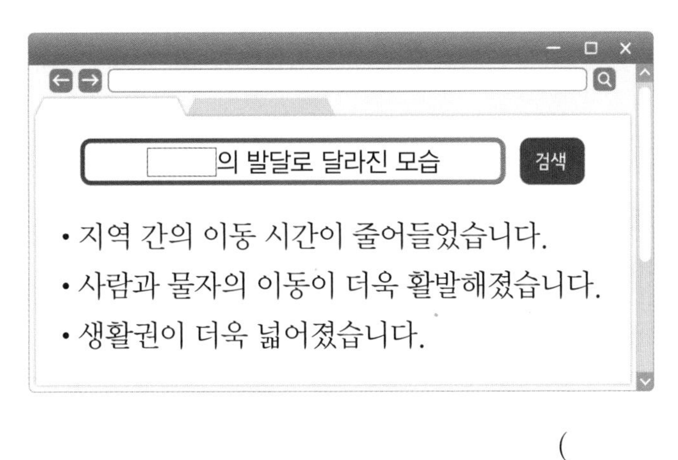

(   )

똑똑한 하루 퀴즈

13 1주에 공부한 내용에 대해 알맞게 말한 사람이 가진 글자를 조합해 정답을 써 보세요.

(   )

1주 누구나 100점 TEST

맞은 개수 /10개

1 다음 지도를 보고 우리 국토의 위치에 대해 알맞게 이야기한 어린이를 쓰시오.

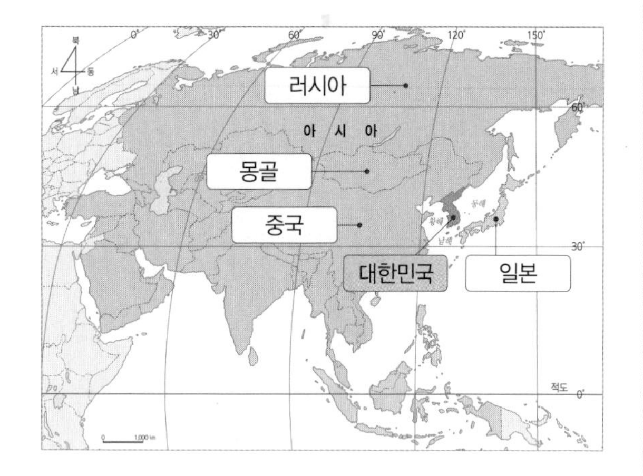

예서 : 북반구에 위치해 있어.
지환 : 중국의 서쪽에 위치해 있어.
우준 : 아시아 대륙의 서쪽에 위치해 있어.

(　　　　　　　)

2 우리나라의 영역에 대해 정리한 다음 내용에서 ㉠, ㉡에 들어갈 알맞은 말을 각각 쓰시오.

우리나라의 영역

- [㉠] : 한반도와 한반도에 속한 여러 섬
- [㉡] : 우리나라 바다의 영역
- 영공 : 우리나라 [㉠]와 [㉡] 위에 있는 하늘의 범위

㉠ (　　　　　　) ㉡ (　　　　　　)

3 우리나라 영토의 동쪽 끝은 어디입니까? (　　　)

① 독도　② 거제도　③ 울릉도　④ 마라도　⑤ 연평도

4 행정 구역과 관련하여 다음 □ 안에 들어갈 지역은 어디입니까? (　　　)

[　　]특별자치도

① 광주　② 부산　③ 세종　④ 서울　⑤ 제주

5 다음 □ 안에 공통으로 들어갈 말을 보기에서 찾아 쓰시오.

자연환경에 따라 우리 국토 구분하기

- 북부 지방 : 지금의 북한 지역
- 중부 지방 : 휴전선 [　　]으로 소백산맥과 금강 하류까지
- 남부 지방 : 중부 지방의 [　　] 지역

보기
• 동쪽　• 서쪽　• 남쪽　• 북쪽

(　　　　　　)

6 철령관 동쪽에 위치한 곳은 어디입니까? (　　　)

① 관동 지방　② 관서 지방
③ 관북 지방　④ 경기 지방
⑤ 영남 지방

7 우리나라의 인구 분포와 관련하여 (　　) 안의 알맞은 말에 ○표를 하시오.

> 1960년대 이후 산업화가 되면서 서울, 부산 등 대도시 지역의 인구 밀도는 급격하게 (높 / 낮)아졌습니다.

8 1960년에 인구가 100만 명이 넘었던 도시는 어디입니까? (　　　)

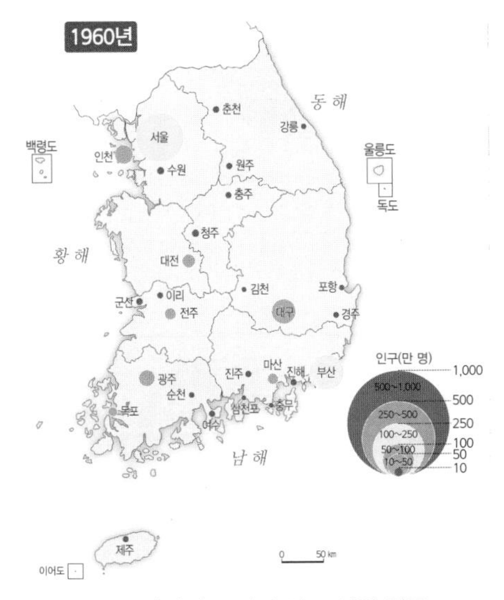

▲ 우리나라 도시 수와 도시별 인구

① 강릉　② 대전
③ 서울　④ 인천
⑤ 포항

9 대구에서 발달한 산업으로 알맞은 것은 어느 것입니까? (　　　)

①

▲ 물류 산업

②

▲ 첨단 산업

③

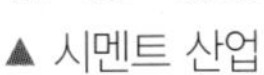
▲ 시멘트 산업

④

▲ 섬유 · 패션 산업

10 반나절 생활권이 가능해지게 된 계기와 관련 있는 사진을 찾아 기호를 쓰시오.

㉠

◀ 경부 고속 국도 완공

㉡

◀ 고속 철도 개통

(　　　　　　)

창의·융합·코딩

1주 특강 생활 속 사회

우리 국토를 다룬 뉴스를 통해 독도에 대해 알아봅니다.

소중한 우리 국토, 독도

독도는 상징성이 매우 높아 소중히 여기고 지켜야 하는 우리의 영토입니다. 독도 사랑을 실천하고 있는 국민들을 이하루 기자가 만나봤습니다.
CJN
천재 뉴스
"우리 땅! 독도 사랑"

독도 사랑을 실천하기 위해 어떤 노력을 하고 있으신가요?
천재 뉴스
독도가 우리 영토임을 알리기 위해 독도 홍보 동영상이나 포스터 등을 만들고 있습니다.

많은 국민이 독도에 직접 방문하거나 독도 관련 행사에 참여하는 등 다양한 방법으로 독도 사랑을 실천하고 있습니다.

독도

- 천연기념물 제336호
- 우리나라의 동쪽 끝에 있는 섬
- 「팔도총도」, 『세종실록지리지』 등 옛 지도와 기록에 우리나라의 영토라는 사실이 나타나 있음.

1 다음은 우리 국토에 대해 다룬 신문 기사입니다.

국토 사랑 신문

제△△호 20○○년 ○○월 ○○일

우리 국토의 동쪽 끝에 위치한 [㉠]는 동도와 서도인 두 개의 큰 섬과 그 주위에 크고 작은 바위섬 89개로 이루어진 우리 [㉡]이다.

우리나라는 독특한 지형과 경관을 지닌 [㉠]를 천연기념물 제336호로 지정해 보호하고 있다. 우리나라 사람들은 [㉠]에 직접 방문하거나 관련 행사에 참여하는 등 다양한 방법으로 [㉠] 사랑을 실천하고 있다.

(1) 위 신문 기사의 ㉠에 들어갈 곳을 다음 글자 칸에서 찾아 쓰세요.

(　　　　　　　　)

(2) 다음 **힌트**를 보고, 위 신문 기사의 ㉡에 들어갈 말이 적힌 깃발에 ○표를 하세요.

힌트 ㉡에는 한 나라의 주권이 미치는 땅의 범위를 뜻하는 말이 들어갑니다.

창의·융합·코딩

사고 쑥쑥

다트 판에 적힌 우리 국토에 대한 설명이 알맞은 내용인지 살펴봅니다.

2 다음 만화를 보고, 물음에 답하세요.

(1) 다트 놀이에서 가장 높은 점수를 얻으려면 어느 곳에 화살을 던져야 하는지 위 만화의 마지막 칸에 있는 다트 판 안에 모두 ○표를 하세요.

(2) 인디 박사가 다트 놀이에서 얻은 점수는 몇 점인지 쓰세요.

( )점

'국토와 인문 환경'과 관련된 내용을 살펴봅니다.

3 이번 주에 공부한 내용을 기억하며, 다음 십자말풀이를 해 보세요.

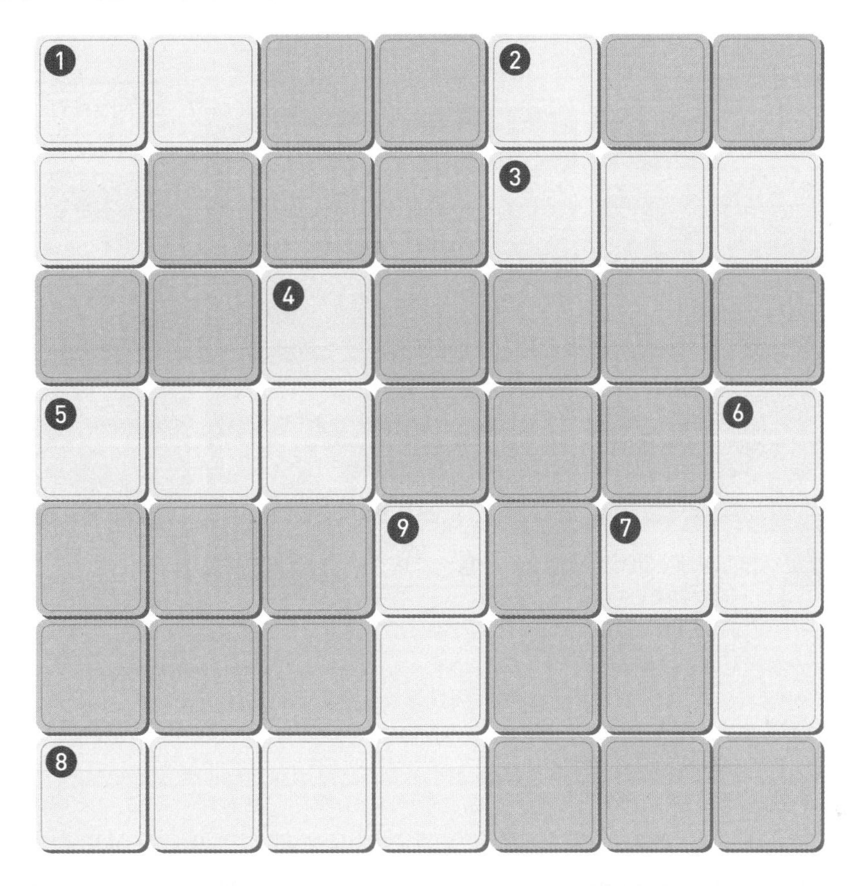

가로

1 한 나라의 ○○은 영토, 영해, 영공으로 이루어집니다.
3 행정 구역 중 ○○○에는 인천, 대전, 부산, 광주 등이 있습니다.
5 사람이 일상생활을 할 때 활동하는 범위를 말합니다.
7 오늘날 우리 사회는 저출산·○○ 사회로 들어섰습니다.
8 일정한 넓이(1 km^2) 안에 거주하는 인구를 말합니다.

세로

1 조령 고개의 남쪽을 ○○ 지방이라고 부릅니다.
2 독특하고 아름다운 자연환경이 있는 제주도는 ○○ 산업이 발달했습니다.
4 한 나라의 영역은 그 나라의 ○○이 미치는 범위를 말합니다.
6 관동 지방은 ○○○을 기준으로 동쪽을 의미합니다.
9 우리나라 영토의 남쪽 끝은 제주특별자치도 서귀포시 ○○○입니다.

창의·융합·코딩

논리 탄탄

비밀번호를 풀 수 있는 힌트를 보고, 우리 국토의 인문 환경 특징을 살펴봅니다.

4 보물을 찾아 나섰던 인디 박사 일행이 상자 하나를 발견했어요. 이 상자를 열기 위해서는 비밀번호가 필요해요. 힌트를 보고 비밀번호를 완성하세요.

비밀번호 힌트

▶ 상자를 열고 싶다면 대한민국에 대해 알맞게 설명한 내용이 적힌 번호를 순서대로 누르시오!
▶ 비밀번호는 네 자리 숫자입니다.

3 오늘날 출산율이 높아지면서 교실 부족 문제가 심각합니다.
7 수도권에 우리나라 전체 인구의 약 절반이 모여 살고 있습니다.
1 1980년대 이후에는 신도시를 건설해 인구와 기능을 분산했습니다.
8 서울은 석회석이 풍부해 시멘트 산업이 발달했습니다.
4 자연환경과 인문 환경의 차이에 따라 지역별로 다른 산업이 발달했습니다.
9 교통이 발달하면서 지역 간 교류는 줄어들었습니다.
6 경부 고속 국도가 완공되면서 전 국토가 1일 생활권으로 연결되었습니다.
2 대구 주변에는 바다가 있어 물류 산업이 발달했습니다.

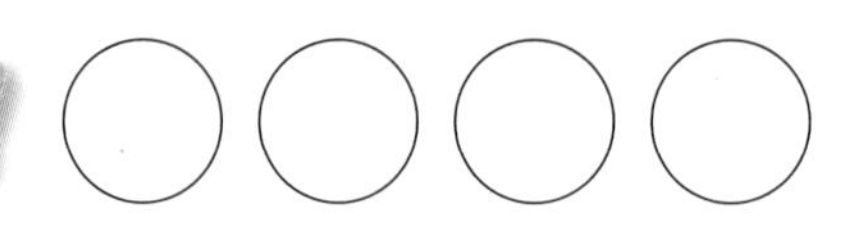

우리나라의 인문 환경에 대한 질문을 보고, 도착까지 가는 길을 완성해 봅니다.

1주

5 질문에 대한 알맞은 대답을 찾아 화살표로 가는 길을 표시해 보세요.

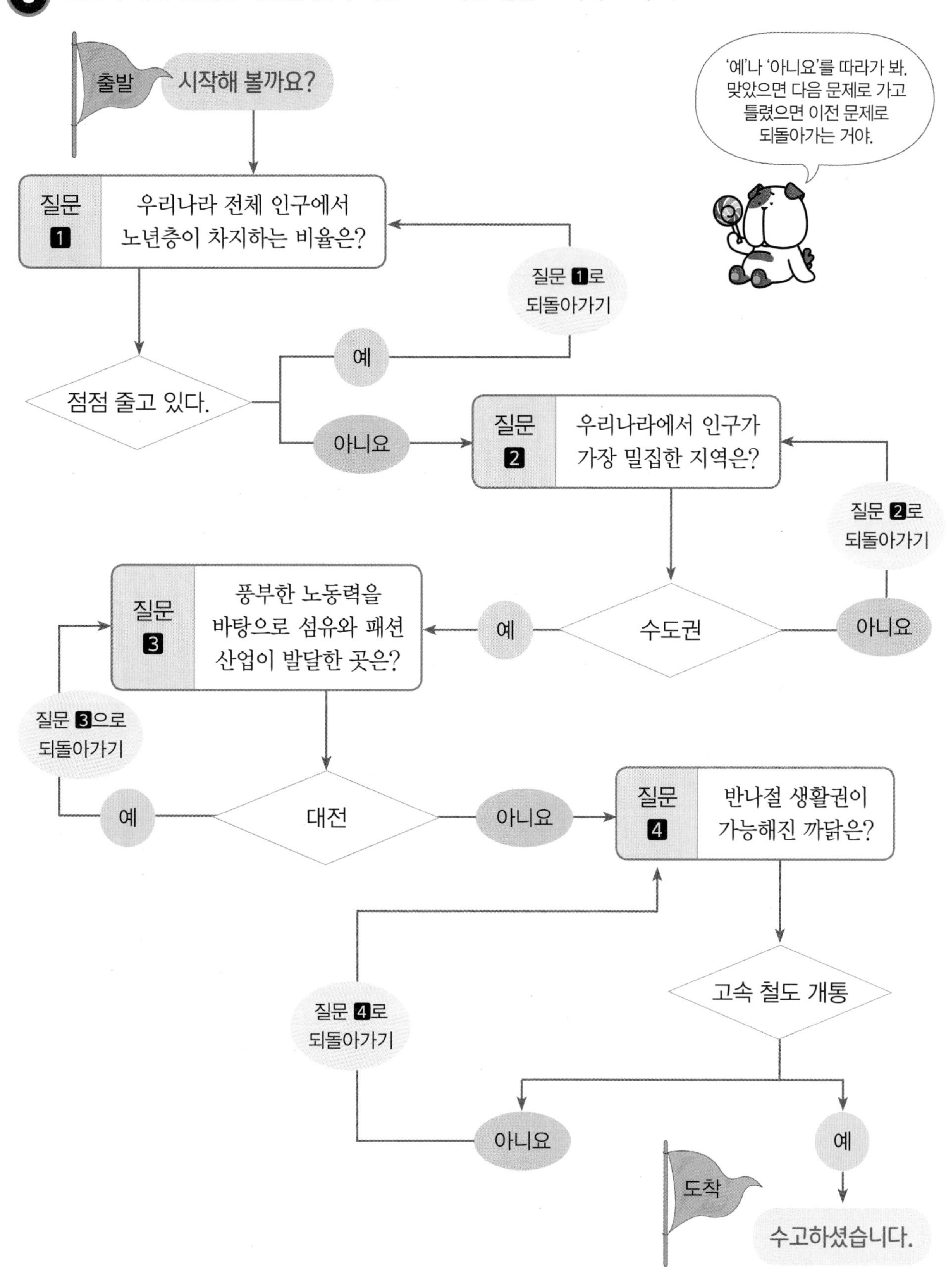

출발
시작해 볼까요?
'예'나 '아니요'를 따라가 봐.
맞았으면 다음 문제로 가고
틀렸으면 이전 문제로
되돌아가는 거야.
질문 1
우리나라 전체 인구에서
노년층이 차지하는 비율은?
질문 1로
되돌아가기
예
점점 줄고 있다.
아니요
질문 2
우리나라에서 인구가
가장 밀집한 지역은?
질문 2로
되돌아가기
질문 3
풍부한 노동력을
바탕으로 섬유와 패션
산업이 발달한 곳은?
예
수도권
아니요
질문 3으로
되돌아가기
예
대전
아니요
질문 4
반나절 생활권이
가능해진 까닭은?
고속 철도 개통
질문 4로
되돌아가기
아니요
예
도착
수고하셨습니다.

2주 자연환경

이번 주에는 무엇을 공부할까? ❶

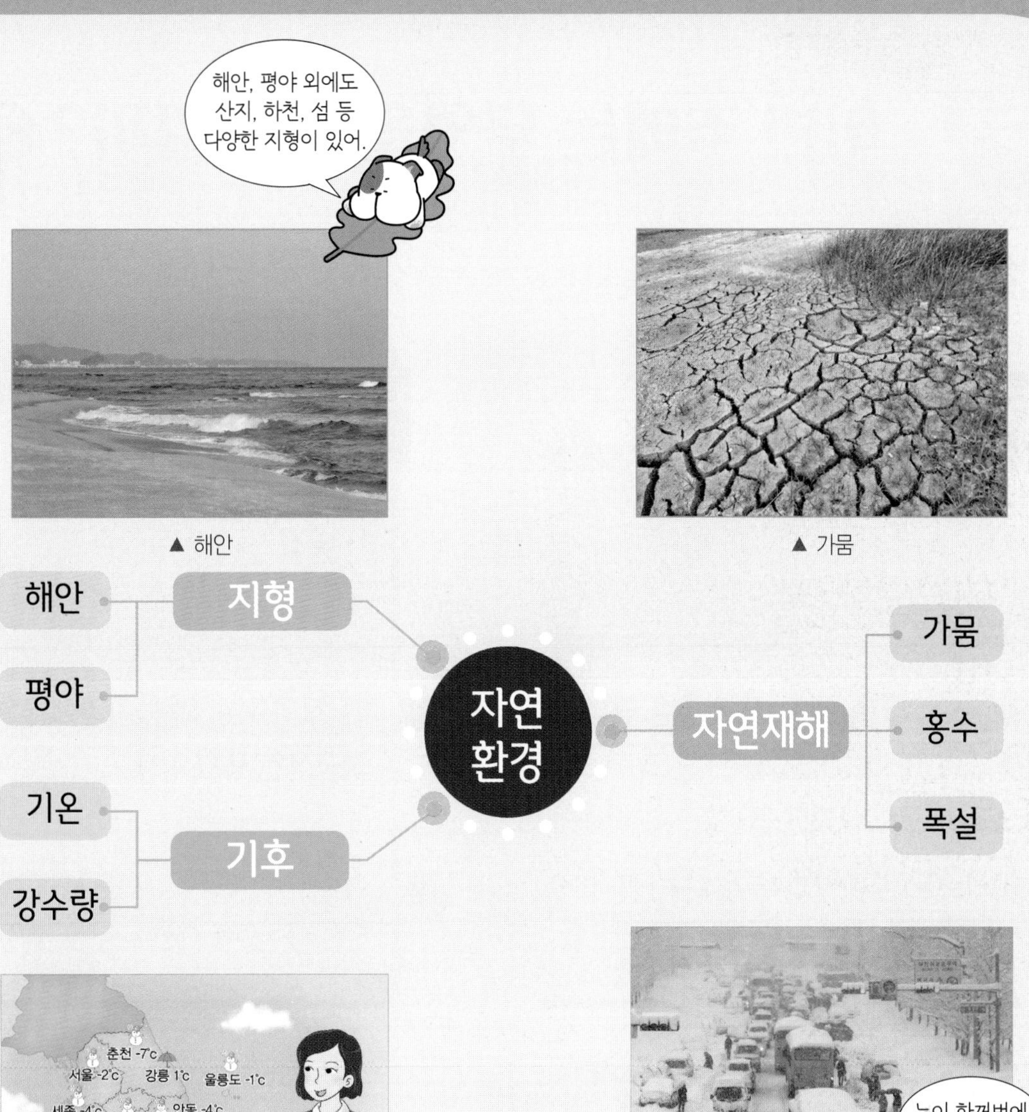
해안, 평야 외에도
산지, 하천, 섬 등
다양한 지형이 있어.
자연
환경
지형
해안
평야
기후
기온
강수량
자연재해
가뭄
홍수
폭설

▲ 해안

▲ 가뭄

춘천 -7℃
서울 -2℃
강릉 1℃
울릉도 -1℃
세종 -4℃
안동 -4℃
청주 -3℃
대전 -3℃
대구 -3℃
전주 -2℃
울산 1℃
광주 -3℃
부산 1℃
목포 -1℃
제주 4℃

▲ 일기 예보

눈이 한꺼번에
많이 내렸네.

▲ 폭설

우리를 둘러싸고 있는 모든
것 중 사람이 만들지 않은 것,
자연 그대로의 것들을
자연환경이라고 한단다.

2주 핵심 용어 이번 주에는 무엇을 공부할까? ②

지형

地 形

땅 지 모양 형

뜻 산지, 평야, 하천, 해안, 섬과 같은 땅의 생김새

예 우리나라는 동고서저 **지형**의 특징에 따라 큰 하천은 대부분 동쪽에서 서쪽으로 흘러간다.

기후

氣 候

기운 기 기후 후

이곳은 춥고 눈이 많이 내려.

뜻 한 지역에서 오랜 기간에 걸쳐 나타나는 평균적인 대기 상태

예 **기후**는 기온, 강수량, 바람 등의 특성으로 나타낼 수 있는데, 이를 **기후** 요소라고 한다.

비가 많이 내리는 여름이 좋아.

강수량

降 水 量

내릴 강 물 수 헤아릴 량

강수량 예보 (mm)

태풍의 영향으로 비가 많이 내리겠습니다.

뜻 비, 눈, 우박, 안개 등으로 일정 기간 동안 일정한 곳에 내린 물의 총량

예 우리나라의 연평균 **강수량**은 세계 평균보다 많은 편이다.

우데기

울릉도 하면 우데기지.
오징어도 유명하다멍!

뜻 가옥의 바깥쪽에 지붕의 처마 끝에서부터 땅에 닿는 부분까지 둘러치는 벽

예 울릉도에서는 눈이 집으로 들어오는 것을 막기 위해 **우데기**를 설치했다.

자연재해에 해당하는 다양한 용어가 있어.
특히 황사, 가뭄, 지진 등의 용어는 꼭 기억해!

황사

黃 沙

누를 황 모래 사

오늘 같은 날은
마스크가 필수!

뜻 **중국이나 몽골의 사막에서 발생한 아주 작은 모래 먼지가 우리나라까지 날아와 가라앉는 현상**

예 **황사**가 발생하면 외출할 때 마스크를 쓰고, 집에 돌아와서는 손발을 잘 씻어야 한다.

가뭄

가뭄으로 농작물이
타들어 가고 있어.

뜻 **오랫동안 비가 오지 않거나 적게 오는 기간이 계속되는 현상**

예 늦봄이나 초여름에 주로 발생하는 **가뭄**으로 농작물이 피해를 입는다.

피할 수 없는 자연 현상으로 일어나는 피해를 자연재해라고 해.

지진

地 震

땅 지 지진 진

지진으로
파손됐어.

뜻 **땅이 지구 내부의 힘을 받아 흔들리고 갈라지는 현상**

예 자연재해 중 **지진**은 짧은 시간 동안 넓은 지역에 걸쳐 발생한다.

쿠르릉
땅이 흔들려!
손이나 가방 등으로
머리를 보호해야 해요.
건물과 떨어진 운동장이나
공원 같은 넓은 공간으로
대피해야겠어요.

1일 우리나라의 지형

낮은 곳으로 가 볼까?

용어 체크

동고서저

지형, 기압 등이 동쪽 지역은 높고 서쪽 지역은 낮은 상태

예 우리나라는 대체로 동쪽이 높고 서쪽이 낮은 ❶ [   ] 의 지형을 이루고 있다.

西	低
서녘 서	낮을 저

東	高
동녘 동	높을 고

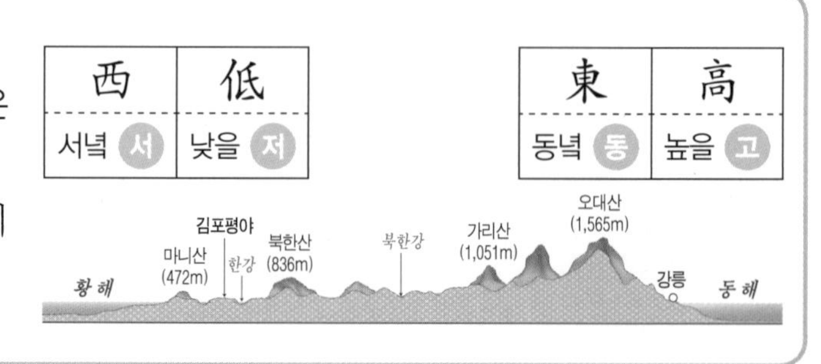

정답 ❶ 동고서저

바닷물이 빠져나간 거야?

용어 체크

갯벌

밀물과 썰물이 드나드는 해안에 밀물 때는 물에 잠기고 썰물 때는 물 밖으로 드러나는 넓고 평탄한 땅

예 서해안에 가면 ❶ [ ] 에서 조개 등의 해산물을 채취하는 사람들을 볼 수 있다.

갯벌에서 조개 캐기 ▶

정답 ❶ 갯벌

1일 **개념 익히기**

1 우리나라에는 어떤 지형이 있을까?

☑ 산지, 하천, 평야, 해안, 섬 등 다양한 ❶(지형 / 기후)이/가 있습니다.

2 지형은 사람들의 생활과 어떤 관련이 있을까?

하천 상류
홍수 방지, 전기 생산 등을 위해 다목적 댐을 건설함.
평야
하천 중·하류 주변 평야에서 논농사를 많이 지음.
산지에 스키장, 휴양림 등을 만들어 이용하기도 해.

☑ 지형을 이용해 살아가거나 더 나은 생활을 하려고 지형을 ❷(방치 / 개발)하기도 합니다.

3 우리나라의 지형은 어떤 특징을 가지고 있을까?

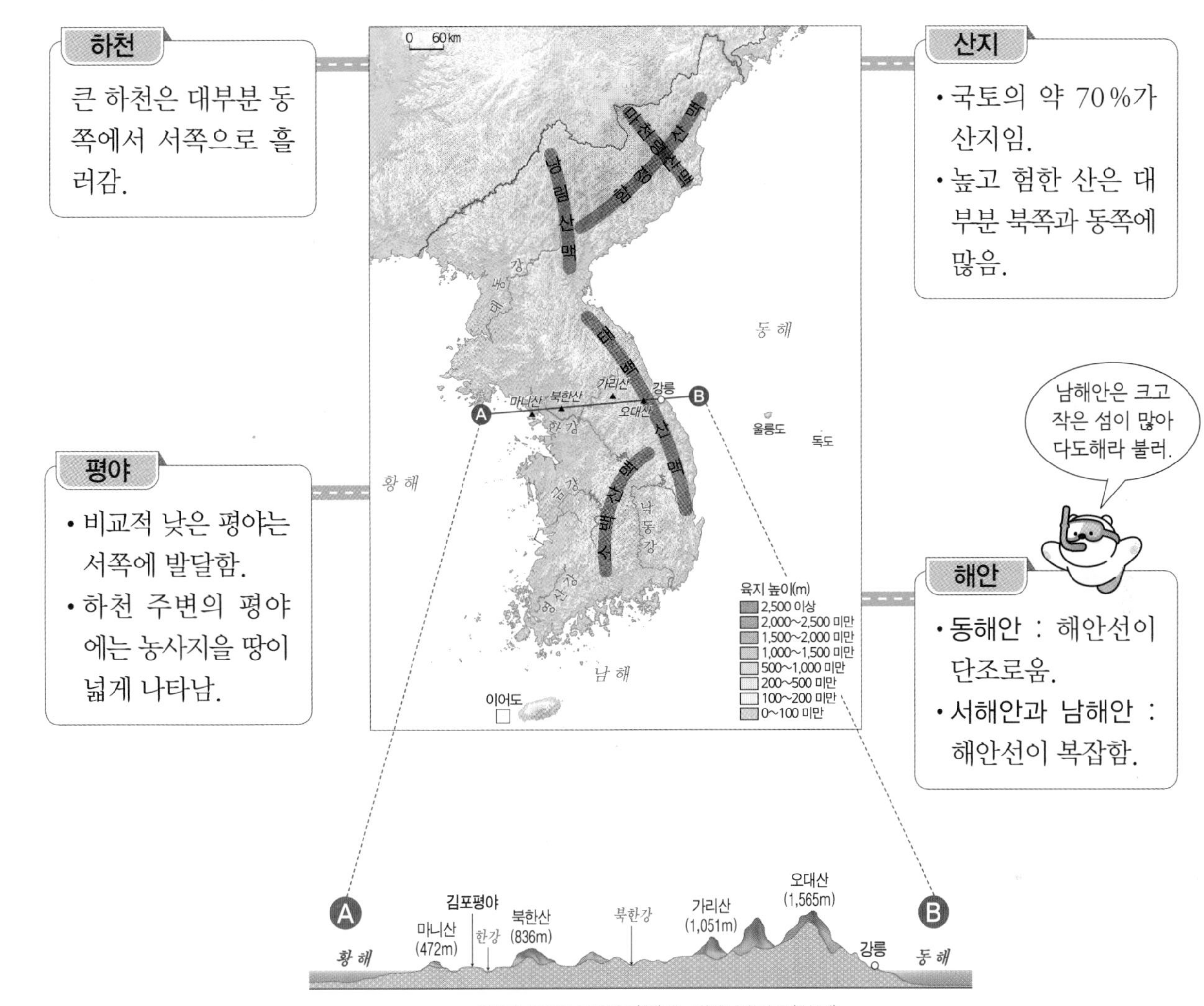

▲ 우리나라의 지형도(위)와 지형 단면도(아래)

우리나라는 대체로 ❸(동 / 남)쪽이 높고 서쪽이 낮은 지형입니다.

정답 ❶ 지형 ❷ 개발 ❸ 동

개념 체크

정답과 풀이 5쪽

1 높이 솟은 산들이 모여 이룬 지형을 ☐☐(이)라고 합니다.

2 하천 중 · 하류 주변 ☐☐에서는 논농사를 많이 짓습니다.

3 우리나라에서 비교적 낮은 평야는 ☐☐에 발달했습니다.

보기

• 산지	• 하천
• 평야	• 해안
• 동쪽	• 서쪽

개념 확인하기

정답과 풀이 5쪽

1 다음 ㉠과 ㉡에 해당하는 지형을 보기에서 찾아 각각 쓰시오.

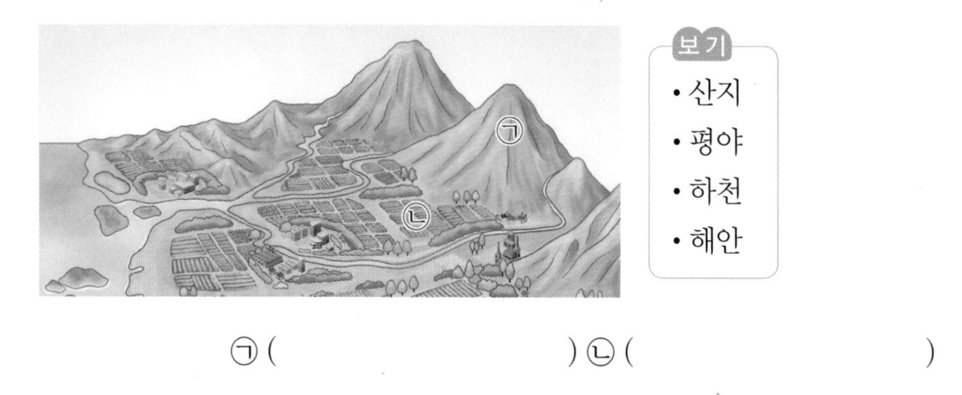

보기
- 산지
- 평야
- 하천
- 해안

㉠ (　　　　) ㉡ (　　　　)

2 다음 설명과 관련 있는 지형으로 알맞은 것은 어느 것입니까? (　　　)

빗물과 지하수가 낮은 곳으로 흘러가면서 크고 작은 물줄기를 만듭니다.

① 섬　② 해안　③ 하천
④ 산지　⑤ 평야

3 사람들이 평야 지역을 이용하고 있는 모습을 찾아 기호를 쓰시오.

㉠ 
▲ 스키장을 이용함.

㉡ 
▲ 해산물을 채취함.

㉢ 
▲ 논농사를 많이 지음.

(　　　　)

4 우리나라의 지형 단면도로 알맞은 것을 찾아 □ 안에 ○표를 하시오.

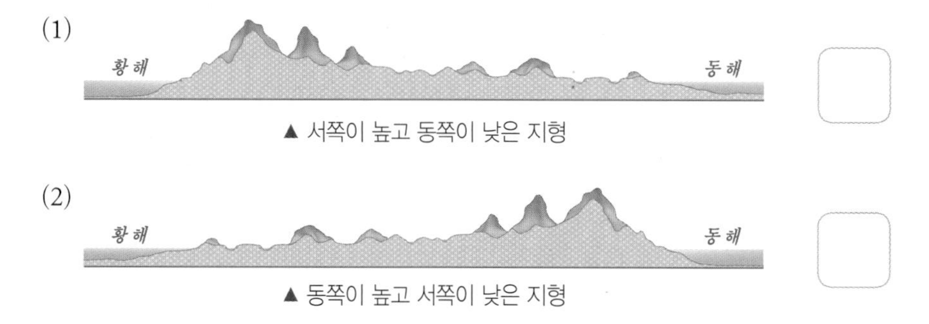

(1) ▲ 서쪽이 높고 동쪽이 낮은 지형 □

(2) ▲ 동쪽이 높고 서쪽이 낮은 지형 □

5 우리나라의 지형에 대한 설명으로 알맞은 것은 어느 것입니까? (　　　　)

① 국토의 대부분이 평야이다.
② 높고 험한 산은 대부분 서쪽에 많다.
③ 비교적 낮은 평야는 동쪽에 발달했다.
④ 동해안은 섬이 많아 다도해라고 부른다.
⑤ 큰 하천은 대부분 동쪽에서 서쪽으로 흘러간다.

6 오른쪽은 서해안과 동해안의 특징을 살펴볼 수 있는 지도입니다. 두 곳 중 해안선이 단조로운 곳은 어디인지 쓰시오.

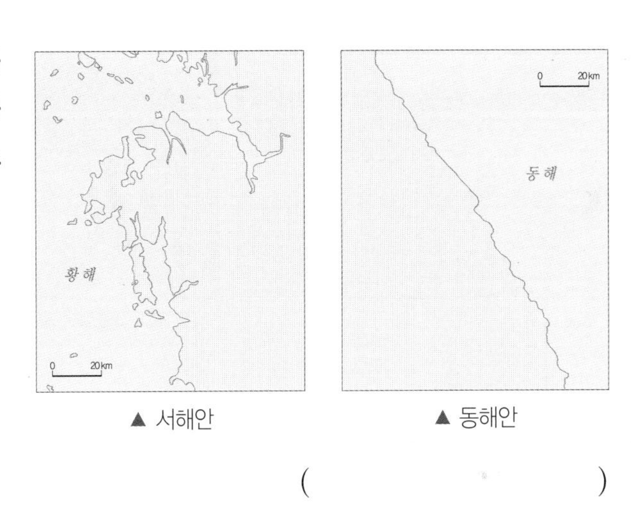

▲ 서해안　　▲ 동해안

(　　　　　　　)

7 다음 ❶과 ❷의 좌표를 보고, 빈칸에 들어갈 알맞은 말을 글자표에서 찾아 쓰세요.

☆	㉠	㉡	㉢	㉣	㉤
1	섬	분	지	형	다
2	강	밭	바	안	역
3	논	야	고	개	영
4	하	해	벌	평	화
5	천	갯	독	도	산

좌표 (㉠, 1)은 '섬'을 나타내는 거야.

- 우리나라는 국토의 약 70%가 ❶ (㉤, 5) (㉢, 1) 입니다.
- 지형 중 바다와 맞닿은 육지 부분을 ❷ (㉡, 4) (㉣, 2) 이라고 합니다.

❶ (　　　　　　) ❷ (　　　　　　)

2일 우리나라의 기후

봄, 여름, 가을, 겨울 사계절이 있어.

용어 체크

중위도

저위도와 고위도의 중간으로 대략 위도 20°~50°를 말함.

예 온대 기후는 사계절이 비교적 뚜렷한 기후로, ❶ [   ] 지역에 주로 나타난다.

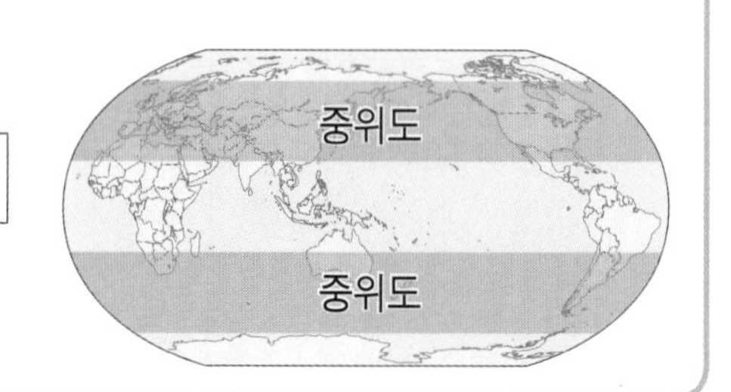

정답 ❶ 중위도

슬기로운 여름 생활!

자, 이제 오늘
머물 곳을 찾아보자!

저기 한옥 펜션이
있는데, 어때요?
민박
와, 멋진 곳이군!

여름인데도
이곳은 시원하네요.

우리 조상들은 더운 여름이 되면 모시옷을
입고 대청에서 더위를 피했대요.

기온이 사람들의
생활 모습에
영향을 미쳤구나.

아~ 시원하다! 보물이고 뭐고
그냥 여기에서 사는 게 좋겠어.
벌러덩
보물이요?
모시옷이나 대청은 조상들이 만든
보물이다 뭐 그런 뜻이지.
맞아!

용어 체크

모시옷

여름 옷감으로 많이 쓰이는 모시로 만든 옷

예 우리 조상들은 겨울에는 누비옷을, 여름에는 ❶ ☐ 을 입었다.

대청

한옥에서 바닥과의 사이에 빈 공간을 두고 나무를 깔아 만든, 방과 방 사이의 큰 마루

예 우리나라의 전통 가옥에는 여름을 시원하게 보낼 수 있는 ❷ ☐ 이 있다.

정답 ❶ 모시옷 ❷ 대청

2일 개념 익히기

1 기후란 무엇일까?

짧은 기간의 대기 상태를 뜻하는 날씨와는 다르구나.

기후

뜻: 한 지역에서 오랜 기간에 걸쳐 나타나는 평균적인 대기 상태

대기: 지구를 둘러싼 공기

요소: 기온, 바람, 강수량

기후는 ❶(짧은 / 오랜) 기간 한 지역에 나타나는 **평균적인 대기 상태**를 말합니다.

2 우리나라의 기후는 어떤 특징을 가지고 있을까?

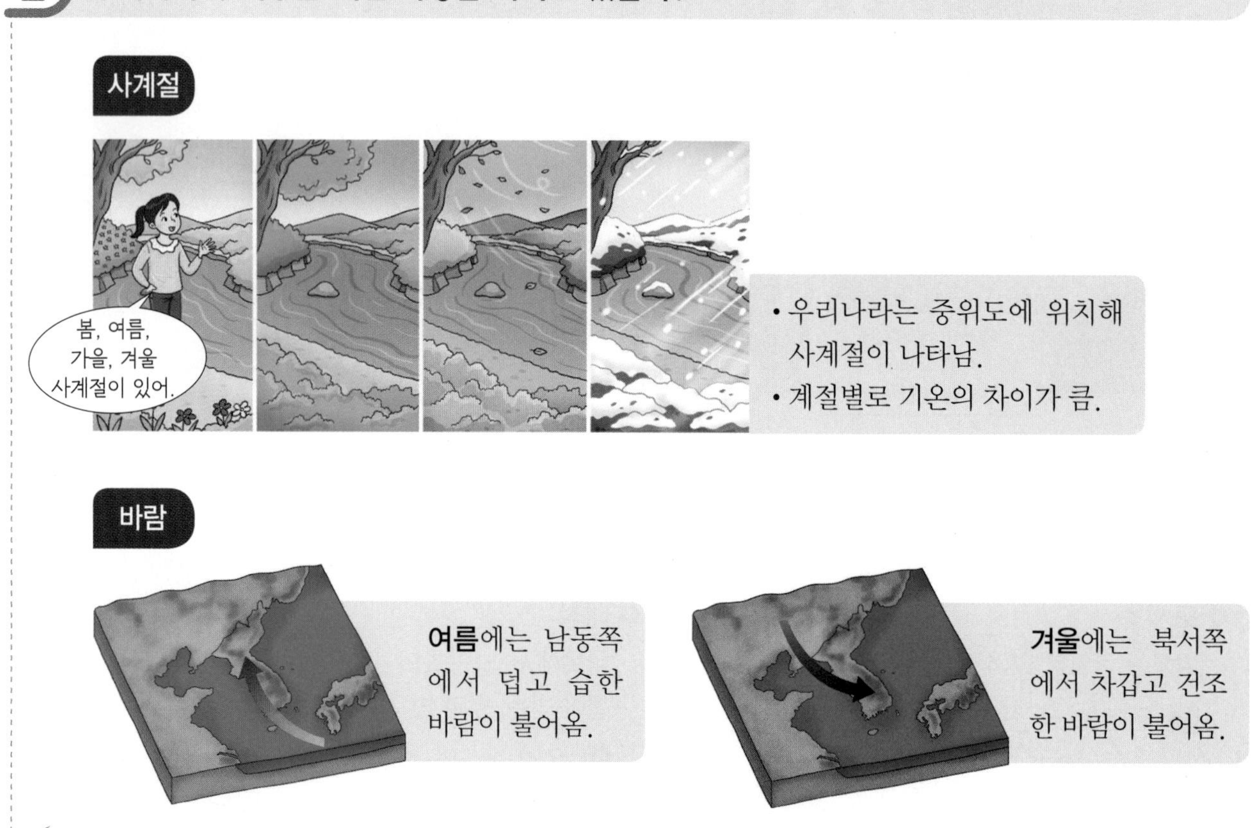

사계절
봄, 여름, 가을, 겨울 사계절이 있어.
• 우리나라는 중위도에 위치해 사계절이 나타남.
• 계절별로 기온의 차이가 큼.
바람
여름에는 남동쪽에서 덥고 습한 바람이 불어옴.
겨울에는 북서쪽에서 차갑고 건조한 바람이 불어옴.

우리나라는 **사계절**이 나타나며, **계절에 따라 불어오는 바람**이 ❷(같습니다 / 다릅니다).

개념 동영상

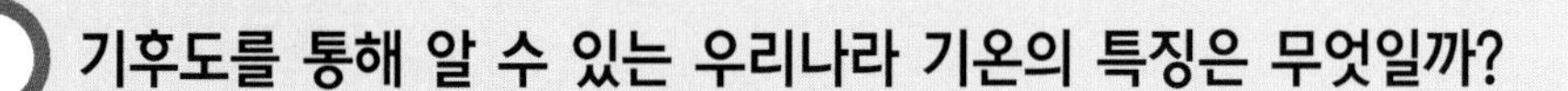

3 기후도를 통해 알 수 있는 우리나라 기온의 특징은 무엇일까?

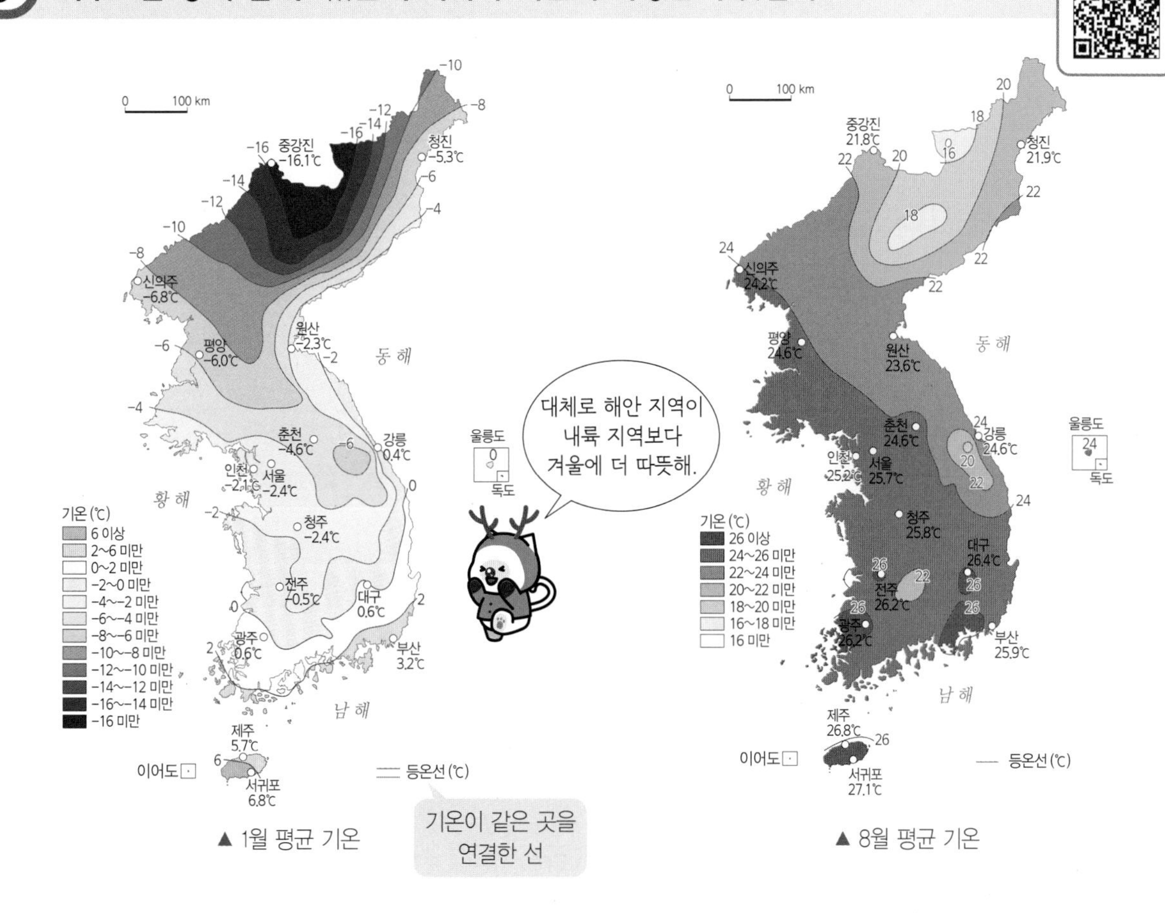

▲ 1월 평균 기온

▲ 8월 평균 기온

남북 지역 간 차이	• 남쪽 지방과 북쪽 지방의 기온 차이가 큼. • 대체로 남쪽으로 갈수록 기온이 높아져 더 따뜻함.
동서 지역 간 차이	차가운 북서풍을 막아 주는 **태백산맥**과 수심이 깊은 동해의 영향으로 동해안의 겨울 기온은 서해안보다 높은 편임. → 수심: 강이나 바다, 호수 등의 물의 깊이

우리나라는 계절별 · ❸(지역 / 인구)별로 기온의 차이가 나타납니다.

정답 ❶ 오랜 ❷ 다릅니다 ❸ 지역

개념 체크

정답과 풀이 5쪽

1 기온, 바람, 강수량 등의 특성으로 ☐☐을/를 나타낼 수 있습니다.

2 우리나라는 여름에 ☐☐쪽에서 덥고 습한 바람이 불어옵니다.

3 동해안의 겨울 기온은 서해안보다 ☐☐ 편입니다.

보기
• 지형 • 기후
• 북서 • 남동
• 높은 • 낮은

2일 개념 확인하기

◦ 정답과 풀이 5쪽 빠른 정답 보기

1 다음 ㉠에 들어갈 알맞은 검색어는 무엇인지 쓰시오.

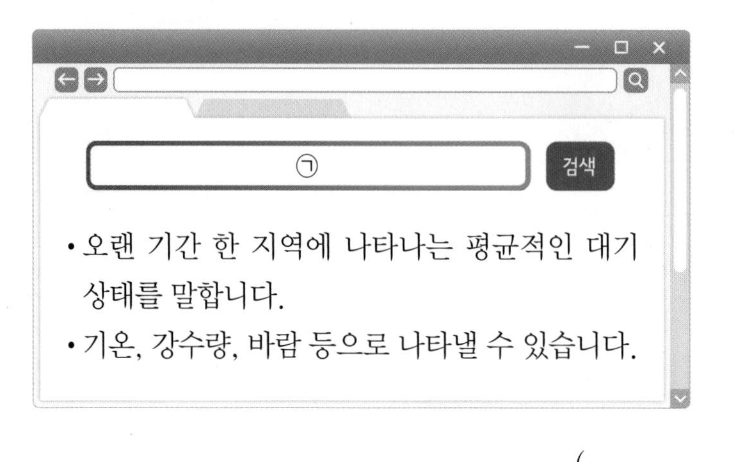

㉠
검색
• 오랜 기간 한 지역에 나타나는 평균적인 대기 상태를 말합니다.
• 기온, 강수량, 바람 등으로 나타낼 수 있습니다.

( )

2 우리나라가 중위도에 위치하고 있어 나타나는 특징에 대해 알맞게 이야기한 어린이를 쓰시오.

주은 : 일 년 내내 춥고 눈이 많이 내려.
이현 : 봄, 여름, 가을, 겨울 사계절이 나타나.
하나 : 계절과 상관없이 남동쪽에서 바람이 불어와.

( )

3 오른쪽 바람이 불어오는 계절과 바람이 지니고 있는 특징이 알맞게 짝 지어진 것은 어느 것입니까? ( )

구분	계절	바람의 특징
①	여름	습한 바람
②	여름	차가운 바람
③	겨울	더운 바람
④	겨울	온화한 바람
⑤	겨울	건조한 바람

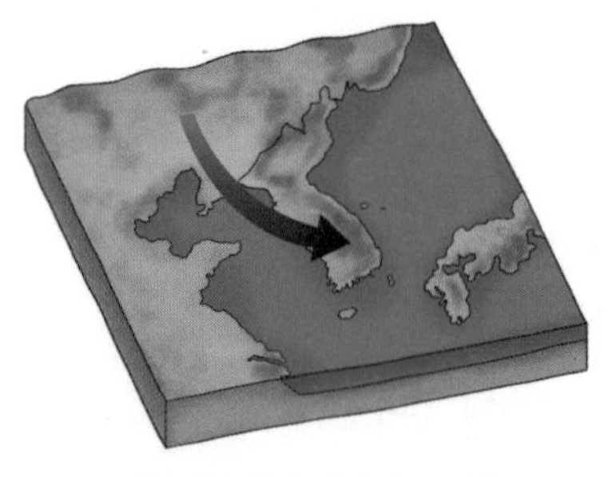
▲ 북서쪽에서 바람이 불어옴.

4 **우리나라 기온의 특징으로 알맞지 않은 것은 어느 것입니까? (　　　　)**

① 계절별로 기온의 차이가 크다.
② 동쪽과 서쪽 지역 간에 기온 차이가 난다.
③ 대체로 북쪽으로 갈수록 기온이 높아진다.
④ 남쪽 지방과 북쪽 지방의 기온 차이가 크다.
⑤ 대체로 해안 지역이 내륙 지역보다 겨울에 더 따뜻하다.

집중 연습 문제 동서의 기온 차이

5 **다음 기후도를 보고, 보기의 지역 중 1월 평균 기온이 가장 높은 곳을 찾아 쓰시오.**

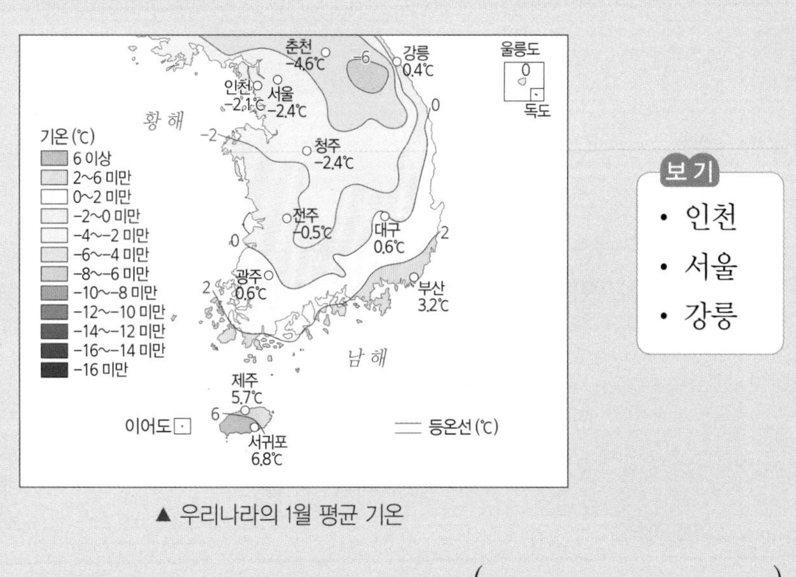

▲ 우리나라의 1월 평균 기온

보기
- 인천
- 서울
- 강릉

(　　　　　　　　)

인천, 서울, 강릉은 비슷한 위도에 있지만 기온에 차이가 나타나.
수심이 깊으면 바닷물이 빨리 식지 않아!

6 **다음 (　　) 안의 알맞은 말에 각각 ○표를 하시오.**

> 동해안은 차가운 북서풍을 막아 주는 ❶(소백 / 태백)산맥과 수심이 ❷(깊은 / 얕은) 동해의 영향으로 서해안보다 겨울 기온이 높은 편입니다.

3일 강수량

 또 비야?

용어 체크

장마

여름철에 여러 날을 계속해서 비가 내리는 현상이나 날씨 또는 그 비

예 매년 강수량은 ❶ ______ 와 태풍에 의해 좌우되는 편이다.

강수

비, 눈, 우박, 안개 등으로 땅 위에 내린 물

예 우리나라는 주로 여름철인 7~8월에 ❷ ______ 가 집중된다.

정답 ❶ 장마 ❷ 강수

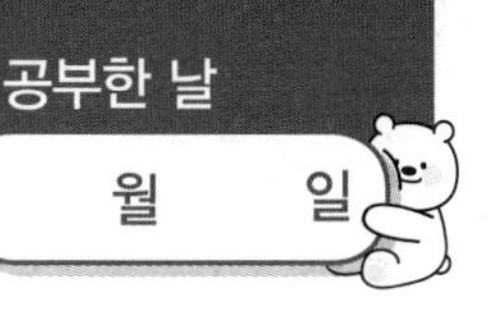

쉬운 문제로 부탁해!

비가 온다고 넋 놓고 앉아 있을 수만은 없어요!
벌떡
그럼 뭘 할까?

적을 알고 나를 알면 백전백승! 대한민국에 대해 공부하면 보물을 쉽게 찾을 수 있지 않을까요?

다음 날
제1회 인디 박사배 퀴즈 대회
두 둥
자, 10문제를 먼저 맞히는 사람이 이기는 거예요. 준비됐나요?
이것은 무엇일까요? 힌트는 눈이 많이 오는 울릉도와 관련 있습니다.

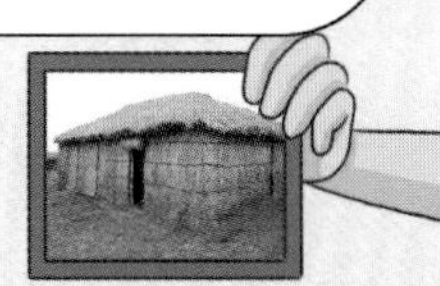

몰라요ㅠㅠ
사랑한다. 친구들아!
친구들아! 미안해.

강수량과 관련 있는 생활 모습인 설피와 우데기잖아요. 자, 그럼 다음 문제!

140번째 문제도 틀렸어요. 한 문제라도 맞히긴 할 거예요?
후유~ 이러다 밤새겠다.

용어 체크

설피

눈이 많이 내리는 지역에서 눈에 빠지거나 미끄러지지 않도록 신 바닥에 대는 넓적한 덧신

예 눈이 많이 쌓여서 ❶ ______ 를 신었다.

우데기

지붕의 처마 끝에서부터 땅에 닿는 부분까지 둘러싼 외벽

예 울릉도의 전통 가옥에서 외벽인 ❷ ______ 를 볼 수 있다.

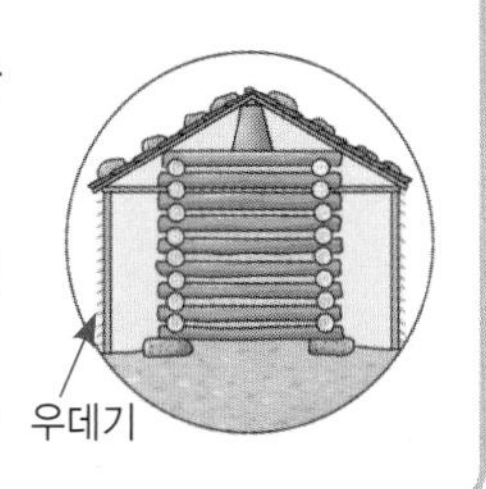

정답 ❶ 설피 ❷ 우데기

3일 개념 익히기

1 지역이나 계절에 따라 강수량의 차이가 있을까?

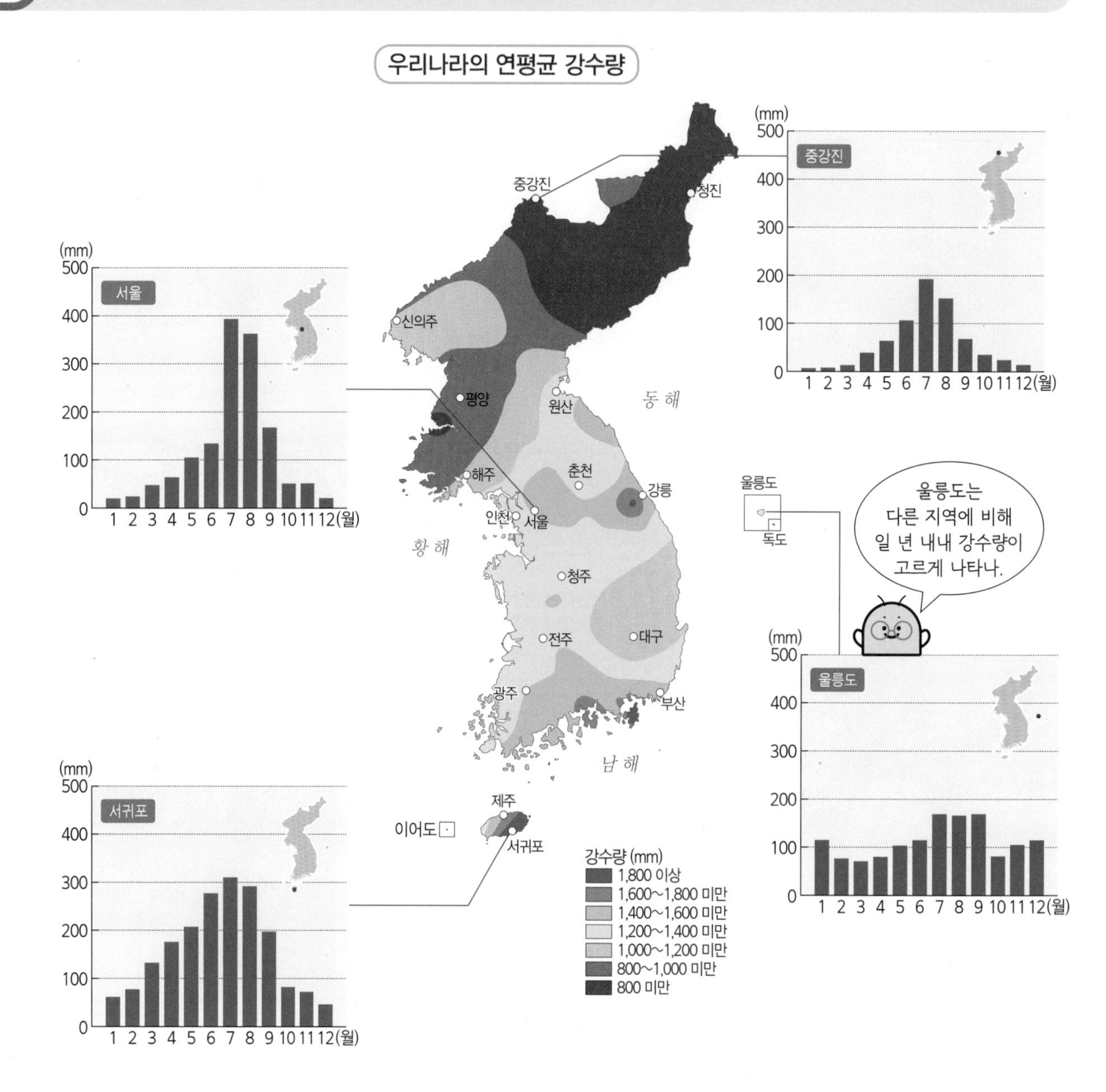

지역	• 대체로 남부 지방은 강수량이 많고, 북부 지방은 강수량이 적음. • 해안 지역이 내륙 지역보다 강수량이 더 많은 편임. • 낙동강 중상류 지역은 비가 적게 옴.
계절	연평균 강수량의 절반 이상이 **여름**에 집중됨.

강릉, 서귀포 등의 해안 지역과 청주, 대구 등의 내륙 지역 중 강수량이 더 많은 곳은 어디일까?

우리나라는 **지역과 계절에 따라 강수량의 차이가** [1](큽니다 / 작습니다).

2 비나 눈은 사람들의 생활 모습에 어떤 영향을 줬을까?

여름철에 비가 많이 오는 지역

집이 물에 잠기는 것을 막으려고 집터를 주변보다 높여서 **터돋움집**을 짓기도 했음.

겨울에 눈이 많이 내리는 울릉도

눈이 집으로 들어오는 것을 막고 집 안에서 생활하기 편리하도록 **우데기**라는 외벽을 설치했음.

우리나라는 계절에 따라 강수량의 차이가 커서 가뭄에 대비하려고 **저수지**를 만들었음.

비나 눈이 많이 오는 지역에서는 그러한 기후에 대처해 터돋움집, ❷(아파트 / 우데기)와 같은 독특한 생활양식이 나타납니다.

정답 ❶ 큽니다 ❷ 우데기

개념 체크

정답과 풀이 6쪽

1 우리나라는 대체로 ☐☐ 지방의 강수량이 많습니다.

2 다른 지역에 비해 ☐☐☐는 일 년 내내 강수량이 고르게 나타납니다.

3 집이 물에 잠기는 것을 막으려고 ☐☐☐☐을 짓기도 합니다.

보기
- 남부
- 북부
- 서귀포
- 울릉도
- 돌기와집
- 터돋움집

3일 개념 확인하기

1 오른쪽 강수량 지도를 보고, 우리나라에서 연평균 강수량이 많은 지역을 두 곳 고르시오. (　　,　　)

① 강릉
② 대구
③ 평양
④ 서귀포
⑤ 중강진

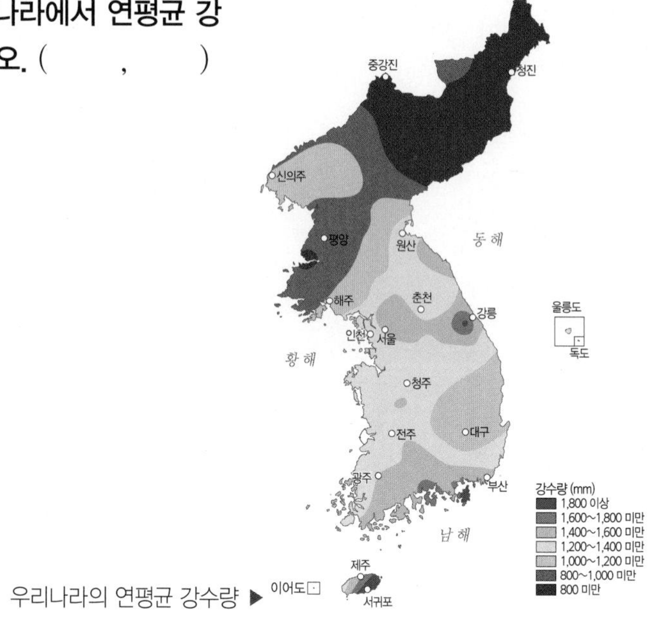

우리나라의 연평균 강수량 ▶

2 우리나라 강수량의 특징으로 알맞은 것을 보기에서 찾아 기호를 쓰시오.

보기
㉠ 북쪽보다는 남쪽의 강수량이 더 많습니다.
㉡ 연평균 강수량의 절반 이상이 겨울에 집중됩니다.
㉢ 지역이나 계절에 따른 강수량의 차이는 거의 없습니다.

(　　　　　　　　)

3 다음 강수량 그래프를 비교해 봤을 때 강수량이 주로 많은 달은 언제입니까? (　　　)

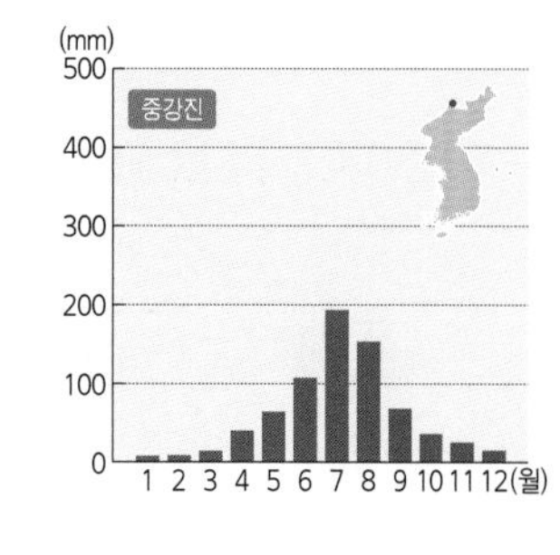

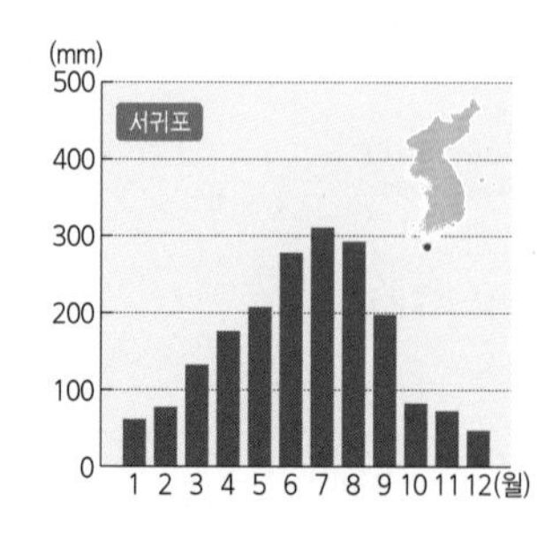

① 1~2월　② 4~5월　③ 7~8월
④ 9~10월　⑤ 11~12월

4 다음은 강수량이 우리 생활에 준 영향과 관련 있는 사례입니다. □ 안에 들어갈 알맞은 말을 쓰시오.

여름철에 비가 많이 오는 지역에서는 집이 물에 잠기는 것을 막으려고 집터를 주변보다 높여서 오른쪽 사진과 같은 □ 을 짓기도 했습니다.

(　　　　　　　　)

5 오른쪽 그림과 같은 피해를 줄이기 위해 만든 시설로 알맞은 것은 어느 것입니까? (　　　)

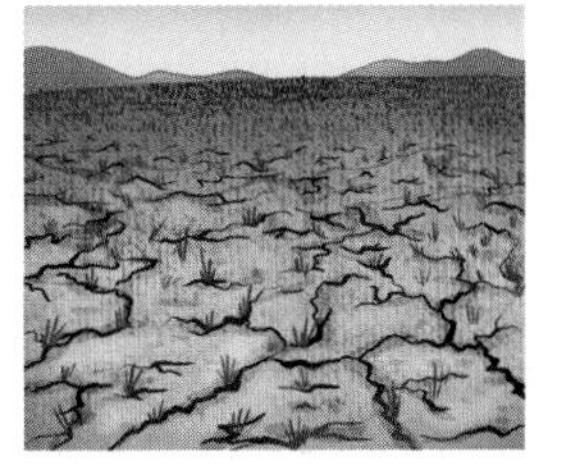
▲ 가뭄으로 메마른 논바닥

① 대청
② 온돌
③ 방파제
④ 저수지
⑤ 우데기

6 '울릉도의 전통 가옥'을 주제로 발행된 기념우표를 찾아 기호를 쓰세요.

㉠

㉡

㉢

(　　　　　　　　)

4일 자연재해

지금 몇 도까지 올라갔어?

용어 체크

자연재해

홍수, 가뭄, 폭염, 태풍, 지진, 황사 등 피할 수 없는 자연 현상으로 일어나는 피해

예 봄에 발생하는 ❶ [   ] 에는 가뭄, 황사 등이 있다.

폭염

하루 최고 기온이 33℃ 이상으로 올라가는 매우 심한 더위

예 여름철에는 ❷ [   ] 으로 땀띠, 열사병, 화상 등이 발생하기도 한다.

정답 ❶ 자연재해 ❷ 폭염

태풍이 다가오고 있다고?

용어 체크

기상 특보

기상에 갑작스러운 변화나 이상 현상이 생겼을 때 특별히 하는 보도

(기상: 바람, 구름, 비 등 대기 중에서 일어나는 모든 현상)

예 태풍, 폭염 등의 자연재해가 예상될 때 ❶ [　　　] 를 발령한다.

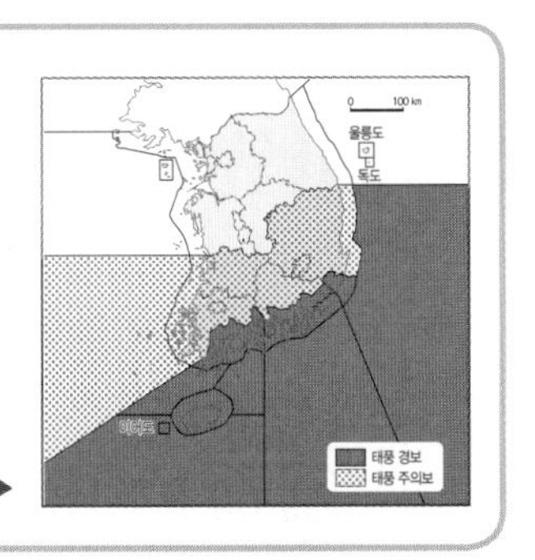

기상 특보 발령(태풍 경보, 태풍 주의보) ▶

정답 ❶ 기상 특보

4일 개념 익히기

1 자연재해의 피해를 줄이려면 어떻게 해야 할까?

계절별로 주로 발생하는 자연재해와 대책

황사

외출할 때 마스크를 씀.

가뭄

댐, 저수지 등을 만듦.

홍수

댐이나 제방을 쌓거나 빗물 펌프장 등의 시설을 마련함.

태풍

기상 특보를 지속적으로 청취하며 위험에 대비함.

태풍은 여름부터 초가을 사이에 우리나라에 영향을 줘.

폭설

제설 장비를 준비해 둠.

제설: 쌓인 눈을 치움. 또는 그런 일

한파

외출할 때 보온에 유의함.

자연재해 발생 시 행동 요령과 안전 수칙을 알고 ❶(실천 / 무시)해야 하며, 필요한 시설을 만듭니다.

2 지진에 대비하는 방법은 무엇일까?

지진으로 파손된 경주 불국사 다보탑

피해
- 각종 시설이 파손되거나 붕괴됨.
- 지진 해일, 산사태 등도 발생해 큰 피해를 입기도 함.

대비
내진 설계 대상 건물을 늘려야 함.

지진에 견딜 수 있도록 건물의 구조를 튼튼하게 하는 것을 내진 설계라고 해.

내진 설계를 적용하는 건물의 범위를 ❷(확대 / 축소)하는 등 지진에 대한 대비가 강화되어야 합니다.

3 기상 특보는 왜 중요할까?

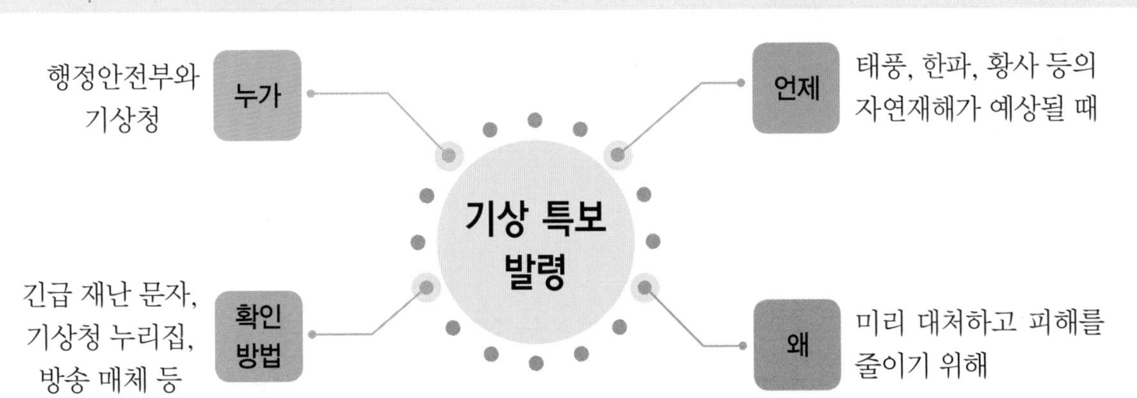
기상 특보 발령
누가
행정안전부와 기상청
언제
태풍, 한파, 황사 등의 자연재해가 예상될 때
확인 방법
긴급 재난 문자, 기상청 누리집, 방송 매체 등
왜
미리 대처하고 피해를 줄이기 위해

기상 특보를 통해 자연재해가 언제 발생할지 미리 알고 있다면 피해를 ❸(키울 / 줄일) 수 있기 때문입니다.

정답 ❶ 실천 ❷ 확대 ❸ 줄일

개념 체크

정답과 풀이 6쪽

1 저수지를 만들어 □□ 피해에 대비합니다.

2 내진 설계 대상 건물을 확대하여 □□에 대비합니다.

3 기상 특보는 □□□ 누리집, 방송 매체 등을 통해 확인할 수 있습니다.

보기
- 가뭄
- 황사
- 지진
- 폭설
- 국세청
- 기상청

2주

4일 개념 확인하기

○ 정답과 풀이 6쪽

빠른 정답 보기

1 주로 봄에 발생하는 자연재해로 알맞은 것은 어느 것입니까? (   )

① 한파　② 폭설　③ 태풍
④ 가뭄　⑤ 홍수

2 자연재해의 피해를 줄이기 위한 노력을 찾아 줄로 바르게 이으시오.

(1) 폭설 •　　• ㉠ 제설 장비 준비하기
(2) 한파 •　　• ㉡ 외출할 때 마스크 쓰기
(3) 황사 •　　• ㉢ 외출할 때 보온에 유의하기

3 지진 피해를 나타낸 사진으로 알맞은 것은 어느 것입니까? (   )

①

▲ 파손된 건물 기둥

②

▲ 심한 더위로 끓는 도로

③

▲ 모래 먼지로 뿌옇게 변한 하늘

④

▲ 눈이 많이 내려 교통이 마비된 도로

4 자연재해의 피해를 줄이기 위한 노력과 관련하여 다음 □ 안에 공통으로 들어갈 알맞은 말을 쓰시오.

- 태풍, 폭염, 한파, 폭설, 황사 등의 자연재해가 예상될 때 [　　] 를 발령합니다.
- 행정안전부나 기상청 누리집, 휴대 전화의 긴급 재난 문자, 방송 매체 등에서 [　　] 를 확인할 수 있습니다.

태풍 경보 · 주의보 발령 ▶

(　　　　　　　　)

집중 연습 문제 홍수

5 홍수 피해를 나타낸 사진을 찾아 기호를 쓰시오.

㉠

▲ 메마른 땅바닥

㉡

▲ 물에 잠긴 비닐하우스

(　　　　　　　　)

㉠과 ㉡ 사진은 어떤 자연재해와 관련 있는지 써 볼까?

- ㉠ ➜ ◯◯
- ㉡ ➜ ◯◯

6 홍수 피해를 줄이기 위한 노력으로 알맞은 것은 어느 것입니까? (　　)

① 댐이나 제방을 쌓는다.
② 내 집 앞의 눈은 직접 치운다.
③ 내진 설계 대상 건물을 확대한다.
④ 장갑, 모자, 목도리 등을 착용한다.
⑤ 손 씻기 등 개인 위생을 철저히 한다.

홍수를 막으려고 빗물을 가두어 놓는 시설을 설치하기도 해.

5일 2주 마무리하기 핵심

1 우리나라의 지형

우리나라는 대체로 동쪽이 높고 서쪽이 낮은 지형이야.

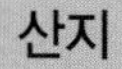

산지

국토의 약 70%가 산지이며, 높고 험한 산은 대부분 북쪽과 동쪽에 많음.

해안

갯벌이 나타나거나 모래사장이 있는 곳도 있음.

평야

비교적 낮은 평야는 서쪽에 발달했으며, 농사짓기에 좋음.

하천

큰 하천은 대부분 동쪽에서 서쪽으로 흘러감.

2 우리나라의 기후

우리나라는 계절에 따라 불어오는 바람이 달라.

① 기후

뜻	오랜 기간 한 지역에 나타나는 평균적인 대기 상태
특징	기온, 강수, 바람 등의 특성으로 나타낼 수 있음.

② 우리나라 기후의 특징

기온	• 대체로 남쪽으로 갈수록 기온이 높아져 더 따뜻함. • 태백산맥과 동해의 영향으로 동해안의 겨울 기온은 서해안보다 높은 편임.
강수량	• 대체로 남부 지방은 강수량이 많고, 북부 지방은 강수량이 적음. • 연평균 강수량의 절반 이상이 여름에 집중됨.

③ 강수량에 따라 나타나는 다양한 생활 모습

터돋움집

비가 많이 오는 지역 집이 물에 잠기는 것을 막으려고 지었음.

우데기

울릉도
눈이 집으로 들어오는 것을 막으려고 외벽을 설치했음.

3 우리나라에서 발생하는 자연재해

이외에도 황사, 폭염, 태풍, 한파, 지진 등의 자연재해가 발생하고 있어.

자연재해	뜻	피해를 줄이기 위한 노력
가뭄	오랫동안 비가 오지 않거나 적게 오는 기간이 계속되는 현상 ◀ 가뭄으로 메마른 논바닥	저수지, 댐 등을 만듦.
홍수	비가 많이 내려 하천이 흘러넘쳐 주변의 도로나 건물 등이 물에 잠기는 재해 ◀ 홍수로 잠긴 비닐하우스	댐이나 제방을 쌓거나 빗물을 가두어 놓는 시설을 설치함.
폭설	한꺼번에 눈이 많이 내리는 현상 ◀ 폭설로 교통이 마비된 도로	도로에 눈이 많이 쌓일 때를 대비해 제설 장비를 준비해 둠.

100%

자, 퀴즈!
겨울에 눈이 많이 내리는 울릉도의 전통 가옥에서는 무엇을 볼 수 있을까?

나도 그 정도는 안다고!
울릉도에서는 눈이 집으로 들어오는 것을 막으려고 **우데기**를 설치했잖아.

그런데 궁금한 게 있어.
왜 울릉도에는 눈이 많이 내릴까?

북서쪽에서 불어오는 찬 공기가 따뜻한 동해 바다를 지나면서 구름을 형성하는데, 그 구름이 울릉도 섬에 부딪혀 눈이 되어 내리는 거야.

1일 우리나라의 지형

1 다음 사진에 해당하는 지형이 잘못 연결된 것은 어느 것입니까? (　　　)

① 
▲ 섬

② 
▲ 평야

③ 
▲ 해안

④ 
▲ 하천

2 우리나라 지형의 특징으로 알맞은 것을 보기에서 모두 찾아 기호를 쓰시오.

보기
㉠ 국토의 약 70%가 산지입니다.
㉡ 대체로 동쪽이 높고 서쪽이 낮은 지형입니다.
㉢ 높고 험한 산은 대부분 남쪽과 서쪽에 많습니다.
㉣ 큰 하천은 대부분 서쪽에서 동쪽으로 흘러갑니다.

(　　　,　　　)

3 홍수 방지, 전기 생산 등을 위해 하천 상류에 건설한 오른쪽 시설은 무엇인지 쓰시오.

(　　　　　　)

2주

2일 우리나라의 기후

4 다음 ㉠에 들어갈 자연환경으로 알맞은 것은 어느 것입니까? (　　　　)

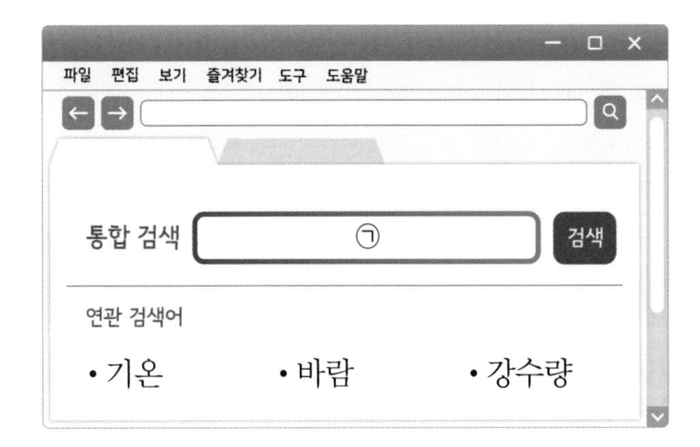

① 기후
② 지형
③ 교통
④ 산업
⑤ 인구

5 우리나라 기후의 특징으로 알맞은 것은 어느 것입니까? (　　　　)

① 중위도에 위치해 사계절이 나타난다.
② 계절에 따른 기온의 차이가 거의 없다.
③ 대체로 남쪽으로 갈수록 기온이 낮아져 더 춥다.
④ 겨울에는 남동쪽에서 덥고 습한 바람이 불어온다.
⑤ 여름에는 북서쪽에서 차갑고 건조한 바람이 불어온다.

6 동해안의 겨울 기온이 서해안보다 높은 까닭을 쓰시오.

____

____

3일 강수량

7 울릉도의 강수량 그래프를 찾아 기호를 쓰시오.

㉠
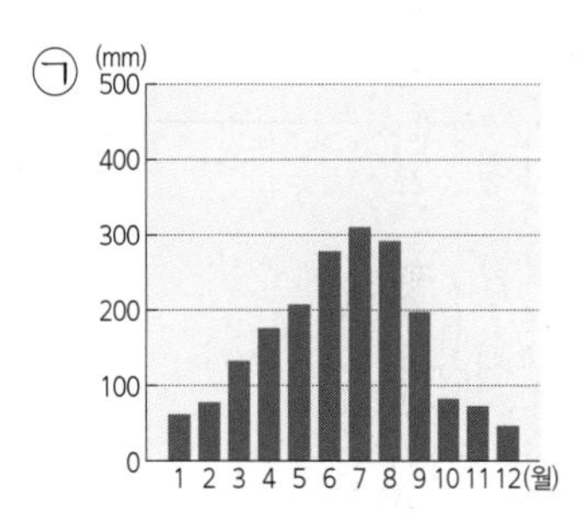

㉡
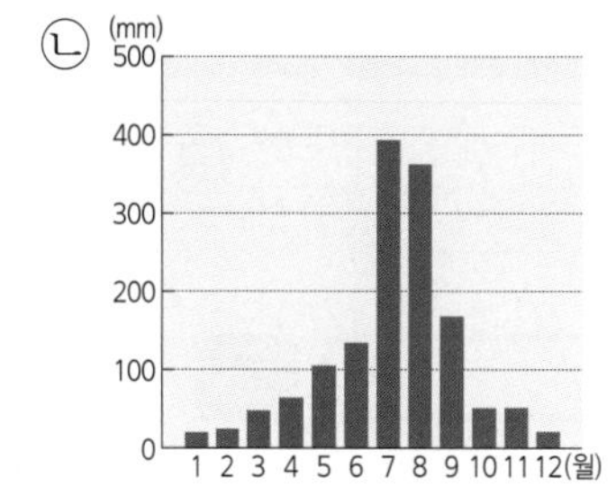

㉢
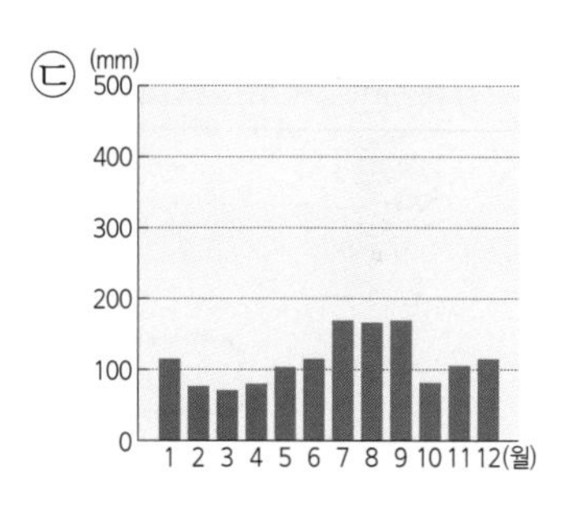

(　　　　　　　　)

8 우리나라 강수량의 특징으로 알맞은 것을 두 가지 고르시오. (　　　,　　　)

① 지역과 계절에 따른 강수량의 차이가 크다.
② 해안 지역보다 내륙 지역의 강수량이 더 많다.
③ 연평균 강수량의 절반 이상이 여름에 집중된다.
④ 대체로 북부 지방은 남부 지방보다 강수량이 많다.
⑤ 제주도, 남해안 지역 등은 연평균 강수량이 적은 편이다.

9 강수량에 따라 나타나는 생활 모습과 관련하여 다음 □ 안에 공통으로 들어갈 알맞은 말을 쓰시오.

겨울에 눈이 많이 내리는 울릉도에서는 눈이 집으로 들어오는 것을 막고 집 안에서 생활하기 편리하도록 □ 라는 외벽을 설치했습니다.

□의 외부와 내부 모습 ▶

(　　　　　　　　)

4일 자연재해

10 주로 겨울에 발생하는 자연재해끼리 알맞게 짝 지어진 것은 어느 것입니까? (　　　　)

① 가뭄, 홍수
② 태풍, 홍수
③ 폭염, 폭설
④ 폭설, 한파
⑤ 폭염, 황사

11 자연재해의 피해를 줄이기 위한 노력으로 알맞지 않은 것은 어느 것입니까? (　　　　)

① 가뭄 : 저수지와 댐을 만든다.
② 황사 : 외출할 때 마스크를 쓴다.
③ 폭염 : 제설 장비를 준비해 둔다.
④ 홍수 : 빗물을 가두어 놓는 시설을 설치한다.
⑤ 한파 : 외출할 때 장갑, 모자, 목도리 등을 착용한다.

12 다음 세 고개 퀴즈의 힌트를 보고, 정답을 쓰세요.

힌트

자연재해 중 하나예요.

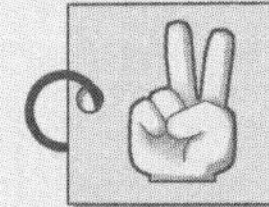
경주 불국사 다보탑과 관련 있어요.

땅이 지구 내부의 힘을 받아 흔들리고 갈라져요.

(　　　　　　　　)

맞은 개수 /10개

1 다음 ㉠과 ㉡은 어떤 지형인지 보기 에서 찾아 각각 쓰시오.

보기
- 산지
- 평야
- 하천
- 해안

㉠ (   ) ㉡ (   )

2 우리나라 지형의 특징으로 알맞지 않은 것은 어느 것입니까? (   )

① 국토의 약 70%가 산지이다.
② 동해안은 해안선이 복잡하다.
③ 비교적 낮은 평야는 서쪽에 발달했다.
④ 높고 험한 산은 대부분 북쪽과 동쪽에 많다.
⑤ 큰 하천은 대부분 동쪽에서 서쪽으로 흘러간다.

3 오랜 기간 한 지역에 나타나는 평균적인 대기 상태를 가리켜 무엇이라고 하는지 보기 에서 찾아 쓰시오.

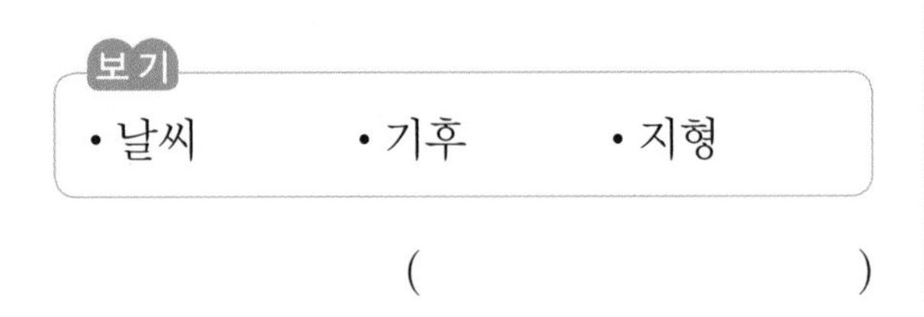
보기
- 날씨
- 기후
- 지형

(   )

4 여름에 불어오는 바람을 나타낸 그림을 찾아 기호를 쓰시오.

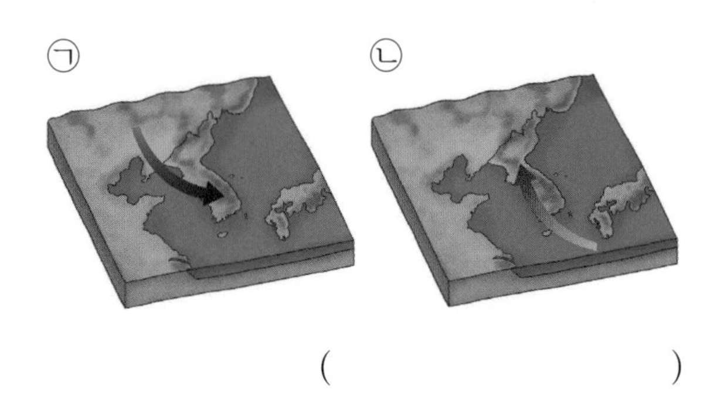

(   )

5 1월 평균 기온이 가장 높은 곳은 어디입니까? (   )

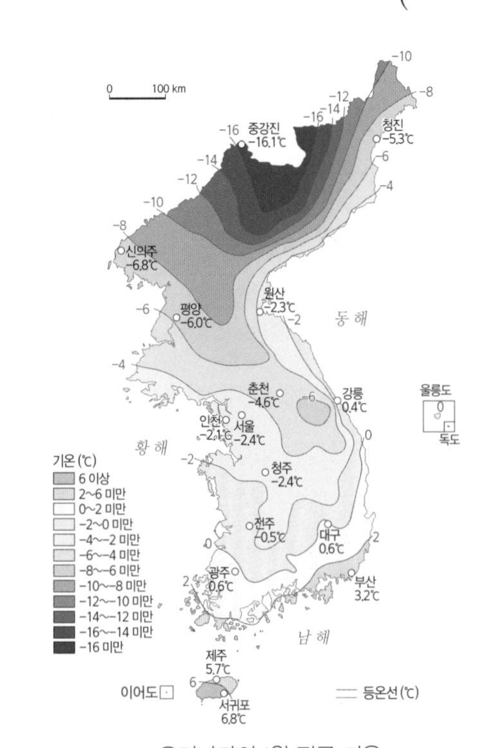

▲ 우리나라의 1월 평균 기온

① 강릉
② 평양
③ 부산
④ 중강진
⑤ 서귀포

6 다음 □ 안에 들어갈 계절과 관련 있는 모습은 어느 것입니까? (　　　)

> 우리나라는 계절에 따른 강수량의 차이가 커서 연평균 강수량의 절반 이상이 ☐에 집중됩니다.

① 
▲ 벚꽃 구경하기

② 
▲ 단풍 구경하기

③ 
▲ 썰매 타기

④ 
▲ 해수욕하기

7 황사 피해를 줄이기 위한 방법을 알맞게 말한 어린이는 누구입니까? (　　　)

① 아인 : 댐을 쌓아야 해.
② 현승 : 저수지를 만들어야 해.
③ 소율 : 외출할 때 마스크를 써야 해.
④ 하준 : 외출할 때 목도리를 둘러야 해.
⑤ 지민 : 해안가나 하천 주변 등 휩쓸릴 우려가 있는 곳에 가지 않아야 해.

8 가뭄에 대비하려고 만든 시설로 알맞은 것은 어느 것입니까? (　　　)

① 온돌　　② 우데기
③ 저수지　　④ 제설함
⑤ 터돋움집

9 다음은 어떤 자연재해에 대한 조사 보고서입니까? (　　　)

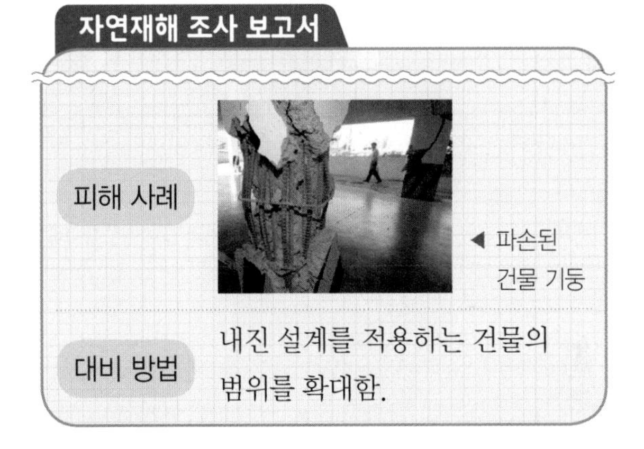

자연재해 조사 보고서
피해 사례
◀ 파손된 건물 기둥
대비 방법
내진 설계를 적용하는 건물의 범위를 확대함.

① 지진　　② 태풍
③ 폭염　　④ 폭설
⑤ 홍수

10 기상 특보는 어디에서 확인할 수 있는지 두 가지 고르시오. (　　,　　)

① 지구본　　② 백과사전
③ 『사회과 부도』　　④ 기상청 누리집
⑤ 긴급 재난 문자

2주 특강

창의·융합·코딩

생활 속 사회

자연재해 중 지진에 대해 살펴봅니다.

우리나라에서 발생하는 자연재해 - 지진

조금 전에 흔들림을 느꼈니? 주변 지역에서 지진이 발생했다고 하는구나.

아빠! 저도 흔들림을 느꼈어요. 그런데 지진이 발생한다는 특보를 본 적이 없는데, 지진은 특보로 예보하지 않는 건가요?

현재의 과학 기술로는 지진이 언제 발생할지 미리 알기 어려워서 지진을 특보로 예보하지 않아. 우리나라도 지진이 자주 발생하고 있는데, 지진에 대해 조사해 볼까?

네. 저는 지진이 발생했을 때 어떻게 행동해야 하는지 알아볼게요.

지진

지진의 규모

- 지진의 강도를 0~9까지 나타낸 수치입니다.
- 규모 5일 경우 건물 벽에 균열이 생기는 등의 피해가 발생합니다.

균열: 거북의 등에 있는 무늬처럼 갈라져 터짐.

지진 발생 시 행동 요령

탁자 아래로 들어가 몸을 보호합니다. 흔들림이 멈추면 전기와 가스를 차단하고 출구를 확보합니다.

손이나 가방으로 머리를 보호하고, 건물과 떨어진 넓은 공간으로 대피합니다.

모든 층의 버튼을 눌러 가장 먼저 열리는 층에서 내린 후 계단을 이용해 건물 밖으로 대피합니다.

○ 정답과 풀이 8쪽
빠른 정답 보기

2주

1 친구네 집에 찾아가는 길을 잃어버렸어요. 갈림길에서 ○× 퀴즈를 풀어 친구네 집에 가는 길을 찾아보세요.

창의·융합·코딩

2주 특강 사고 쑥쑥

우리나라 지형의 특징에 대해 살펴봅니다.

2 친구들이 우리나라의 지형에 대해 이야기하고 있어요.

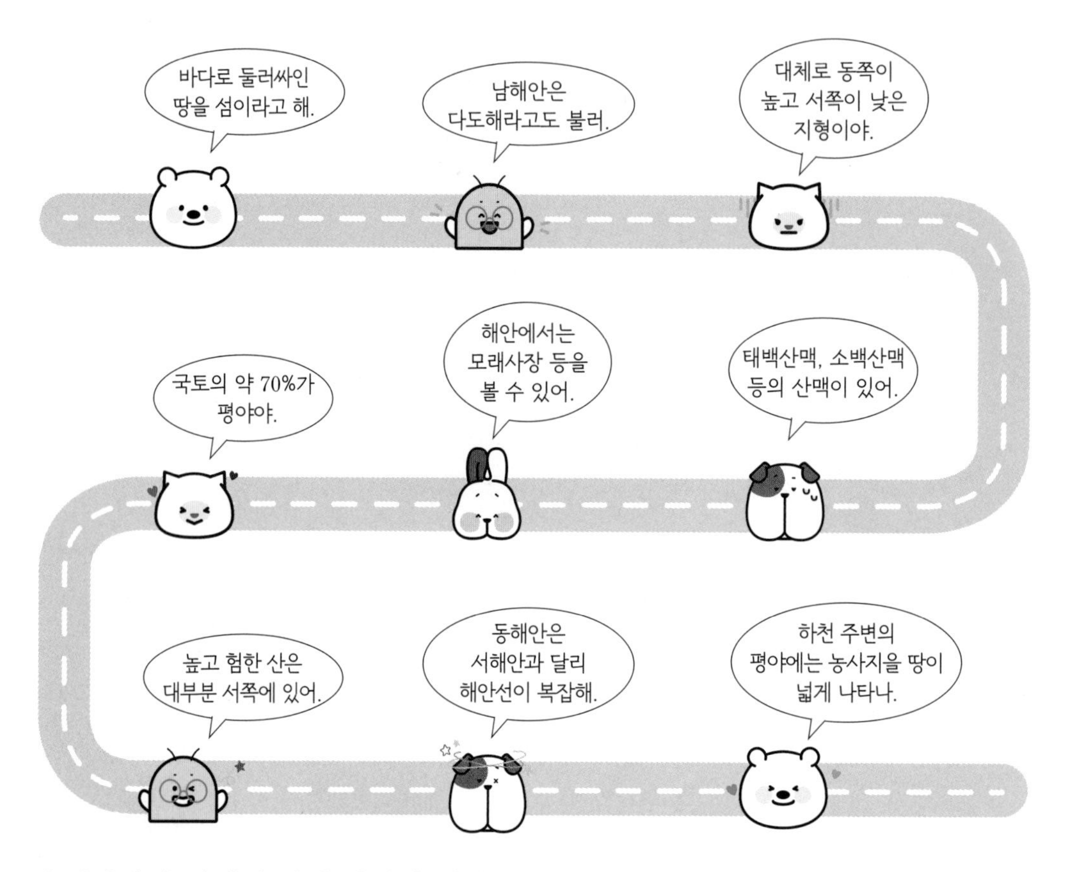

바다로 둘러싸인 땅을 섬이라고 해.
남해안은 다도해라고도 불러.
대체로 동쪽이 높고 서쪽이 낮은 지형이야.
국토의 약 70%가 평야야.
해안에서는 모래사장 등을 볼 수 있어.
태백산맥, 소백산맥 등의 산맥이 있어.
높고 험한 산은 대부분 서쪽에 있어.
동해안은 서해안과 달리 해안선이 복잡해.
하천 주변의 평야에는 농사지을 땅이 넓게 나타나.

(1) 우리나라의 지형에 대해 알맞게 이야기한 친구들을 다음 빙고 판에서 모두 찾아 ○표를 하세요.

(2) 위 (1)번의 빙고 판에서 완성된 빙고는 모두 몇 줄인지 쓰세요.

( )줄

3 이번 주에 공부한 내용을 기억하며, 다음 십자말풀이를 해 보세요.

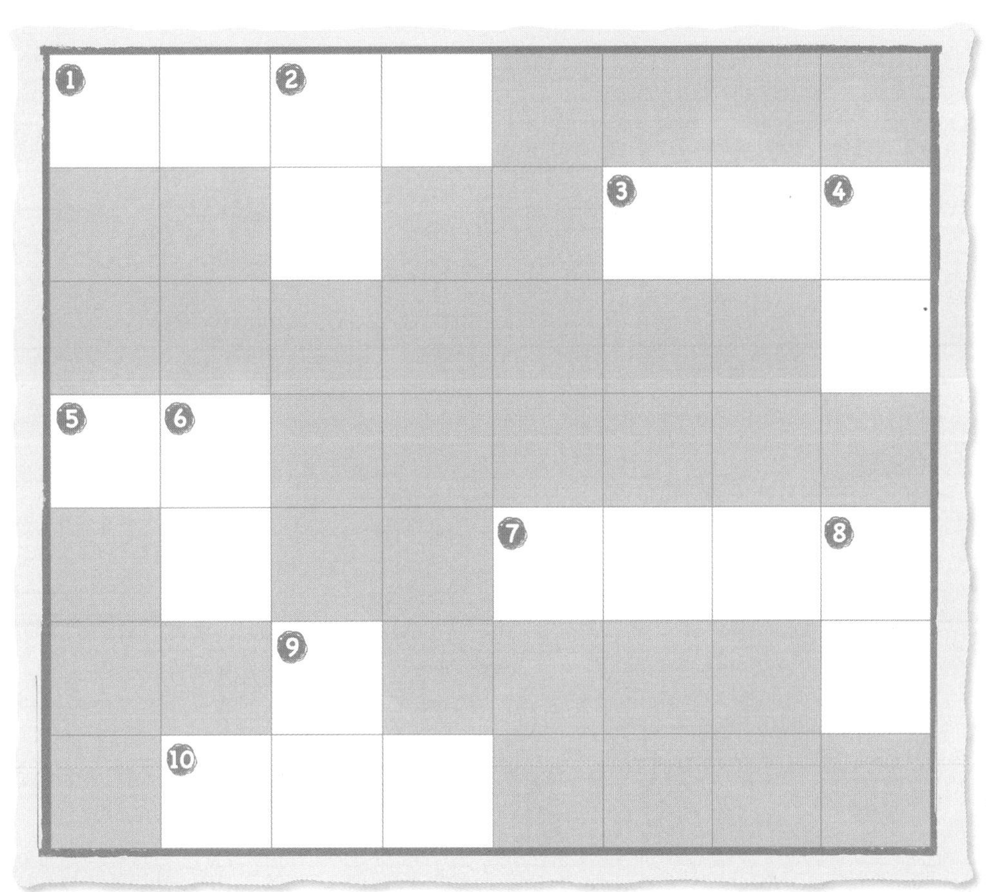

→ 가로

1. 동해안의 겨울 기온이 서해안보다 높은 까닭은 ○○○○이 차가운 북서풍을 막아 주기 때문입니다.
3. 울릉도에서 눈이 집으로 들어오는 것을 막으려고 설치한 외벽입니다.
5. 한꺼번에 눈이 많이 내리는 현상을 말합니다.
7. 피할 수 없는 자연 현상으로 일어나는 피해를 말합니다.
10. 가뭄에 대비하려고 ○○○를 만듭니다.

↓ 세로

2. 높이 솟은 산들이 모여 이룬 지형입니다.
4. 오랜 기간 한 지역에 나타나는 평균적인 대기 상태를 말합니다.
6. 눈이 많이 내리는 지역에서는 눈에 빠지거나 미끄러지지 않도록 ○○를 신기도 합니다.
8. 바다와 맞닿은 육지 부분을 말합니다.
9. 비가 많이 내려 하천이 흘러넘쳐 주변의 도로나 건물 등이 물에 잠기는 재해입니다.

논리 탄탄

기온에 따른 옛날 사람들의 생활 모습을 살펴봅니다.

4 암호 해독표를 보고, 다음 만화 속 암호를 풀어 보세요.

암호 해독표

①	②	③	④	⑤	⑥	⑦	⑧	⑨	⑩	⑪	⑫	⑬	⑭
ㄱ	ㄴ	ㄷ	ㄹ	ㅁ	ㅂ	ㅅ	ㅇ	ㅈ	ㅊ	ㅋ	ㅌ	ㅍ	ㅎ

☆	★	◇	◆	□	■	△	▲	▽	▼	♡	♥	♤	♠
ㅏ	ㅑ	ㅓ	ㅕ	ㅗ	ㅛ	ㅜ	ㅠ	ㅡ	ㅣ	ㅐ	ㅒ	ㅔ	ㅖ

해독한 암호

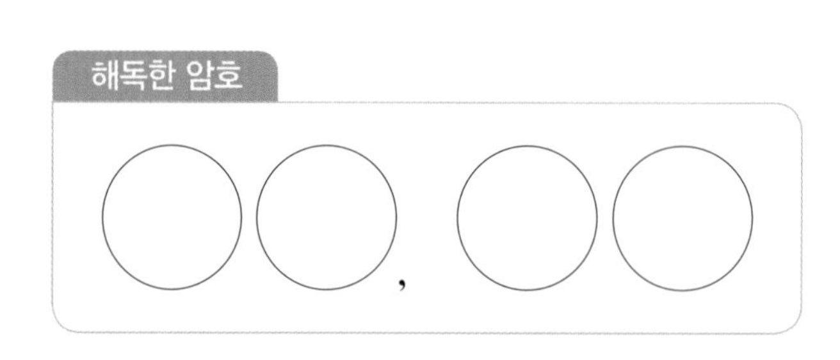

봄에 발생하는 자연재해와 그 피해를 줄이기 위한 노력을 살펴봅니다.

5 다음 만화를 보고, 물음에 답하세요.

(1) 위 ㉠에 들어갈 알맞은 말을 쓰세요.

( )

(2) 위 ㉠의 피해를 줄이기 위한 노력을 찾아 이동하려고 해요. 자신이 있는 위치에서 이동해야 할 방향을 알맞게 말한 사람은 누구인지 쓰세요.

( )

3주 인권과 법

이번 주에는 무엇을 공부할까? ❶

우리 주변에
인권 보장 사례들이 많네.
인권과 법에 대해서
좀 더 알아보고 싶어!

생활 속에서
서로의 차이를 존중해
주고 있어.

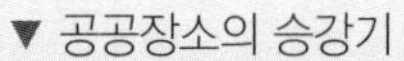

▼ 공공장소의 승강기

▼ 개인 정보를 보호하는 법

편의 시설 설치

개인의 권리 보장

인권 존중

정의로운 사회

법

사회 보장 제도 시행

사회 질서 유지

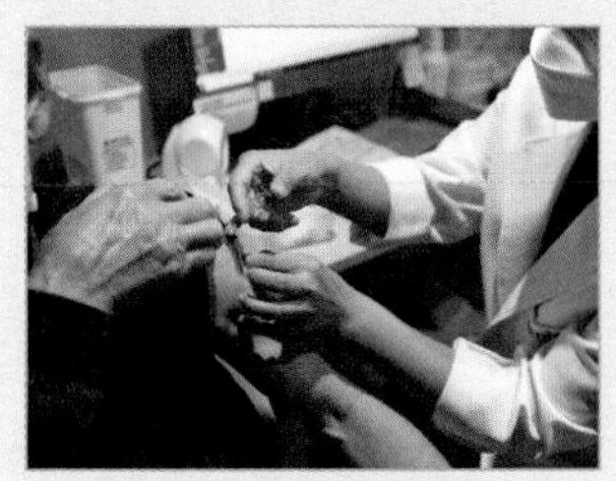

▲ 무료 예방 접종

법도 우리의
권리 보장과
관련이 있구나.

▲ 범죄 예방을 위해 순찰하는 경찰

우리 사회에서는 정의로운 사회를
만들기 위해 다양한 노력들을 하고 있어.
함께 공부해 보자!

핵심 용어

3주 이번 주에는 무엇을 공부할까? ❷

인권 존중

人 權 尊 重

사람 인 / 권리 권 / 높을 존 / 귀중할 중

우리는 하나!

뜻 **인간으로서 당연히 가지는 기본적 권리를 높여 귀중하게 대함.**

예 국가에서는 **인권 존중**을 위해 사회적 약자를 위한 다양한 시설을 마련했다.

격쟁

擊 錚

칠 격 / 쇳소리 쟁

뜻 **억울한 일을 당한 사람이 왕의 행차 때 징이나 꽹과리를 쳐서 억울함을 말하던 제도**

예 문자에 익숙지 못한 이들도 참여할 수 있었던 **격쟁**은 하층 세력인 평민과 천민이 선호했던 제도이다.

옛날에도
인권 신장을 위한
제도가 있었네.

상언

上 言

윗 상 / 글 언

저의 억울한
사연을 들어
주세요!

뜻 **백성이 임금에게 글을 올리던 일**

예 조선 시대에 일반 백성은 상소를 올려 억울함을 말하기 어려워서 **상언** 제도를 활용했다.

여기는 길의 색깔과
모양이 달라요!
시각 장애인의
안전을 위한
점자 블록이에요.
이게 다 인권 보장을
위해서래.

인권 보장과 관련된 다양한 용어가 있어.
그중에서 격쟁, 상언 같은 용어들은
꼭 기억해!

인권 교육

人 權
사람 인 권리 권
敎 育
가르칠 교 기를 육

뜻 **인간으로서 당연히 가지는 기본적 권리를 가르치며 인격을 길러 줌.**

예 인권 보장을 위해 학교에서는 학생들에게 **인권 교육**을 진행한다.

저작권

著 作 權
나타날 저 지을 작 권리 권

만든 사람의
저작권을 침해하는
행동이야.

뜻 **창작물을 만든 사람이 자신의 창작물에 대해 가지는 법적 권리**

예 작가가 자신의 작품에 대해 **저작권**을 행사하는 것은 당연한 권리이다.

법을 어겨
다른 사람에게
피해를 준다면
재판을 받아.

재판

裁 判
결정할 재 판결할 판

뜻 **구체적인 소송 사건을 해결하기 위해 법원 또는 법관이 판결을 내리는 일**

예 우리나라에서는 공정한 **재판**을 위해 한 사건에 대해 세 번까지 재판을 받을 수 있는 제도가 있다.

변호인

辯 護 人
말씀 변 도울 호 사람 인

뜻 **피고인을 대신해 권리를 주장하여 피고인이 억울한 부분이 없도록 노력하는 사람**

예 우리나라는 법률 지식이 부족한 피고인을 위해 재판에서 보조자로서 **변호인**의 선임을 인정하고 있다.

1일 인권과 인권 신장

우리에게도 인권이 있어!

용어 체크

인권

인간으로서 당연히 가지는 기본적 권리

예 어린이의 ❶ ______ 을 보호하기 위해 세계 여러 나라가 모여 '유엔 아동 권리 협약'을 만들었다.

인권 신장

인권을 존중하는 의식이 점차 확대되고 성장하는 것

예 허균은 『홍길동전』을 지어 당시의 신분 제도를 비판하며 ❷ ______ 을 위해 노력했다.

정답 ❶ 인권 ❷ 인권 신장

옛날 사람들처럼 신문고를 울려 볼까?

용어 체크

신문고 제도

조선 태종 때 백성들의 억울한 일을 풀어 줄 목적으로 궁궐 앞에 북을 매달아 두고 치게 한 제도

예 조선 시대에 ❶ [   ] 를 이용하기 위해서는 아주 까다로운 절차를 거쳐야 했다.

정답 ❶ 신문고 제도

1일 개념 익히기

1 우리 주변에서는 어떻게 인권을 지키고 있을까?

인권은 사람이기
때문에 당연히 누리는
권리라서 다른 사람이
절대 빼앗을 수 없어!

건물 가까이에 있는
장애인 전용 주차 구역

키가 작은 어린이를 위한
낮은 세면대

장애인 전용 주차 구역이나 ❶(낮은 / 높은) 세면대를 설치하는 등 생활 속에서 서로의 차이를 존중하고 있습니다.

『홍길동전』을 지어
신분 차별을 비판했던
허균도 있어!

2 인권 신장을 위해 노력했던 사람들에는 누가 있을까?

방정환

어린이를 미래를 이끌어 갈 주인공으로 생각해서 어린이날을 만듦.

마틴 루서 킹

백인에게 차별받는 흑인의 인권을 신장하고자 노력함.

테레사 수녀

가난하고 아픈 사람들을 위해 평생을 바침.

허균, 방정환, 테레사 수녀 등은 소외되고 차별받는 사람들의 인권 신장을 위해 노력했습니다.

개념 동영상

3 옛날에는 억울한 일을 당하면 어떻게 해결했을까?

격쟁

억울한 일을 당한 사람이 임금의 행차 때 징이나 꽹과리를 쳐서 임금에게 억울함을 호소할 수 있었음.

상언 제도

신분과 관계없이 억울한 일을 문서에 써서 임금에게 호소할 수 있었음.

삼복제

- 사형과 같은 무거운 형벌을 내릴 때는 신분과 관계없이 세 번의 재판을 거치도록 함.
- 백성들이 억울하게 벌을 받는 일이 없도록 세밀하게 조사하고 신중하게 결정했음.

▲ 1차 재판

삼복제는 오늘날 **삼심제**로 이어지고 있어.

◀ 2차 재판

▲ 3차 재판

옛날에는 격쟁, 상언 제도, ❷(삼복제 / 삼심제) 등의 제도를 통해 억울한 일을 해결했습니다.

정답 ❶ 낮은 ❷ 삼복제

개념 체크

정답과 풀이 9쪽

1 인권이란 □□이기 때문에 당연히 누려야 하는 권리를 말합니다.

2 방정환은 □□□을/를 미래를 이끌어 갈 주인공으로 생각했습니다.

3 옛날 사람들은 신분에 관계없이 격쟁이나 상언 제도를 통해 □□□을 말할 수 있었습니다.

보기
- 사람
- 학생
- 부모님
- 어린이
- 행복함
- 억울함

3주

1일

개념 확인하기

정답과 풀이 9쪽

1 인권에 대한 설명으로 알맞은 것은 어느 것입니까? (　　　　)

① 일부 사람들만 누릴 수 있다.

② 어리다는 이유로 침해당할 수 있다.

③ 인간으로서 당연히 누릴 수 있는 권리이다.

④ 힘이 없으면 다른 사람에게 빼앗길 수 있다.

⑤ 어른이 되면서부터 모두에게 주어지는 평등한 권리이다.

2 키가 작은 어린이를 위해 설치한 것을 찾아 기호를 쓰시오.

㉠ 

▲ 공공장소의 승강기

㉡ 

▲ 낮은 세면대

(　　　　　　　　)

3 마틴 루서 킹이 한 일로 알맞은 것은 어느 것입니까? (　　　　)

① 『홍길동전』을 지었다.

② 빈민가에서 가난한 사람들을 돌보았다.

③ 신분으로 차별받는 사회 제도를 비판했다.

④ 백인에게 차별받는 흑인의 인권을 신장하고자 노력했다.

⑤ 모든 어린이가 행복하게 자라기를 바라며 어린이날을 만들었다.

4 다음에서 설명하는 옛날의 인권 신장을 위한 제도를 쓰시오.

억울한 일을 당한 사람이 임금의 행차 때 징이나 꽹과리를 쳐서 임금에게 억울함을 호소했던 제도입니다.

( )

5 삼복제에 대해 바르게 말한 어린이는 누구입니까? ( )

① 대경 : 백성들은 대궐 밖에 설치된 북을 이용했어.
② 보미 : 오늘날 비슷하게 이어져 내려오는 제도가 있어.
③ 도윤 : 신분이 낮은 사람한테는 전혀 해당되지 않았어.
④ 진주 : 억울한 일을 알리려고 임금에게 글을 올렸던 제도야.
⑤ 예주 : 억울한 일을 당하는 사람들이 없도록 재판을 한 번 했어.

똑똑한 하루 퀴즈

6 다음 힌트를 보고 '나'는 누구인지 쓰세요.

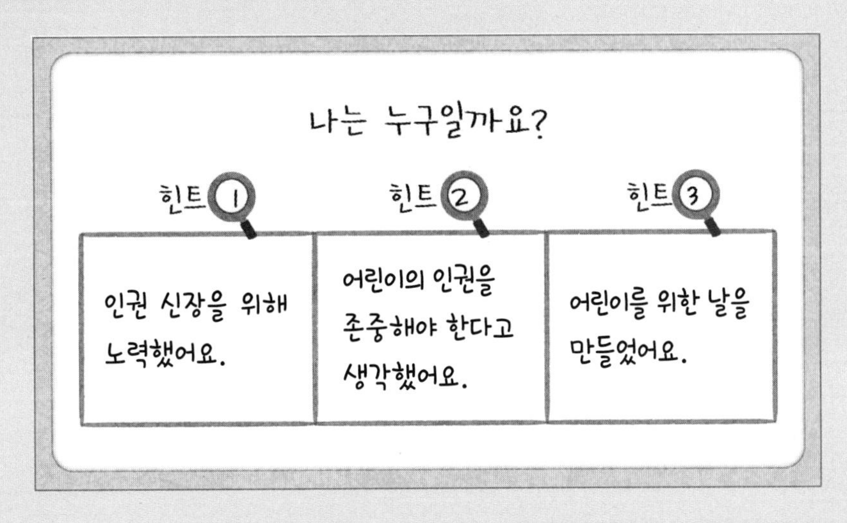

나는 누구일까요?
힌트 1
인권 신장을 위해 노력했어요.
힌트 2
어린이의 인권을 존중해야 한다고 생각했어요.
힌트 3
어린이를 위한 날을 만들었어요.

( )

2일 인권 침해와 인권 보장

지금 그 행동! 인권 침해예요.

용어 체크

편견
공정하지 못하고 한쪽으로 치우친 생각
예 어린이들은 ❶ [ ] 없는 문화 속에서 자라나야 한다.

침해
침범하여 해를 끼침.
예 개인의 자유를 ❷ [ ] 해서는 안 된다.

정답 ❶ 편견 ❷ 침해

우린 행복하게 살고 싶어요!

아이고!!! 왔구나!

정말 반갑다. 민서야! 우리가 얼마나 친한 사이인지 경찰 아저씨들께 말해 줘~
전 현수인데요?
친하다면서 이름도 모르네.
이 사람들을 확실히 아는 거 맞지?
하하
네. 관광하러 오신 분들인데 저희 집에서 머물다 가셨어요.

보셨죠? 우리는 관광객인데 마치 불법으로 여기 온 사람처럼 대하셔서 매우 불쾌했어요.
쾅
맞아! 억울해요!

저희의 행복한 삶을 위해서는 인권 보장이 필요해요. 그런 의미에서 음식을 제공해 주시는 건 어때요?
참고로 난 짜장면이 먹고 싶어!
탕수육!
스윽
체하겠어요. 천천히 드세요.
배고파서 그런 거 절대 아니에요!
후루룩
쩝
쩝
맞아요! 워낙 성격이 급해서 그래요.

용어 체크

인권 보장

인간이 인간답게 살아갈 수 있도록 인간의 기초적이고 기본적인 권리를 보증·보호하는 것

예 사회에서는 사람들의 ❶ [ ] 을 위해 다양한 노력을 하고 있다.

▲ 거동이 불편한 사람들을 위한 공공장소의 승강기

정답 ❶ 인권 보장

2일 개념 익히기

1 상대방의 인권을 존중하지 않는 사례에는 무엇이 있을까?

친구의 수첩이니까 봐도 되겠지?

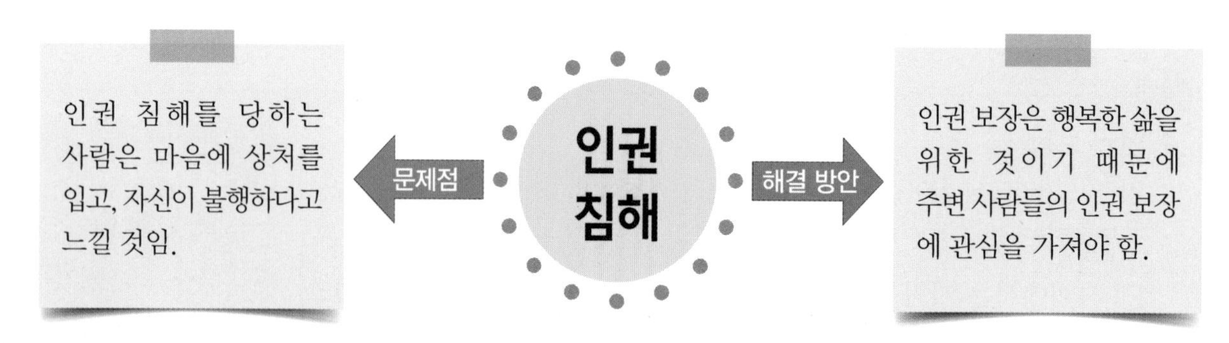

내가 쓴 줄 모르겠지?
사이버 폭력(학교 폭력)
내가 저 아이 몸무게 알려 줄까?
개인 정보 유출
넌 남자라서 안 돼!

인권 침해
문제점
인권 침해를 당하는 사람은 마음에 상처를 입고, 자신이 불행하다고 느낄 것임.
해결 방안
인권 보장은 행복한 삶을 위한 것이기 때문에 주변 사람들의 인권 보장에 관심을 가져야 함.

인권이 침해되는 사례에는 ❶(편식 / 편견)이나 차별, 사생활 침해 등이 있습니다.

2 우리 사회는 인권을 보장하기 위해 어떤 노력을 하고 있을까?

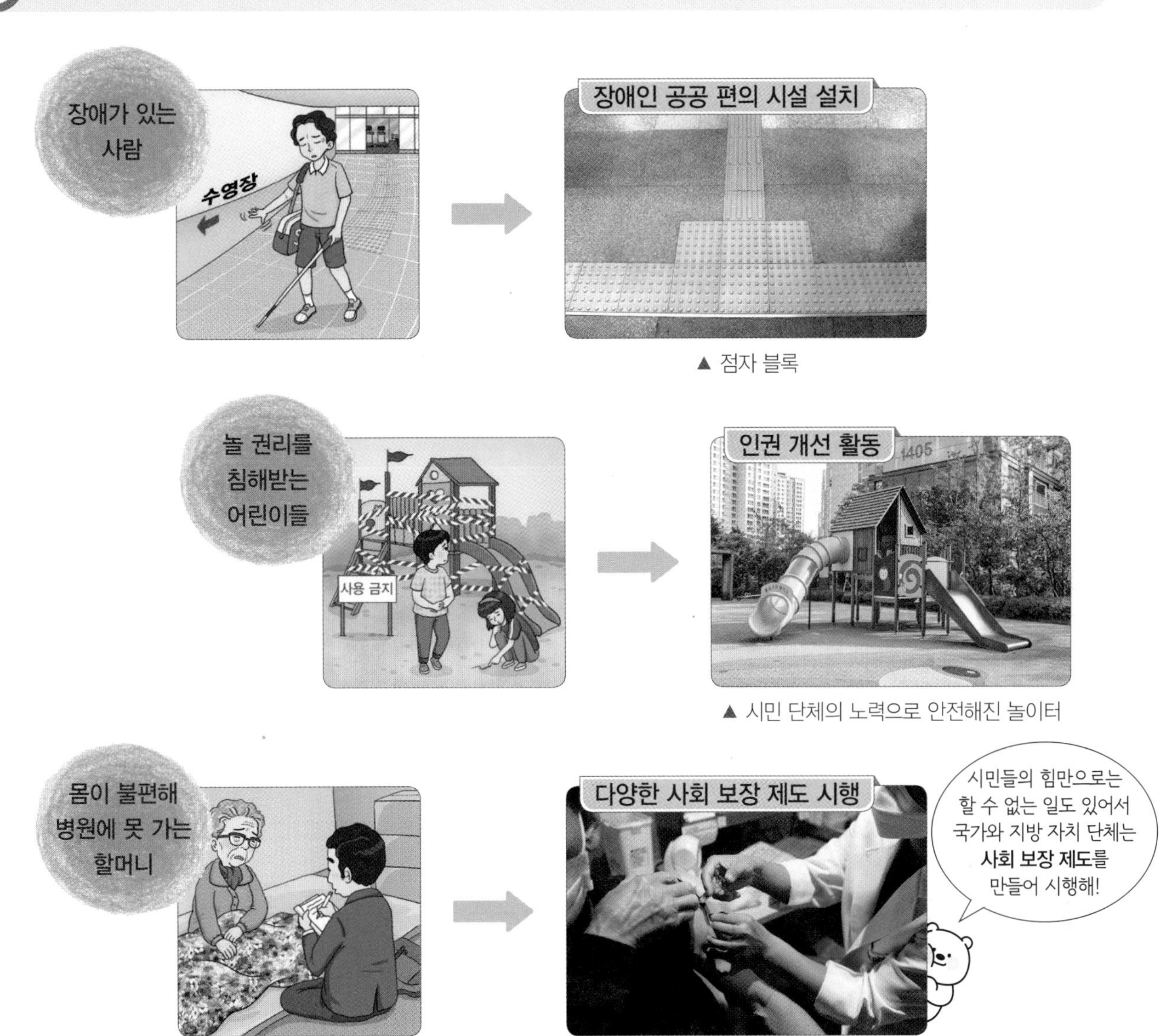

▲ 점자 블록

▲ 시민 단체의 노력으로 안전해진 놀이터

▲ 노인 무료 예방 접종

☑ 사회 구성원들은 인권 ❷(보장 / 무시)을/를 위해 편의 시설 설치, 사회 보장 제도 시행 등의 노력을 합니다.

정답 ❶ 편견 ❷ 보장

개념 체크

정답과 풀이 9쪽

1 친구의 누리 사랑방에 나쁜 댓글을 다는 것은 □□□ 폭력입니다.

2 점자 블록은 □□ 장애인의 안전을 위해 설치한 시설입니다.

3 사회 보장 제도는 국민의 안정된 삶을 위해 □□에서 시행하는 제도입니다.

보기
- 사이버
- 사생활
- 시각
- 청각
- 회사
- 국가

2일 개념 확인하기

빠른 정답 보기

정답과 풀이 9쪽

1 다른 사람의 사생활을 침해하고 있는 모습을 찾아 기호를 쓰시오.

㉠

친구의
수첩이니까 봐도
되겠지?

㉡

넌 남자라서
안 돼!

(   )

2 인권 침해의 사례로 알맞은 것은 어느 것입니까? (   )

① 다문화 가정의 친구와 점심을 같이 먹었다.
② 친구의 허락을 맡고 친구의 수첩을 구경했다.
③ 남녀 구분 없이 쉬는 시간에 함께 공기놀이를 했다.
④ 친구의 허락 없이 친구의 몸무게를 보고 소문을 냈다.
⑤ 친구가 올린 누리 사랑방 속 게시물에 칭찬의 댓글을 남겼다.

3 다음 시설을 설치한 이유로 알맞은 것은 어느 것입니까? (   )

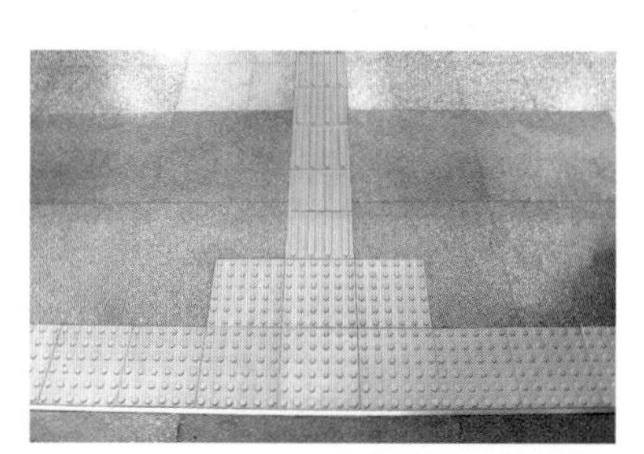
▲ 점자 블록

① 환경 보호를 위해서
② 키가 작은 어린이를 위해서
③ 시각 장애인의 안전을 위해서
④ 임산부의 인권을 보장하기 위해서
⑤ 몸이 아픈 노인들이 이동하는 것을 돕기 위해서

4 인권 보장을 위한 노력과 관련하여 다음 □ 안에 들어갈 알맞은 말을 쓰시오.

> 국가와 □는 국민이 빈곤, 질병, 생활 불안 등에서 벗어나 안정적으로 살 수 있도록 사회 보장 제도를 만들어 시행합니다.

( )

5 다음 사례를 해결하기 위한 가장 알맞은 방법은 어느 것입니까? ( )

> 시골에 사시는 수지네 할머니는 다리가 불편해 시내에 있는 병원에 가기 힘들어서 어려움을 겪고 계십니다.

① 점자 블록을 설치한다.
② 지하철역에 계단을 설치한다.
③ 다문화 이해 교육을 실시한다.
④ 대중교통 안 임산부 배려석을 늘린다.
⑤ 국가에서 몸이 불편한 사람들이 쉽게 이용할 수 있는 교통수단을 마련한다.

똑똑한 하루 퀴즈

6 다음 그림과 같이 뒤죽박죽 섞인 카드에는 우리 사회가 인권을 보장하기 위해 하는 노력이 숨어 있어요. □ 안에 들어갈 말을 카드 상자에서 찾아 완성해 보세요.

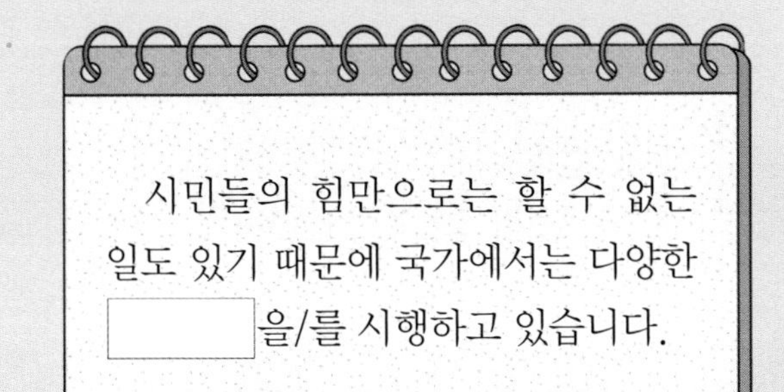

시민들의 힘만으로는 할 수 없는 일도 있기 때문에 국가에서는 다양한 □을/를 시행하고 있습니다.

사 육 도 회 장
보 교 권 제 인

( )

3일 법과 도덕

다시는 법을 어기지 않을게요!

다음에 또 이러시면 안 돼요.
국가가 만든 ⦿ 법을 어기면
제재를 받을 수밖에 없거든요.

걱정하지 마십시오!
전 법과 ⦿ 도덕을 모두 잘 지키는
완벽한 사람입니다. 하하하~

민서는 다시
집으로 가니?

아니요.
서울 큰아버지 댁에서
며칠 놀다 가기로
했어요.

그리고
현수랑요!

그럼 우리랑 같이
다닐 수 있겠네?

그럼요.

이제 자동차만 있으면
빠르게 보물을 찾아….

하
하

용어 체크

⦿ 법

국가가 만든 강제성이 있는 규칙

예 법원에서는 [❶] 에 따라 심판을 한다.

법을 대표하는 정의의 여신상 ▶

⦿ 도덕

사회의 구성원들이 양심 등에 비추어 스스로 마땅히 지켜야 할 모든 규범

예 친구에게 거짓말을 하는 것은 [❷] 적으로 옳지 않다.

정답 ❶ 법 ❷ 도덕

노래에 대한 권리도 있어?

용어 체크

저작권

음악, 영화, 출판물 등을 만든 사람이 창작물에 행사하는 권리

예 우리나라에서는 아직  ❶ [ ] 에 대한 인식이 많이 부족하다.

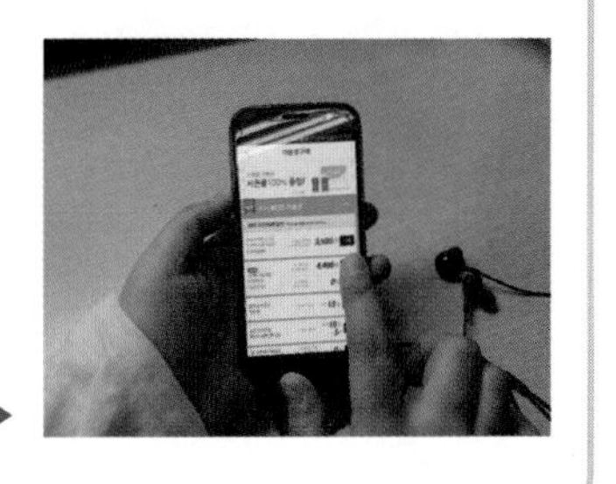
저작권을 지키기 위한 노력 ▶

정답 ❶ 저작권

3일 개념 익히기

1 법과 도덕은 어떻게 다를까?

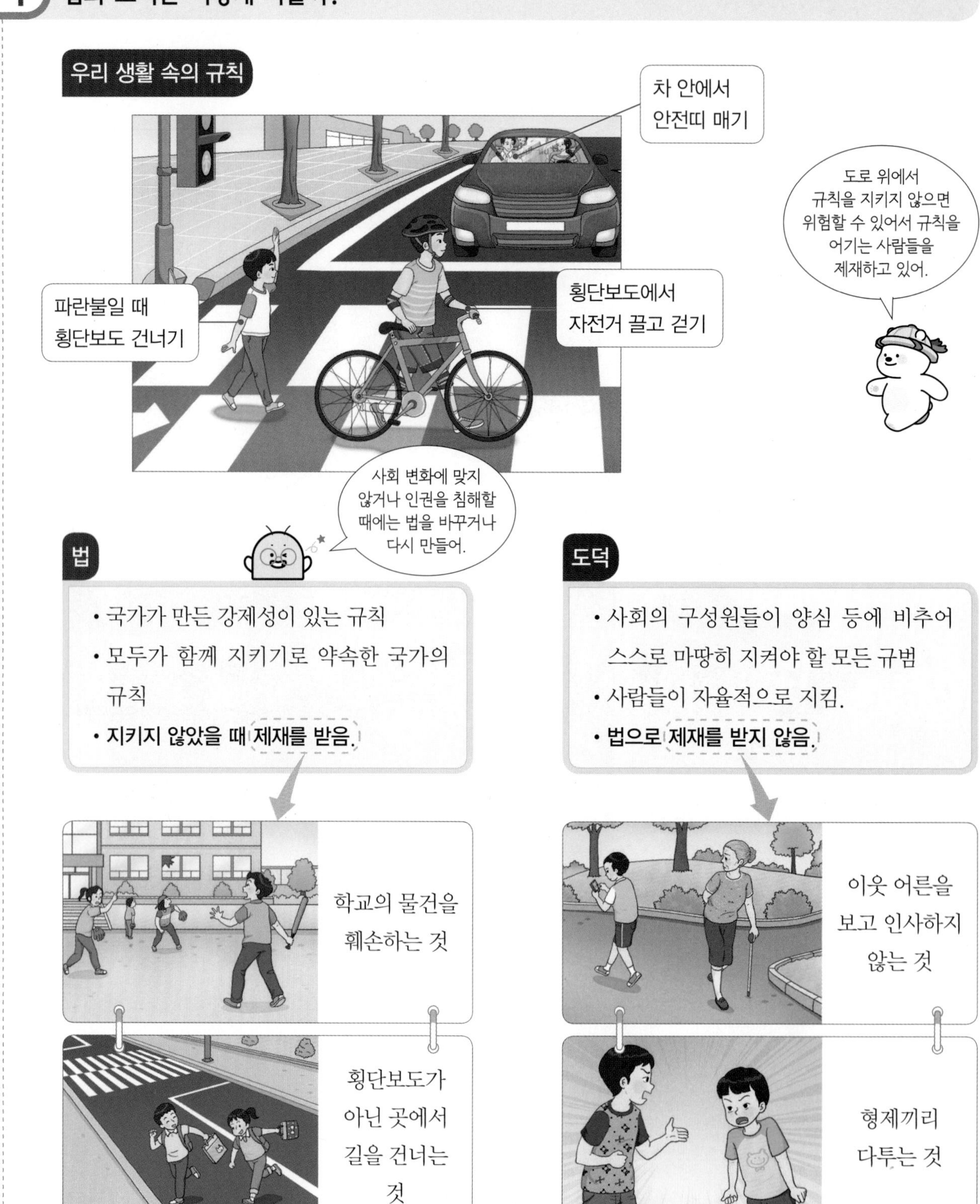

우리 생활 속의 규칙
차 안에서 안전띠 매기
도로 위에서 규칙을 지키지 않으면 위험할 수 있어서 규칙을 어기는 사람들을 제재하고 있어.
파란불일 때 횡단보도 건너기
횡단보도에서 자전거 끌고 걷기
사회 변화에 맞지 않거나 인권을 침해할 때에는 법을 바꾸거나 다시 만들어.
법
• 국가가 만든 강제성이 있는 규칙
• 모두가 함께 지키기로 약속한 국가의 규칙
• 지키지 않았을 때 제재를 받음.
도덕
• 사회의 구성원들이 양심 등에 비추어 스스로 마땅히 지켜야 할 모든 규범
• 사람들이 자율적으로 지킴.
• 법으로 제재를 받지 않음.
학교의 물건을 훼손하는 것
횡단보도가 아닌 곳에서 길을 건너는 것
이웃 어른을 보고 인사하지 않는 것
형제끼리 다투는 것

도덕은 자율적으로 지키는 것이지만 ❶(법 / 예절)은 누구나 무조건 지켜야 하는 강제성을 가집니다.

2 우리 생활 속에서는 어떤 법들이 적용되고 있을까?

「식품 위생법」

식품 영양의 질을 높여 국민의 건강 증진을 목적으로 하는 법

「어린이 식생활 안전 관리 특별법」

GREEN FOOD ZONE
여기부터는 어린이 식품안전보호구역입니다.
금천구
금연·금주구역
SMOKE·DRINK FREE ZONE

학교와 학교 주변에서 어린이의 건강을 해치는 식품의 판매를 금지하는 법

아이가 태어나면 출생 신고를 하는 것, 일정한 나이가 되면 학교에 입학하는 것 등 많은 일들이 법에 따라 이루어져!

「장애인 차별 금지법」

소수자의 인권을 보호하기 위한 법이야.

장애인들이 차별받지 않고 일할 수 있도록 하는 법

「저작권법」

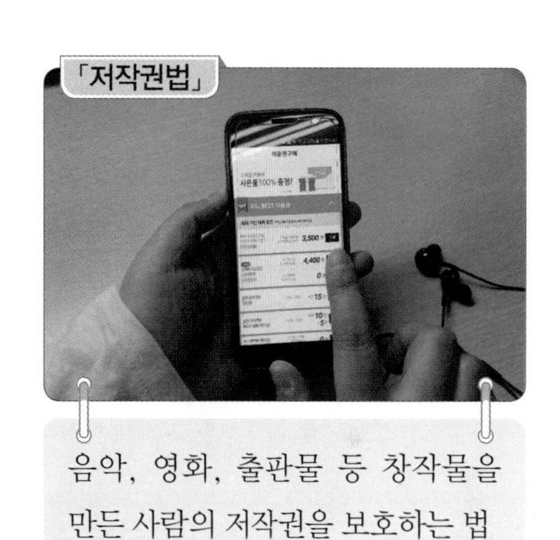

음악, 영화, 출판물 등 창작물을 만든 사람의 저작권을 보호하는 법

「식품 ❷(차별 / 위생)법」, 「저작권법」 등 다양한 법이 우리 일상생활 곳곳에서 적용되고 있습니다.

정답 ❶ 법 ❷ 위생

개념 체크

정답과 풀이 10쪽

1 법은 국가가 만든 ☐☐☐이 있는 규칙입니다.

2 「식품 위생법」은 국민의 ☐☐ 증진을 목적으로 합니다.

3 음악, 출판물 등을 만든 사람이 창작물에 행사하는 권리를 ☐☐☐이라고 합니다.

보기
- 강제성
- 자율성
- 평화
- 건강
- 초상권
- 저작권

○ 정답과 풀이 10쪽

1 다음에서 설명하는 말은 무엇인지 쓰시오.

> 사회의 구성원들이 양심 등에 비추어 스스로 마땅히 지켜야 할 모든 규범

( )

2 법으로 제재를 받지 않는 상황을 두 가지 고르시오. (,)

① 
▲ 학교의 물건을 훼손하는 것

② 
▲ 횡단보도가 아닌 곳에서 길을 건너는 것

③ 
▲ 이웃 어른을 보고 인사하지 않는 것

④ 
▲ 형제끼리 다투는 것

3 다음 사진과 관련 있는 법을 보기 에서 찾아 기호를 쓰시오.

보기
㉠ 「식품 위생법」
㉡ 「장애인 차별 금지법」

( )

4 「장애인 차별 금지법」에 대한 설명으로 알맞은 것은 어느 것입니까? (　　　　)

① 국민의 건강 증진을 목적으로 한다.
② 어린이 놀이 시설을 안전하게 관리하는 법이다.
③ 창작물을 만든 사람의 저작권을 보호하는 법이다.
④ 많은 사람이 모여서 함께 밥을 먹는 곳들에 적용된다.
⑤ 장애인들이 차별받지 않고 일할 수 있도록 하는 법이다.

집중 연습 문제 법

5 법에 대한 설명으로 알맞은 것을 보기에서 찾아 기호를 쓰시오.

보기
㉠ 국가가 만든 강제성이 있는 규칙입니다.
㉡ 사람들이 자율적으로 지키는 규칙입니다.
㉢ 사람이기 때문에 당연히 누리는 권리입니다.

(　　　　　　　　　　)

6 다음 그림과 같이 법이 새로 생기거나 바뀌는 까닭으로 알맞은 것은 어느 것입니까? (　　　　)

어린이 통학 버스
어린이 교통사고를 줄이고자 2014년부터 어린이 통학 버스의 뒤쪽에 카메라를 반드시 설치하도록 법으로 정했어요.

① 재판할 때 판결을 쉽게 하기 위해서
② 법이 사회 변화에 맞지 않기 때문에
③ 사람들은 새로운 법을 좋아하기 때문에
④ 법을 지키지 않는 사람들이 많기 때문에
⑤ 법을 주기적으로 바꿔야 한다고 정해져 있기 때문에

㉠~㉢은 우리가 배웠던 것들 중 무엇에 대한 설명일까?
• ㉠ ➔
• ㉡ ➔
• ㉢ ➔
법이 인권을 침해하는 경우에도 바뀌거나 다시 만들어져.

4일 법의 역할과 준수

경찰이랑 법이랑 무슨 관련이 있지?

용어 체크

사회 질서

사회를 구성하는 여러 요소와 집단이 조화롭게 균형을 이룬 상태

예 경찰은 ❶ (　　　　) 를 유지하기 위해 도로에서 규칙을 어기는 사람들을 단속한다.

교통 신호를 위반한 사람을 제재하는 경찰 ▶

정답 ❶ 사회 질서

법을 어기면 그다음에는?

용어 체크

범죄

법규를 어기고 저지른 잘못

예 우리는 ❶ ______ 발생률을 줄이기 위한 대책을 마련해야 한다.

처벌

형벌에 처함. 또는 그 벌

예 법을 지키지 않아 다른 사람들의 권리를 침해하는 사람은 ❷ ______ 을 받아야 한다.

정답 ❶ 범죄 ❷ 처벌

4일 개념 익히기

1 법을 지켜야 하는 까닭은 무엇일까? 예 누리집 영화 불법 유포 사건

관련 신문 기사

정당하게 돈을 벌 기회를 잃어버리고 권리를 제대로 존중받지 못할 것임.

(유포: 널리 퍼뜨림.)

최신 영화를 불법으로 유포한 20대, 처벌 위기

○○ 영화 제작사는 지난 17일 인터넷에 최신 개봉 영화를 불법으로 올린 □□□ 씨(26)를 고소했다. ◇◇ 경찰서 사이버 수사 팀은 □□□ 씨가 누리집에 게시되어 있는 영화를 내려받은 후 이를 다른 누리집에 다시 올리는 방법으로 저작권을 침해했다고 밝혔다. 경찰은 □□□ 씨를 「저작권법」 위반 혐의로 조사 중이다.

법을 어기는 행동
- 다른 사람에게 피해를 줌.
- 다른 사람의 권리를 침해함.

➡ 재판을 통해 타인에게 피해를 준 사람의 권리를 제한하기도 함.

모의 재판

☑ 나와 다른 사람의 권리를 지키고 사회 질서를 유지하기 위해 법을 ❶(준수 / 무시)해야 합니다.

▶ 개념 동영상

2 법은 우리 사회에서 어떤 역할을 할까?

개인의 생명 · 재산 보호

개인 정보 보호

어린이 보호 구역 지정

범죄 예방

☑ 법은 **개인의 권리를 ❷(보장 / 침해)하고 사회 질서를 유지해** 줍니다.

정답 ❶ 준수 ❷ 보장

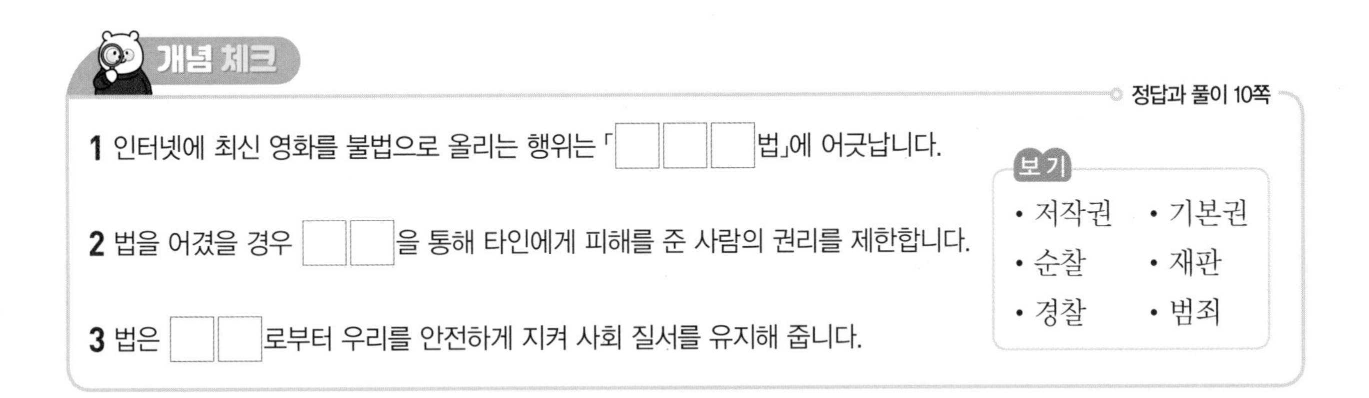

개념 체크

정답과 풀이 10쪽

1 인터넷에 최신 영화를 불법으로 올리는 행위는 「□□□법」에 어긋납니다.

2 법을 어겼을 경우 □□을 통해 타인에게 피해를 준 사람의 권리를 제한합니다.

3 법은 □□로부터 우리를 안전하게 지켜 사회 질서를 유지해 줍니다.

보기
- 저작권
- 기본권
- 순찰
- 재판
- 경찰
- 범죄

4일 개념 확인하기

정답과 풀이 10쪽 빠른 정답 보기

1 법을 어기고 있는 어린이는 누구입니까? (　　　　)

① 최신 개봉 영화를 누리집에 유포한 완익
② 횡단보도에서 파란불을 보고 길을 건넌 희나
③ 이웃집 할머니를 보고 고개 숙여 인사한 희성
④ 길가에 있는 쓰레기를 주워 쓰레기통에 버린 애신
⑤ 다른 사람이 잃어버린 지갑을 경찰서에 가져다준 유진

2 다음 퀴즈의 정답을 알맞게 적은 어린이를 쓰시오.

'법을 지켜야 하는 까닭' ○× 퀴즈
(1) 사회 질서를 유지하기 위해서입니다.
(2) 나의 권리만 보장받기 위해서입니다.

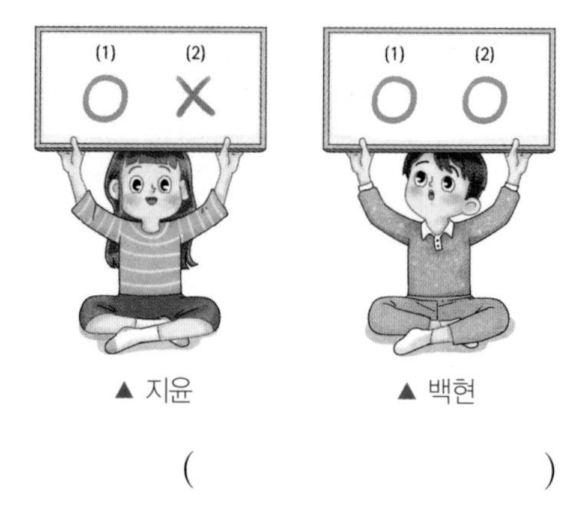

▲ 지윤　▲ 백현

(　　　　　　　　)

3 다음과 같은 사례와 관련 있는 법의 역할은 어느 것입니까? (　　　　)

병원에서는 불필요하게 개인의 주민 등록 번호를 수집할 수 없습니다.

① 개인 정보를 보호해 준다.
② 다른 사람의 권리를 침해한다.
③ 환경 파괴와 오염을 예방해 준다.
④ 교통사고를 예방할 수 있게 해 준다.
⑤ 개인 간에 발생한 분쟁을 해결해 준다.

4 재판에 참여하지 않는 사람은 누구인지 보기에서 찾아 쓰시오.

보기
- 판사
- 경찰
- 피고인
- 변호인

( )

집중 연습 문제 **법의 역할**

5 다음 그림과 관련된 법의 역할을 보기에서 찾아 기호를 쓰시오.

▲ 어린이 보호 구역 지정

보기
㉠ 개인의 권리를 보장합니다.
㉡ 사회의 질서를 유지합니다.

( )

아래 그림들은 법의 어떤 역할과 관련되어 있는지 5번 보기에서 찾아 기호를 써 볼까?

▲ 개인의 생명 보호

▲ 개인 정보 보호

• 법의 역할 ➔ ◯

6 위 5번 그림과 같이 법으로 '어린이 보호 구역'을 지정한 까닭은 어느 것입니까? ( )

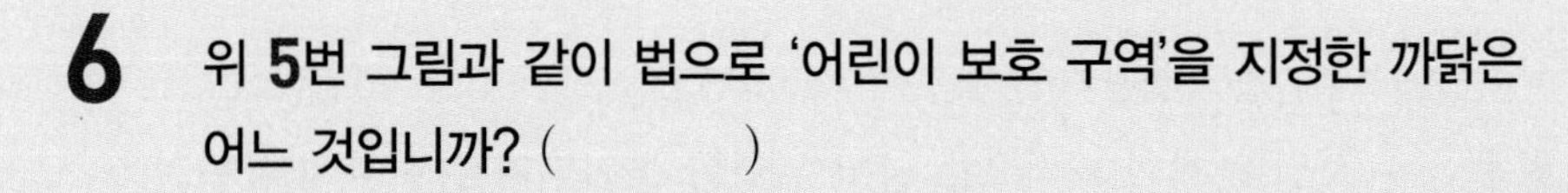

① 교통사고를 예방하려고
② 환경 오염을 예방하려고
③ 층간 소음을 해결하려고
④ 국민에게 올바른 식품 정보를 제공하려고
⑤ 창작물을 만든 사람의 저작권을 보호하려고

5일 3주 마무리하기

1 인권 신장을 위한 노력

① 인권의 뜻 : 사람이기 때문에 당연히 누리는 권리를 말합니다.

② 인권 신장을 위해 노력했던 사람들

옛날 사람들도 인권의 중요성을 알고 있었네!

테레사 수녀

가난하고 아픈 사람들을 위해 평생을 바침.

방정환

모든 어린이가 꿈과 희망을 품고 자라기를 바라며 어린이날을 만듦.

③ 인권 신장을 위한 옛날의 제도

신문고 제도

대궐 밖에 설치된 북을 쳐서 임금에게 억울한 일을 알림.

격쟁

백성들은 임금의 행차 때 징이나 꽹과리를 쳐서 억울함을 호소함.

2 인권 침해와 인권 보장

① 인권 침해 사례

- 시각 장애가 있는 사람이 수영장에 갔는데 건물 안에 점자 블록이 설치되지 않았습니다.
- 한국인 아버지와 외국인 어머니 사이에서 태어난 친구가 피부색이 다르다는 이유로 놀림을 받습니다.

행복한 삶을 누리기 위해서는 인권의 보장이 필요해.

② 인권 보장을 위한 노력

구분	내용
인권 개선 활동	시민 단체의 노력으로 낡고 위험한 놀이터가 안전하게 바뀌었음.
인권 교육 활동	학교에서는 다문화 가족에 대한 편견을 없애는 교육을 함.
장애인 공공 편의 시설 설치	국가와 지방 자치 단체에서는 점자 블록이나 시각 장애인용 점자 안내도 등을 설치함.
다양한 사회 보장 제도 시행	국가와 지방 자치 단체는 국민이 안정적으로 살 수 있도록 사회 보장 제도를 시행함.

3 법의 의미와 역할

① 법의 뜻 : 국가가 만든 강제성이 있는 규칙을 말합니다.
② 우리 생활에 적용되는 법

법을 지키지
않았을 때는
제재를 받아.

법	내용
「식품 위생법」	식품 영양의 질을 높여 국민의 건강 증진을 목적으로 하는 법
「어린이 놀이 시설 안전 관리법」	어린이 놀이 시설을 안전하게 관리하는 법
「어린이 식생활 안전 관리 특별법」	학교와 학교 주변에서 어린이의 건강을 해치는 식품의 판매를 금지하는 법
「저작권법」	음악, 영화, 출판물 등 창작물을 만든 사람의 저작권을 보호하는 법

③ 법의 역할

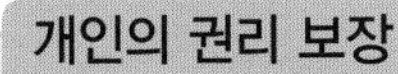
개인의 권리 보장

개인 간에 발생한 분쟁을 해결해 줌.
시끄럽고 복잡하게 싸움.

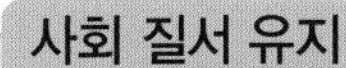
사회 질서 유지

쓰레기 무단투기 집중 단속

환경 파괴와 오염을 예방해 줌.
사전에 허락 없이 내던져 버림.

하루 뉴스

20△△. △△. △△.

"나에게는 꿈이 있습니다.

내 아이들이 피부색이 아니라 인격으로 평가받는 나라에서 사는 꿈입니다. 흑인 어린이들이 백인 어린이들과 함께 마치 형제자매처럼 손을 맞잡을 수 있는 날이 올 것이라는 꿈입니다."

▲ 마틴 루서 킹

1963년 8월 28일, 링컨 기념관 앞에서는 미국 역사상 최대 규모의 인권 집회가 열렸습니다. 이날 마틴 루서 킹 목사는 흑인도 백인과 똑같은 존엄성을 가지며 동일하게 대우해야 한다고 연설했습니다. 그는 평화적인 방법으로 흑인들의 불평등한 제도를 개선하기 위해 노력했으며, 그 노력을 인정받아 이듬해인 1964년에 노벨 평화상을 수상했습니다.

이렇게 과거에도 인권의 중요성을 알고, 인권 신장을 위해 노력했던 사람들이 많이 있었답니다.

5일 3주 마무리하기 문제

1일 인권과 인권 신장

1 다음 인권에 대한 검색 결과 중 알맞은 것을 찾아 기호를 쓰시오.

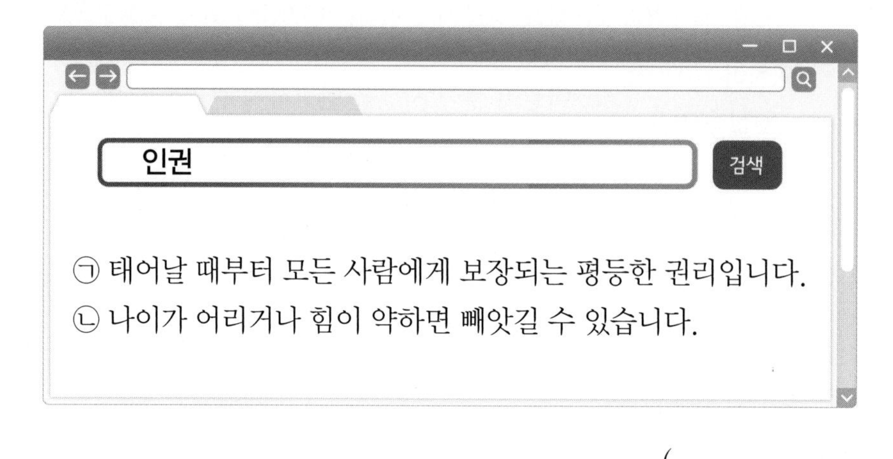

인권
검색
㉠ 태어날 때부터 모든 사람에게 보장되는 평등한 권리입니다.
㉡ 나이가 어리거나 힘이 약하면 빼앗길 수 있습니다.

(　　　　　　　　)

2 다음 사람들의 공통점으로 알맞은 것은 어느 것입니까? (　　　　)

• 방정환　　• 테레사 수녀　　• 허균　　• 마틴 루서 킹

① 어린이날을 만들었다.
② 노벨 평화상을 받았다.
③ 인권 신장을 위해 노력한 사람들이다.
④ 주로 우리나라에서 활동했던 사람들이다.
⑤ 백인에게 차별받는 흑인의 인권을 존중했다.

3 다음에서 설명하는 옛날의 인권 신장을 위한 제도를 쓰시오.

신분에 관계없이 억울한 일을 문서에 써서 임금에게 호소하던 제도

(　　　　　　　　)

정답과 풀이 11쪽

2일 인권 침해와 인권 보장

4 다음과 같은 인권 침해 사례를 보고 우리가 가져야 할 자세로 알맞은 것은 어느 것입니까? (   )

은서는 한국인 아버지와 외국인 어머니 사이에서 태어났습니다. 같은 반 친구들과 대부분 잘 지내지만, 가끔 짓궂은 친구들이 은서의 외모를 놀릴 때가 있습니다.

① 친구의 사생활을 존중한다.
② 우리와 국적이 다른 친구를 차별한다.
③ 쉬는 시간에 남녀 구별 없이 함께 논다.
④ 다른 사람의 개인 정보를 소중하게 여긴다.
⑤ 피부색이 다르면 우리나라 사람이 아니라는 편견을 버린다.

5 다음 중 인권이 침해된 사례로 알맞은 것에 ○표를 하시오.

(1) 다른 친구의 수첩을 몰래 보았습니다. (   )
(2) 남녀 구분 없이 좋아하는 운동 경기에 참여하였습니다. (   )

6 시각 장애인의 인권을 위해 국가와 지방 자치 단체에서 설치한 시설을 찾아 기호를 쓰시오.

㉠ 
▲ 낮은 세면대

㉡ 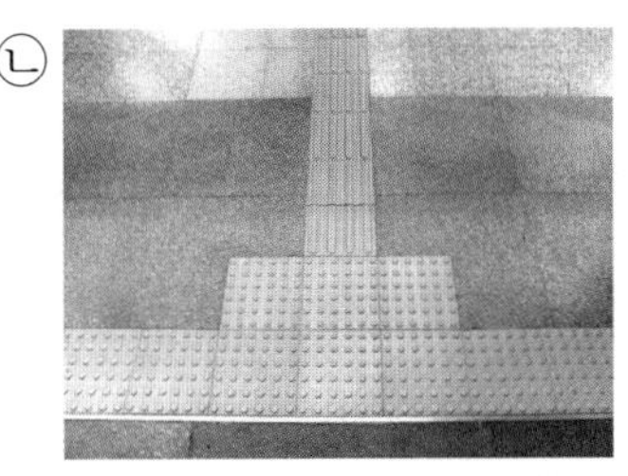
▲ 점자 블록

(   )

3일 법과 도덕

7 다음에서 설명하는 말을 쓰시오.

국가가 만든 강제성이 있는 규칙

( )

8 법으로 제재를 받는 상황을 찾아 기호를 쓰시오.

㉠ 

▲ 이웃 어른을 보고 인사하지 않는 것

㉡ 

▲ 횡단보도가 아닌 곳에서 길을 건너는 것

( )

9 법으로 정해지지 않은 것은 어느 것입니까? ( )

① 아이가 태어나면 출생 신고를 하는 것
② 일정한 나이가 되면 학교에 입학하는 것
③ 어린이 놀이 시설을 안전하게 관리하는 것
④ 장애인들이 차별받지 않고 일할 수 있는 것
⑤ 학교 도서관에서 책을 세 권만 빌릴 수 있는 것

10 음악, 영화, 출판물 등을 만든 사람이 창작물에 행사하는 권리를 무엇이라고 합니까? ( )

① 인권 ② 평등권 ③ 기본권
④ 저작권 ⑤ 초상권

4일 법의 역할과 준수

11 다음 그림으로 알 수 있는 법의 역할로 알맞은 것은 어느 것입니까? (　　　　)

▲ 경찰의 순찰

① 환경 오염을 예방한다.
② 개인 정보를 보호한다.
③ 저작자의 저작권을 보호한다.
④ 범죄로부터 안전하게 지켜 준다.
⑤ 농촌의 일손 부족 문제를 해결한다.

서술형

12 다음에서 공통적으로 나타난 법의 역할은 무엇인지 쓰시오.

• 개인 간에 발생한 분쟁 해결　　　　• 개인의 생명과 재산, 개인 정보 보호

똑똑한 하루 퀴즈

13 다음에서 설명하는 낱말을 말 상자에서 모두 찾아 ○표를 하세요. 말 상자의 낱말은 가로, 세로, 대각선에 숨어 있어요.

신	법	인	재	판
질	문	원	검	사
테	권	고	삼	변
도	덕	피	복	호
균	삼	심	제	인

1. 옛날에 억울한 일이 있을 때 백성들이 이용했던 대궐 밖에 설치되었던 북
2. 재판을 진행하고 법에 따라 판결을 내리는 사람
3. 사회의 구성원들이 양심 등에 비추어 스스로 마땅히 지켜야 할 모든 규범
4. 옛날에 사형과 같은 무거운 형벌을 내릴 때 세 번의 재판을 거치도록 했던 제도

3주 누구나 100점 TEST

맞은 개수 /10개

1 인권에 대해 바르게 말하고 있는 어린이는 누구인지 쓰시오.

윤재 : 잘 지키지 않으면 다른 사람에게 빼앗길 수 있어.
선일 : 사람이기 때문에 당연히 누리는 권리야.

( )

2 다음 사람들에 대한 설명으로 알맞은 것은 어느 것입니까? ( )

▲ 테레사 수녀

▲ 마틴 루서 킹

① ㉠은 어린이날을 만들었다.
② ㉠은 『홍길동전』을 지었다.
③ ㉡은 어른들만 소중하게 생각했다.
④ ㉠, ㉡은 인권 신장을 위해 노력했다.
⑤ ㉡은 부유한 사람들을 위해 평생을 바쳤다.

3 다음과 같이 징이나 꽹과리를 치며 임금에게 억울함을 말했던 옛날의 방법은 무엇인지 보기에서 찾아 쓰시오.

보기
- 상언
- 격쟁
- 삼복제

( )

4 다음 그림의 어린이에게 해 줄 말로 알맞은 것은 어느 것입니까? ( )

친구의
수첩이니까 봐도
되겠지?

① 친구가 기뻐할 거야.
② 그건 사이버 폭력이야.
③ 친구를 차별해서는 안 돼.
④ 친구의 인권을 존중하고 있구나.
⑤ 친구의 사생활을 침해하는 행동이야.

5 다음 그림 속 문제를 해결할 수 있는 방법으로 알맞은 것은 어느 것입니까? ( )

수영장
저는 시각 장애가
있는데, 혼자 수영장에
다니기 어려워요.

① 점자 블록을 설치한다.
② 수영장의 수를 늘린다.
③ 임산부 배려석을 늘린다.
④ 무료 예방 접종을 시행한다.
⑤ 뛰어놀 수 있는 공간을 만든다.

6 도덕에 대한 설명으로 알맞은 것을 보기 에서 찾아 기호를 쓰시오.

보기
㉠ 엄격한 강제성을 가집니다.
㉡ 지키지 않았을 때 처벌을 받습니다.
㉢ 양심 등에 비추어 자율적으로 지킵니다.

( )

7 법으로 제재를 받는 상황으로 알맞은 것을 두 가지 고르시오. (,)

① 

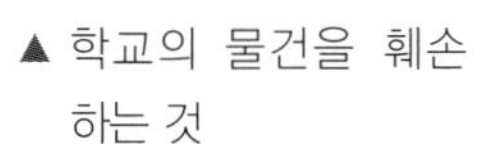
▲ 학교의 물건을 훼손하는 것

② 

▲ 이웃을 보고 인사하지 않는 것

③ 

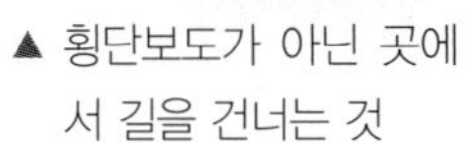
▲ 횡단보도가 아닌 곳에서 길을 건너는 것

④ 

▲ 형제끼리 다투는 것

8 다음 사진과 관련 있는 법을 보기 에서 찾아 쓰시오.

보기
- 「식품 위생법」
- 「장애인 차별 금지법」

( )

9 다음 신문 기사 제목과 같은 불법 행위로 영화 제작사가 입는 피해는 어느 것입니까? ( )

최신 영화를 불법으로 유포한 20대, 처벌 위기

① 개인 정보가 유출된다.
② 주변 환경이 오염된다.
③ 소음 때문에 잠을 자지 못한다.
④ 돈을 벌 수 있는 기회를 잃어버린다.
⑤ 큰 사고가 나서 치료를 받아야 한다.

10 다음 그림과 관련 있는 법의 역할로 가장 알맞은 것은 어느 것입니까? ( )

① 층간 소음을 없애 준다.
② 개인 정보를 보호해 준다.
③ 환경 오염을 예방해 준다.
④ 사회 질서를 유지해 준다.
⑤ 개인 간에 발생한 분쟁을 해결해 준다.

3주 특강 생활 속 사회

인권 신장을 위해 노력했던 사람들에 대해 살펴봅니다.

인권 신장과 관련된 인물들

정답과 풀이 12쪽

빠른 정답 보기

1 다음은 인권 신장을 위해 노력했던 사람들입니다. 알맞은 답을 찾아 선으로 연결해 보세요.

나는 누구일까요?

내 이름은 무엇일까요?

방정환	마틴 루서 킹	테레사 수녀

내가 한 말은 무엇일까요?

가난한 사람들에게 필요한 것은 동정이 아니라 사랑입니다.	아이들이 피부색이 아니라 인격으로 평가받아야 합니다.	어른과 동등한 하나의 인격체로 어린이를 존중해야 합니다.

3주

창의·융합·코딩

사고 쑥쑥

인권과 법에 관련된 용어를 알아봅니다.

2 인권과 법의 내용에 대한 십자말풀이를 해 보세요.

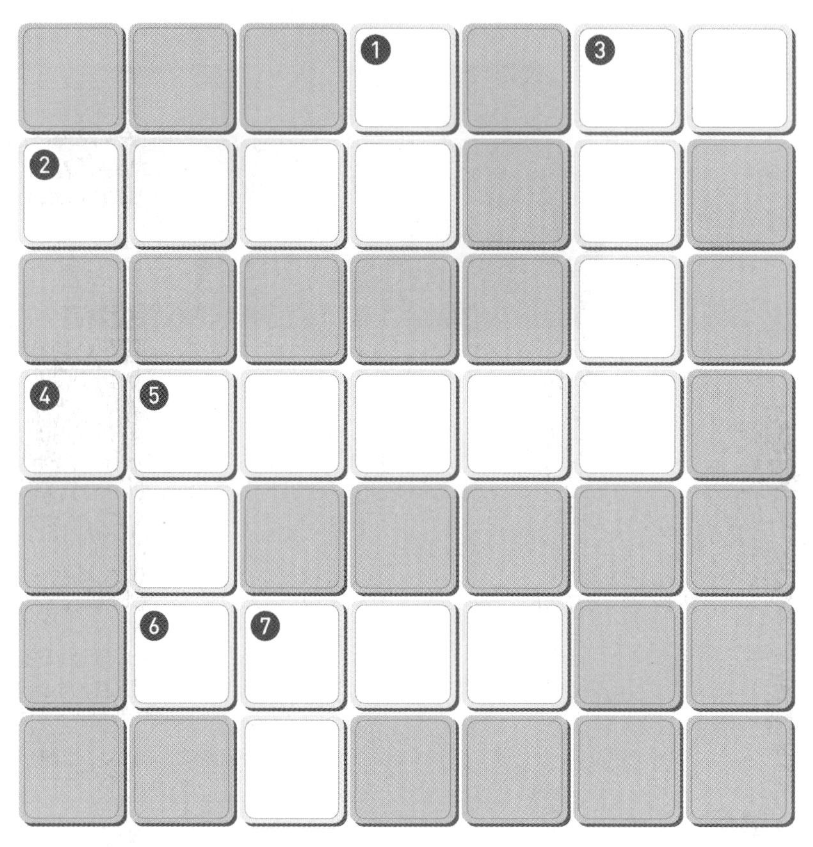

가로

❷ 허균이 지은 『○○○○』에는 신분으로 차별받는 사회 제도를 고쳐야 한다는 생각이 담겨 있습니다.

❸ 점자 블록은 ○○ 장애인의 안전을 위해 설치한 편의 시설입니다.

❹ 국가와 ○○ ○○ ○○는 사회 보장 제도를 만들어 시행합니다.

❻ 법은 우리가 깨끗한 환경에서 살아갈 수 있게 하기 위해 ○○ ○○을 단속합니다.

세로

❶ 법은 사고나 범죄로부터 사람들이 ○○하게 살아갈 수 있게 해 줍니다.

❸ 시민들은 인권을 보장하기 위해 ○○ ○○를 만들어 다양한 인권 개선 활동을 합니다.

❺ 어린이날을 만든 사람입니다.

❼ ○○은 범죄를 방지하기 위해 마을을 순찰합니다.

인권 신장을 위한 제도와 옛날 사람들의 노력을 살펴봅니다.

3 인권 신장을 위한 노력과 관련된 문제의 정답을 따라 달리는 경주입니다. 현재 서 있는 레인으로 계속 달린다면 이 경주에서 이길 수 있는 친구는 누구인지 쓰세요.

( )

창의·융합·코딩

3주 특강 논리 탄탄

암호를 풀며 법이 무엇인지 알아봅니다.

4 암호 해독표를 보고, 다음 만화 속 암호를 풀어 보세요.

저 사람은 뭐야!
큰일날 뻔 했다고!
끼이익
운전하다 보면 저런
사람들이 꽤 많더라고요.
위험한 줄도 모르고….
저런 사람들은 나라에서
제재가 필요하다고 생각해.

무단횡단을 하면 제재를 받아요.
법에 어긋나는 행위거든요.
법?

제가 퀴즈 하나 낼 테니
한번 풀어 보실래요?
퀴즈
좋아!

법에 대한 퀴즈입니다!

법은 a⑦a a①가 만든
a①h i⑬ g③h이 있는
규칙으로 지키지 않았을 때
제재를 받아요.

암호 해독표

a	b	c	d	e	f	g	h	i	j	k	l	m	n
ㄱ	ㄴ	ㄷ	ㄹ	ㅁ	ㅂ	ㅅ	ㅇ	ㅈ	ㅊ	ㅋ	ㅌ	ㅍ	ㅎ

①	②	③	④	⑤	⑥	⑦	⑧	⑨	⑩	⑪	⑫	⑬	⑭
ㅏ	ㅑ	ㅓ	ㅕ	ㅗ	ㅛ	ㅜ	ㅠ	ㅡ	ㅣ	ㅐ	ㅒ	ㅔ	ㅖ

해독한 암호

(　)(　), (　)(　)(　)

순서도를 살펴보며 우리 생활 속에서 적용되는 법에 대해 알아봅니다.

5 은경이는 우리 생활 속에서 적용되고 있는 법 중 하나를 조사해 보려고 해요. 다음과 같은 상황을 검색하고 '참'이 나왔을 때 (가)에 들어갈 알맞은 검색 결과를 보기에서 찾아 기호를 쓰세요.

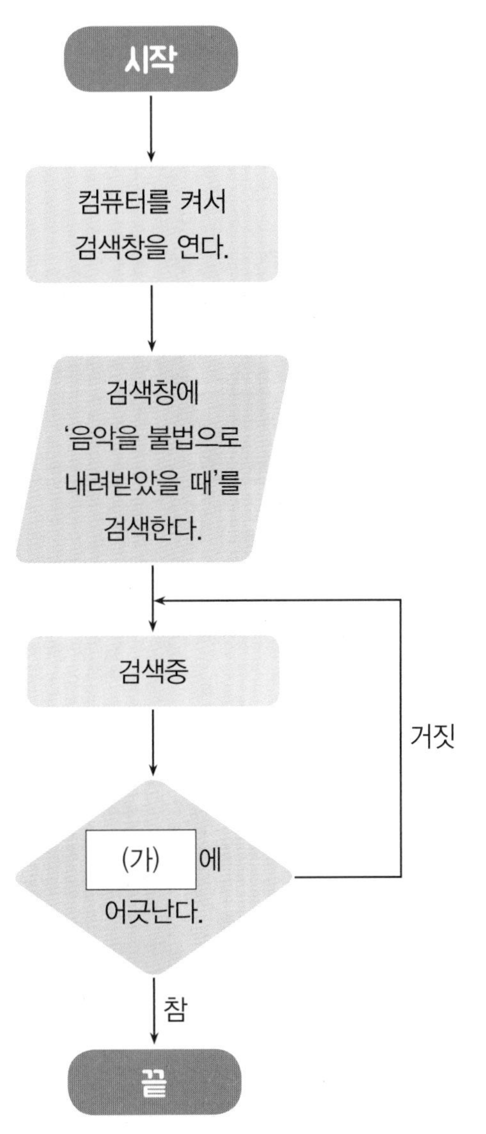

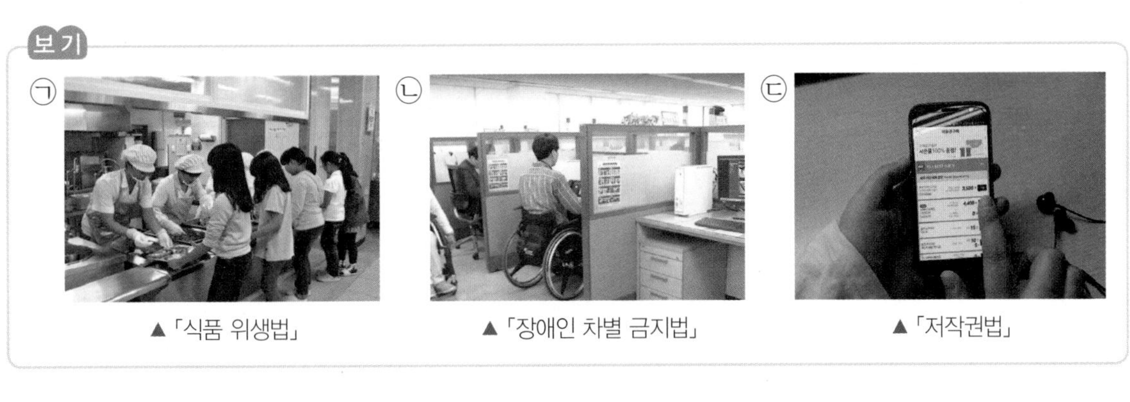

㉠ ▲「식품 위생법」 ㉡ ▲「장애인 차별 금지법」 ㉢ ▲「저작권법」

( )

국민을 위한 헌법

이번 주에는 무엇을 공부할까? 1

헌법 재판소는 국민의 권리를 보호하기 위한 기관이야.

▼ 헌법 재판소

인권 보호

납세의 의무

청구권

기본권

헌법

의무

참정권

근로의 의무

투표하는 것은 우리가 권리를 보장 받는 모습이야.

헌법은 개인이 가진 인권을 분명하게 확인하고 보장해 주는 역할을 해.

핵심 용어

4주 이번 주에는 무엇을 공부할까? ❷

헌법

憲 法
법 헌 법 법

뜻 **국민의 자유와 권리를 보장하기 위해 만든 우리나라 최고의 법**

보장: 어떤 일이 어려움없이 이루어지도록 조건을 마련해 줌.

예 우리나라 **헌법**은 모든 국민이 존중받고 행복한 삶을 살아가는 데 필요한 내용을 담고 있다.

인간 존엄

人 間
사람 인 사이 간
尊 嚴
높을 존 엄할 엄

우리가 제일 소중해!

뜻 **인간이라는 이유만으로 사람은 그 존재 가치가 있고, 그 인격은 존중받아야 한다는 이념**

예 오늘날 대부분의 국가들은 헌법에 **인간 존엄**을 바탕으로 한 인권을 보호하는 규정을 두고 있다.

헌법에 다 나와 있는 내용이야.

국민 주권

國 民
나라 국 백성 민
主 權
주인 주 권리 권

뜻 **국가의 주인으로서의 권리가 국민에게 있다는 원리**

예 선거를 통해 대통령과 국회 의원을 선출하는 것은 **국민 주권**을 행사하는 것이다.

기본권

基 本 權
기초 기 근본 본 권리 권

우린 쾌적한 환경에서 생활할 권리가 있어.

뜻 **헌법으로 보장되는 국민의 기본적인 권리**

예 우리나라 헌법에서는 평등권, 자유권, 사회권, 참정권, 청구권과 같은 다양한 **기본권**을 보장하고 있다.

헌법과 관련된 다양한 용어가 있어.
특히 기본권, 의무 등의 용어는 꼭 기억해!

자유권

自由權

스스로 자 행할 유 권리 권

나중에 해 보고
싶은 게 많아!

뜻 **국가 권력에 의하여 자유를 제한받지 않을 권리**

예 거주 이전의 자유, 직업 선택의 자유 등은 **자유권**에 속한다.

의무

義務

옳을 의 힘쓸 무

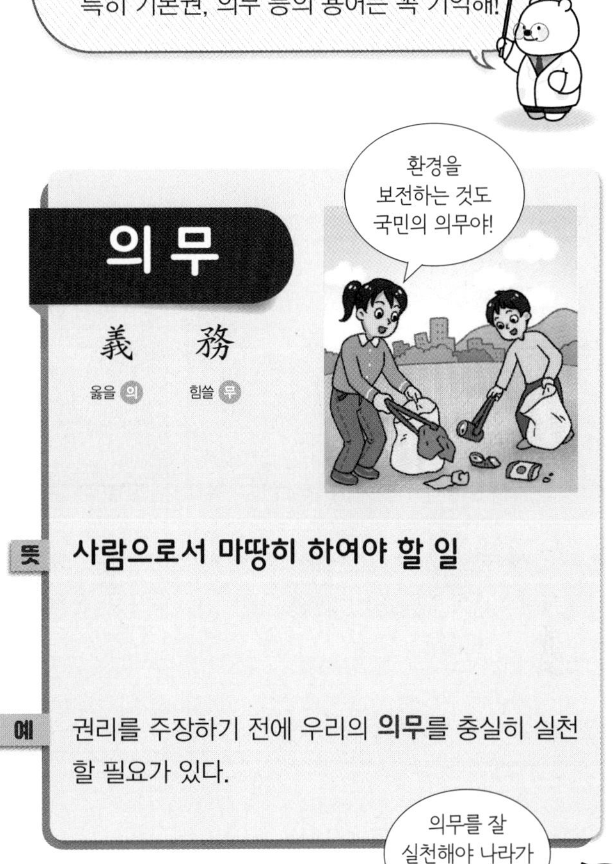

보전하는 것도
국민의 의무야!

뜻 **사람으로서 마땅히 하여야 할 일**

예 권리를 주장하기 전에 우리의 **의무**를 충실히 실천할 필요가 있다.

의무를 잘
실천해야 나라가
발전한대.

4주

국방

國防

나라 국 막을 방

뜻 **외국의 침략에 대비 태세를 갖추고 국토를 방위하는 일**

태세: 어떤 일을 앞둔 태도나 자세

방위: 적의 공격을 막아서 지킴.

예 모든 국민은 법률이 정하는 바에 의하여 **국방**의 의무를 진다.

우리에겐 자유롭게 생각하고
행동할 수 있는 권리가 있어요.
자유권!
찬성!
흠, 그럼 저녁 메뉴는
내가 정하지. 오늘 저녁은
피자를 먹는다!

헌법의 의미와 역할

헌법이 온 국민에게 알려진 날도 기념한다고?

휴~ 시민 단체에서
빠져 나오느라 힘들었어.

근데 오늘 가는 곳은 길마다
태극기가 걸려 있어요. 우리가 오는 걸
미리 알고 환영을 해 주는 걸까요?

오늘은 개천절이라 그래요.
우리나라의 건국을 기념하기 위한
국경일이에요.
오호, 나라의 경사가 있으면
태극기를 다는구나.

네~ 오늘 말고도 광복을 기념하는
광복절이나 헌법을 만들고 공포한
제헌절에도 태극기를 걸어요.

혼밥 말고 헌법이요.
우리나라 최고의 법 말이에요.
딱
아! 헌법!
좋은 생각이 났어.

용어 체크

헌법

국민의 자유와 권리를 보장하기 위해 만든 우리나라 최고의 법

예 국민은 ❶ [   ] 을 준수해야 할 의무를 지닌다.

제헌절

우리나라의 헌법을 정하고 사람들에게 널리 알린 것을 기념하기 위하여 제정한 국경일

예 7월 17일 ❷ [   ] 은 1948년 대한민국 헌법 공포를 축하하는 날이다.

정답 ❶ 헌법 ❷ 제헌절

일단 헌법 재판소로 출발!

용어 체크

헌법 재판소

법률이 헌법에 어긋나는지, 그렇지 않은지 등을 판단하여 헌법을 지키고 국민의 권리를 보호하는 기관

예 헌법과 관련된 다툼을 해결하는 일은  ________ 에서 한다.

정답 ❶ 헌법 재판소

1일 개념 익히기

1 헌법이란 무엇일까?

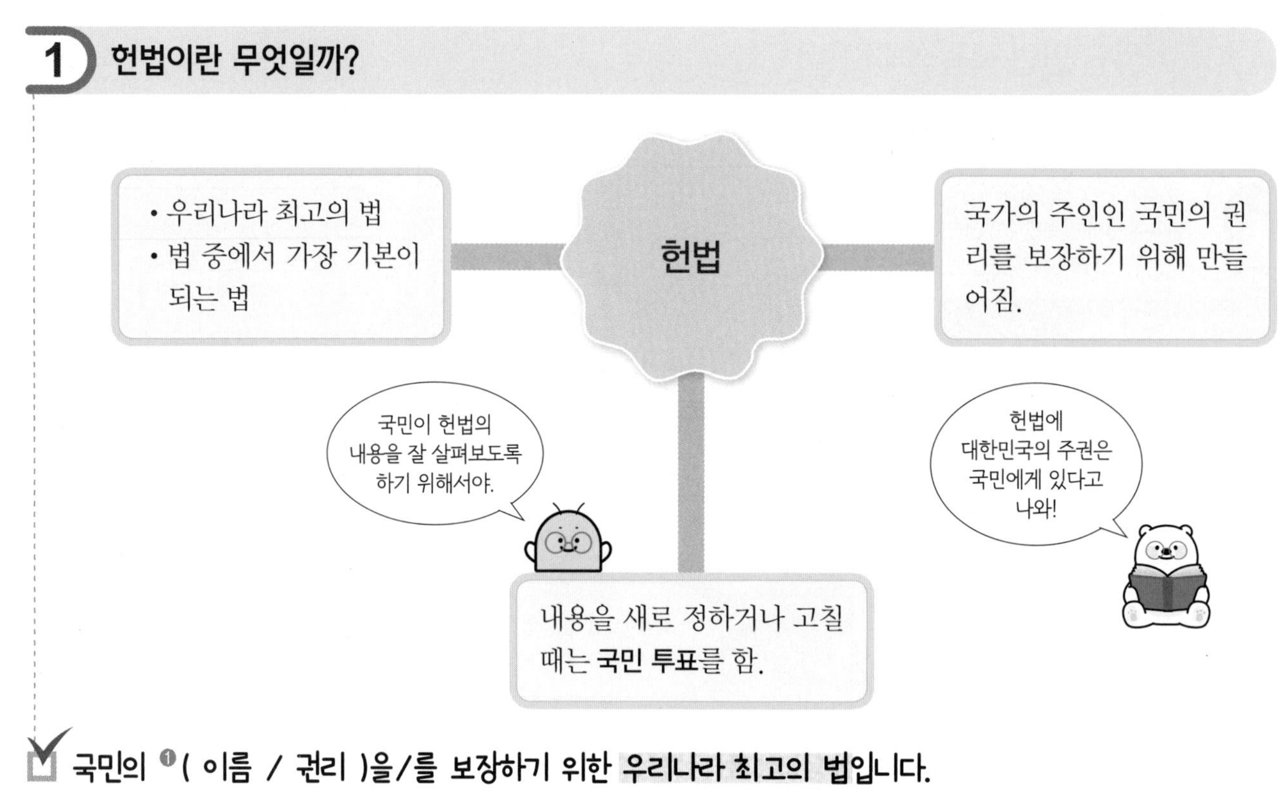

• 우리나라 최고의 법
• 법 중에서 가장 기본이 되는 법
헌법
국가의 주인인 국민의 권리를 보장하기 위해 만들어짐.
국민이 헌법의 내용을 잘 살펴보도록 하기 위해서야.
헌법에 대한민국의 주권은 국민에게 있다고 나와!
내용을 새로 정하거나 고칠 때는 국민 투표를 함.

국민의 ❶(이름 / 권리)을/를 보장하기 위한 우리나라 최고의 법입니다.

2 헌법에는 어떤 내용이 담겨 있을까?

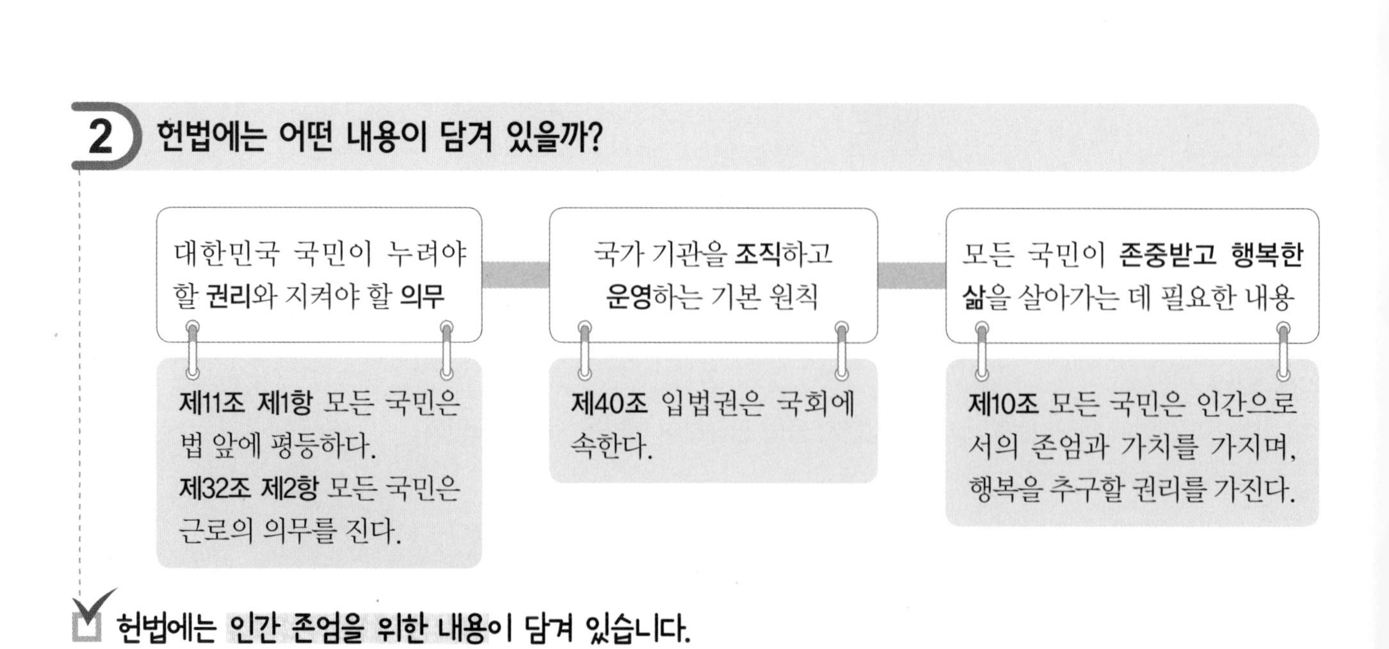

대한민국 국민이 누려야 할 권리와 지켜야 할 의무
제11조 제1항 모든 국민은 법 앞에 평등하다.
제32조 제2항 모든 국민은 근로의 의무를 진다.
국가 기관을 조직하고 운영하는 기본 원칙
제40조 입법권은 국회에 속한다.
모든 국민이 존중받고 행복한 삶을 살아가는 데 필요한 내용
제10조 모든 국민은 인간으로서의 존엄과 가치를 가지며, 행복을 추구할 권리를 가진다.

헌법에는 인간 존엄을 위한 내용이 담겨 있습니다.

3 헌법 재판소는 무슨 역할을 할까?

컴퓨터 시스템의 작동이 멈추는 일

인터넷 게임 셧다운제, 헌법 재판소 간다

우리나라는 청소년이 건강하게 성장할 권리를 보호하려고 '인터넷 게임 셧다운제'를 시행하고 있다. 이것은 16세 미만의 청소년이 오전 0시부터 오전 6시까지 인터넷 게임을 할 수 없게 금지하는 제도이다. 그러나 한편에서는 이 제도가 청소년이 자유롭게 행동할 권리를 침해한 것이라고 하여 헌법 재판소에 심판을 요청했다.

주인공이 위험합니다.
청소년 보호법에 따라 16세 미만의 청소년들은 오전 0시부터 오전 6시까지 모든 온라인 게임 이용이 제한됩니다.
확인
이전으로

헌법 재판소의 역할

법이 헌법에 어긋나는지, 국가 권력이 국민의 권리를 침해하는지 등을 심판함.

침해: 침범하여 해를 끼침.

헌법 재판에서 법이 국민의 인권을 침해한다고 결정이 나면 개정되거나 폐지될 수 있어.

개정: 고쳐서 바르게 함.

폐지: 그만두거나 없앰.

헌법 ❷(재판소 / 사무소)는 우리가 가진 권리를 보장해 주는 역할을 합니다.

정답 ❶ 권리 ❷ 재판소

개념 체크

정답과 풀이 13쪽

1 우리나라 최고의 법은 [ ][ ]입니다.

2 헌법은 국민들이 누려야 할 권리와 지켜야 할 [ ][ ]를 담고 있습니다.

3 우리나라는 [ ][ ][ ]이 건강하게 성장할 권리를 보호하려고 '인터넷 게임 셧다운제'를 시행하고 있습니다.

보기
- 형법
- 헌법
- 의무
- 자유
- 청소년
- 대통령

개념 확인하기

정답과 풀이 13쪽

1 헌법에 대한 설명으로 알맞은 것은 어느 것입니까? (   )

① 인간 존엄에 대한 조항은 없다.

② 국민들이 지켜야 할 의무만 담겨 있다.

③ 여러 법들 중 가장 기본이 되는 법이다.

④ 국민의 자유와 권리를 제한하기 위해 만들어졌다.

⑤ 헌법의 내용을 새로 고칠 때에는 다른 나라의 동의가 필요하다.

2 다음에서 설명하고 있는 날을 쓰시오.

헌법을 만들어서 국민에게 알린 것을 기념하는 날로, 7월 17일입니다.

(   )

3 다음 세현이와 아빠의 대화에서 밑줄 친 부분에 들어갈 알맞은 말은 어느 것입니까?

(   )

아빠, 학원은 왜 밤늦게까지 하지 않아요?

학원이 늦게 끝나면 집에 오는 시간이 늦어지고, 학생들이 쉴 수 있는 시간이 줄어들게 될 거야. 헌법은 국민이 건강하게 살아갈 권리를 보장하고 있단다. 그래서 ____________________

① 법으로 등교 시간을 더 앞당긴 것이란다.

② 밤늦게까지 학원에서 공부를 해야만 하지.

③ 학원에서 맛있는 식사를 제공해 주고 있는 것이란다.

④ 늦은 시간에 학원 수업을 하지 못하도록 법으로 제한하고 있는 것이란다.

⑤ 밤늦게까지 인터넷 게임을 할 수 있도록 법으로 허용하고 있는 것이란다.

4 헌법 재판소의 역할로 알맞은 것을 보기에서 찾아 기호를 쓰시오.

보기
㉠ 범죄로부터 우리를 지켜 주고 사회 질서를 유지해 줍니다.
㉡ 우리에게 행복을 추구할 권리를 주고 우리의 인권을 제한합니다.
㉢ 법이 헌법에 어긋나는지, 국가 권력이 국민의 권리를 침해하는지 등을 심판합니다.

( )

집중 연습 문제 헌법

5 다음은 대한민국 헌법의 조항 중 일부입니다. □ 안에 들어갈 알맞은 말을 쓰시오.

제10조 모든 국민은 인간으로서의 존엄과 가치를 가지며, □을 추구할 권리를 가진다.

( )

국가가 우리의 인권을 보장해 주기 때문에 우리는 이것을 누릴 수 있지!

6 헌법의 내용을 새로 정하거나 고칠 때 거쳐야 하는 제도에 대해 알맞게 설명한 것을 보기에서 찾아 기호를 쓰시오.

보기
㉠ 국민이 안정적으로 살 수 있도록 시행하는 제도
㉡ 징과 꽹과리를 이용해서 억울한 일을 말하는 제도
㉢ 국가의 중요한 일을 국민이 최종적으로 투표해 결정하는 제도

( )

㉠~㉢이 무엇인지 써 볼까?

- ㉠ → □ 제도
- ㉡ → □
- ㉢ → □

2일 기본권

보물의 권리를 어떻게 주장하지?

그러니까 보물을 찾았는데 국가에서 뭐라고 하면 헌법 재판소로 가면 된다는 거지?
?
그런 것 같아요.
좋았어! 자, 현수 몰래 계속 진행하자.
헤헤
우리가 보물을 찾는다는 걸 현수는 꿈에도 생각 못 할걸요?

그래서 보물을 찾은 다음에 박사님이 보물에 대한 권리를 주장할 방법은 찾으셨어요?
그럼~ 반드시 보물을 찾아…….

어떻게 알았지?
완벽히 속였다고 생각했는데….
설마 모를 거라고 생각했어요? 그렇게 티를 내놓고?

그럼 우리를 경찰에 신고할 거야?
아니요~

기본권 중에는 자유롭게 생각하고 행동할 수 있는 권리도 있어요. 숨겨진 보물을 찾는 건 박사님의 자유죠. 필요한 경우 법률에 따라 제한될 수도 있지만요.
휴

용어 체크

권리

어떤 일을 하거나 누릴 수 있는 힘이나 자격

예 민주주의 국가에서는 국민의 자유와 ❶ [　　　] 가 보장된다.

기본권

헌법으로 보장되는 국민의 기본적인 권리

예 헌법은 국민의 ❷ [　　　] 을 보장하면서도 공익 등을 위해 제한하기도 한다.

정답 ❶ 권리 ❷ 기본권

우리도 투표를 할 수 있을까?

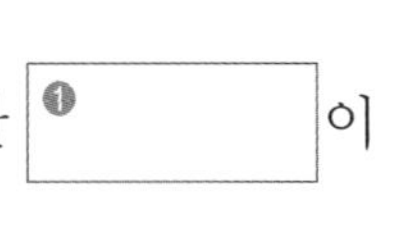

용어 체크

참정권

국민이 국가의 정치 의사 형성 과정에 참여할 수 있는 권리

예 우리나라는 1948년 제정된 헌법에서 남녀의 평등한 ❶ ______ 이 인정되었다.

▲ 투표에 참여하는 모습

정답 ❶ 참정권

2일 개념 익히기

개념 동영상

1 국민의 기본권에는 어떤 것들이 있을까?

평등권 법을 공평하게 적용받아 차별받지 않을 권리

제11조 제1항 모든 국민은 법 앞에 평등하다.

청구권 기본권이 침해되었을 때 국가에 어떤 일을 해 달라고 요구할 수 있는 권리

제27조 제1항 모든 국민은 헌법과 법률이 정한 법관에 의하여 법률에 의한 재판을 받을 권리를 가진다.

자유권 자유롭게 생각하고 행동할 수 있는 권리

제15조 모든 국민은 직업 선택의 자유를 가진다.

사회권 인간답게 살 수 있도록 국가에 요구할 수 있는 권리

제35조 제1항 모든 국민은 건강하고 쾌적한 환경에서 생활할 권리를 가진다.

참정권 국가의 정치 의사 형성 과정에 참여할 수 있는 권리

공무 담임권이란 국민이 선거의 후보가 되고, 공무원에 임명될 수 있는 권리를 말해.

제25조 모든 국민은 법률이 정하는 바에 의해 공무 담임권을 가진다.

헌법으로 보장되는 ❶(저작권 / 기본권)에는 **평등권, 자유권, 참정권, 청구권, 사회권**이 있습니다.

2 생활에서 어떻게 기본권을 보장받고 있을까?

참정권

선거권을 가지고 투표에 참여함.

청구권

권리가 침해되었을 때 재판을 받음.

사회권

교육을 받을 권리가 있음.

쾌적한 환경에서 생활함.

이러한 기본권이 보장되고 있지만 공공의 이익 등을 위해 법률에 따라 제한될 수 있어.

생활 속에서 기본권을 보장받는 모습에는 ❷(투표 / 차별)을/를 하는 것, 교육을 받는 것 등이 있습니다.

정답 ❶ 기본권 ❷ 투표

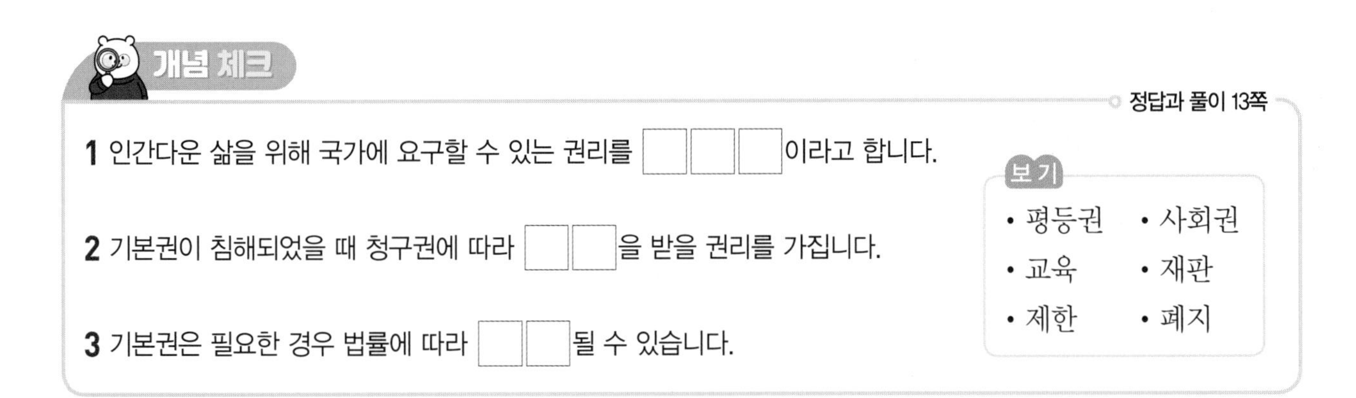

개념 체크

정답과 풀이 13쪽

1 인간다운 삶을 위해 국가에 요구할 수 있는 권리를 □□□이라고 합니다.

2 기본권이 침해되었을 때 청구권에 따라 □□을 받을 권리를 가집니다.

3 기본권은 필요한 경우 법률에 따라 □□될 수 있습니다.

보기
- 평등권
- 사회권
- 교육
- 재판
- 제한
- 폐지

2일 개념 확인하기

정답과 풀이 13쪽

1 다음에서 설명하는 말은 무엇인지 쓰시오.

헌법으로 보장되는 국민의 기본적인 권리를 말합니다.

( )

2 기본권에 대한 설명으로 알맞은 것을 보기에서 찾아 기호를 쓰시오.

보기

㉠ 어린이들은 기본권을 누릴 수 없습니다.
㉡ 종류가 많아서 다 보장받을 수 없습니다.
㉢ 공공의 이익 등을 위해 필요한 경우 제한될 수 있습니다.

( )

3 기본권과 관련한 설명으로 알맞지 않은 것은 어느 것입니까? ( )

① 국민들은 직업 선택의 자유를 가진다.
② 참정권은 정치에 참여할 수 있는 권리를 말한다.
③ 모든 국민은 사회권에 따라 교육을 받을 권리가 있다.
④ 참정권에 따라 국민은 선거의 후보로 출마할 수 있다.
⑤ 국민이 재판을 받을 수 있는 권리는 자유권과 관련된 것이다.

4 다음 그림과 관련 있는 기본권은 무엇인지 쓰시오.

( )

5 다음 사진과 관련 있는 기본권에 속하는 것을 두 가지 고르시오. (　　　,　　　)

① 교육권
② 재산권
③ 선거권
④ 공무 담임권
⑤ 거주 이전의 자유

▲ 투표하는 모습

6 청구권과 관련된 헌법 조항으로 알맞은 것을 찾아 기호를 쓰시오.

㉠

제35조 제1항 모든 국민은 건강하고 쾌적한 환경에서 생활할 권리를 가진다.

㉡

제27조 제1항 모든 국민은 헌법과 법률이 정한 법관에 의하여 법률에 의한 재판을 받을 권리를 가진다.

(　　　　　　　　　　)

똑똑한 하루 퀴즈

7 다음 표를 참고하여 국민이 선거의 후보로 출마할 수 있는 권리, 공무원에 임명될 수 있는 권리를 무엇이라고 하는지 쓰세요.

★	○	※	◈	♡	⊙	♬	■	◇	♧
참	청	공	등	담	사	무	정	권	임

※♬ ♡♧◇ →(　　　　　　　　　　)

3일 국민의 의무

국가는 돈이 어디서 나지?

용어 체크

납세

세금을 내는 것

예 헌법에 ❶ [ ] 는 국민의 의무로 명시되어 있다.

의무

규범에 의하여 부과되는 부담이나 구속

예 국민은 헌법에 나타난 ❷ [ ] 를 지켜야 한다.

정답 ❶ 납세 ❷ 의무

환경을 소중히 해야 하는 까닭은 무엇일까?

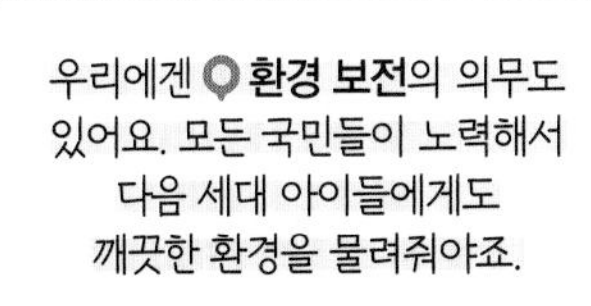

용어 체크

환경 보전

환경을 온전하게(본바탕 그대로) 보호하여 유지하는 일

예 다음 세대를 위해 모든 국민, 기업, 국가는 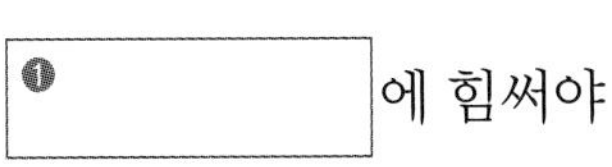 ❶ 에 힘써야 한다.

정답 ❶ 환경 보전

3일 개념 익히기

1 국민이 지켜야 할 의무에는 어떤 것들이 있을까?

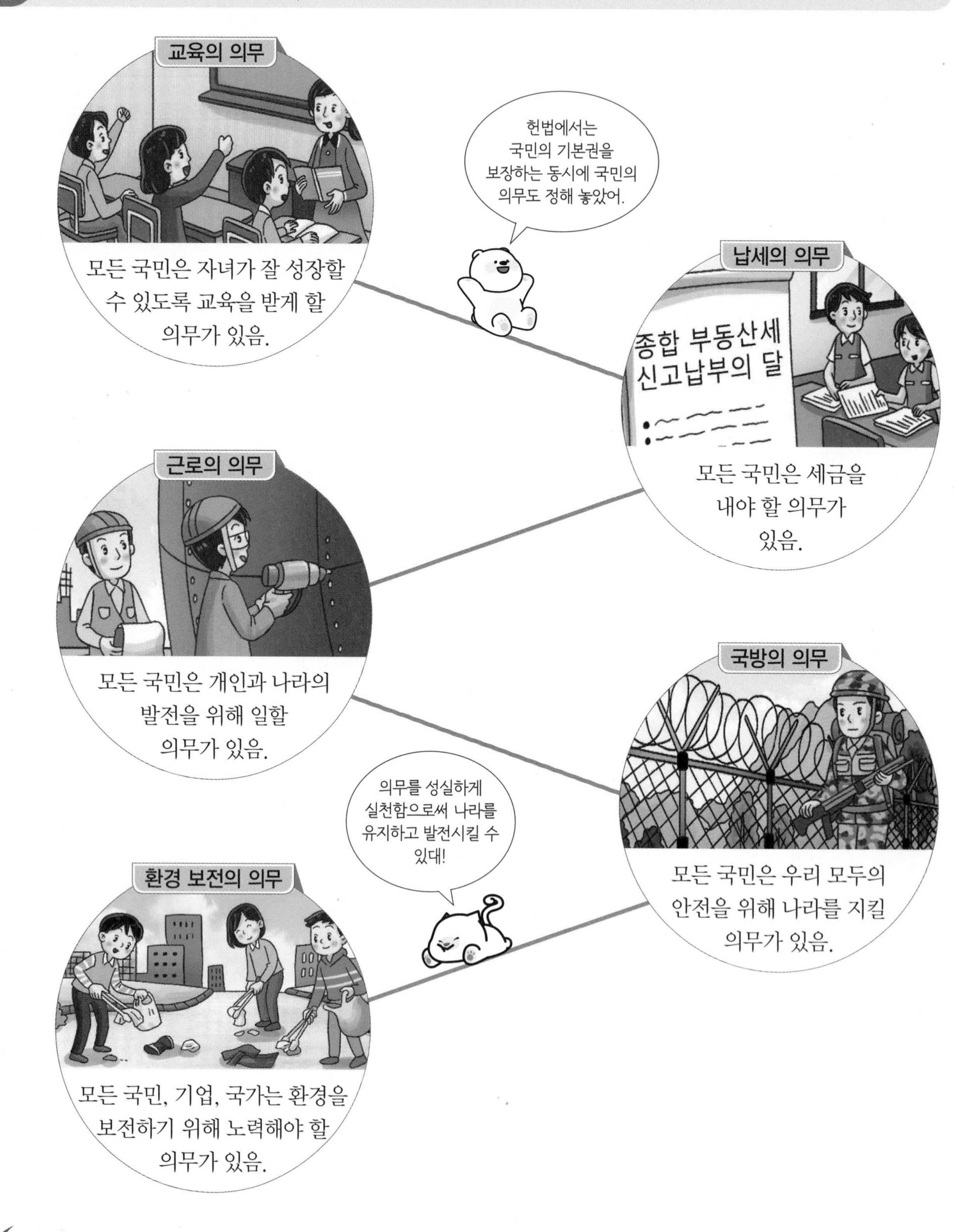

헌법에서는 교육, 납세, 근로, 국방, 환경 ❶(보전 / 오염)의 의무를 제시하고 있습니다.

2 헌법에 나타난 의무를 어떻게 실천하고 있을까?

교육의 의무

부모님께서 우리를 학교에 보내 주심.

납세의 의무

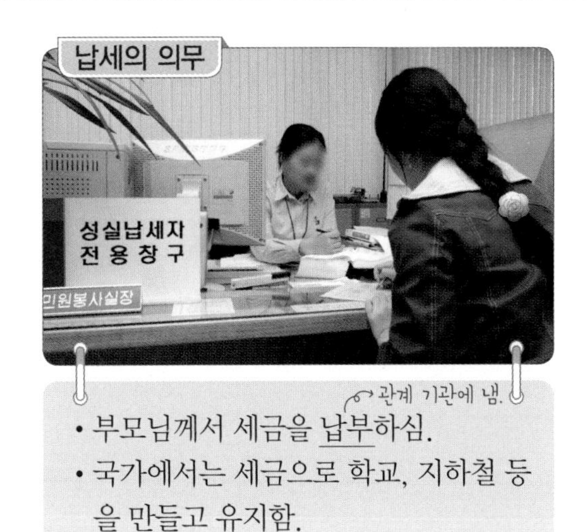
성실납세자
전용창구
민원봉사실장

- 부모님께서 세금을 납부하심. (납부: 관계 기관에 냄.)
- 국가에서는 세금으로 학교, 지하철 등을 만들고 유지함.

국방의 의무

사촌 오빠가 군대에 입대하여 훈련을 받고 나라를 지키고 있음.

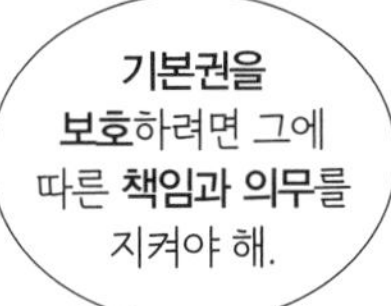
기본권을 보호하려면 그에 따른 **책임과 의무**를 지켜야 해.

의무를 실천하면 나뿐만 아니라 다른 사람의 기본권도 보장해 줄 수 있지!

공부하는 것, 세금을 내는 것 등은 생활 속에서 국민의 ❷(선행 / 의무)을/를 실천하는 사례입니다.

정답 ❶ 보전 ❷ 의무

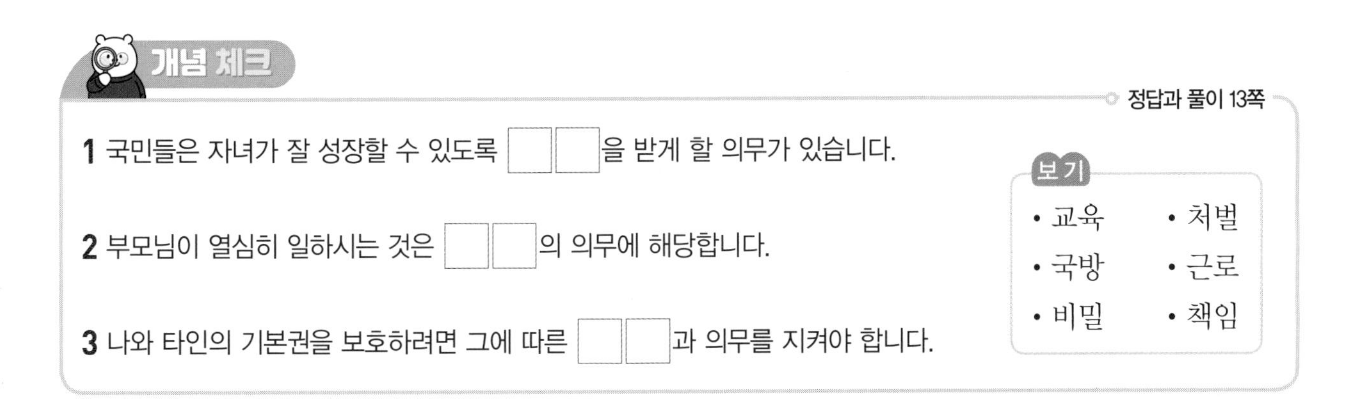

개념 체크

정답과 풀이 13쪽

1 국민들은 자녀가 잘 성장할 수 있도록 ☐☐을 받게 할 의무가 있습니다.

2 부모님이 열심히 일하시는 것은 ☐☐의 의무에 해당합니다.

3 나와 타인의 기본권을 보호하려면 그에 따른 ☐☐과 의무를 지켜야 합니다.

보기
- 교육
- 처벌
- 국방
- 근로
- 비밀
- 책임

정답과 풀이 13쪽

1 동준이가 지키고 있는 의무로 알맞은 것은 어느 것입니까? (　　　　)

> 동준 : 저는 쓰레기를 버릴 때 항상 분리배출을 하고 주변 환경을 함부로 훼손하지 않아요.

① 국방의 의무　② 근로의 의무　③ 교육의 의무
④ 납세의 의무　⑤ 환경 보전의 의무

2 의무에 대한 설명으로 알맞은 것은 어느 것입니까? (　　　　)

① 국민들은 근로의 의무를 지키기 위해 세금을 낸다.
② 의무의 실천은 나라의 유지와 발전에 도움이 된다.
③ 기업은 환경을 보전하기 위해 노력해야 할 의무가 없다.
④ 의무를 실천해도 다른 사람의 기본권은 보장할 수 없다.
⑤ 기본권을 보호하기 위해 의무는 필요하지만 책임은 필요 없다.

3 납세의 의무와 관련 있는 사진으로 알맞은 것은 어느 것입니까? (　　　　)

①

▲ 일하고 있는 사람들

②

▲ 군복을 입고 나라를 지키는 사람들

③

▲ 세금을 내는 사람

④

▲ 학교에 가는 학생들

4 다음 예진이가 하는 말을 읽고, □ 안에 들어갈 알맞은 말을 쓰시오.

예진 : 우리 부모님께서는 모두 [ ]의 의무를 실천하고 계십니다. 아빠는 자동차 공장에 다니시고, 엄마는 시청에서 민원을 처리하는 일을 하십니다.

( )

집중 연습 문제 교육의 의무

5 교육의 의무와 관련 있는 그림을 찾아 기호를 쓰시오.

㉠ 

㉡ 

( )

그러면 5번의
답이 아닌 그림은
무슨 의무일까?

[ ]의 의무

6 우리 생활 속에서 교육의 의무와 관련된 모습을 보기에서 찾아 기호를 쓰시오.

보기
㉠ 사촌 오빠가 군대에 입대하여 나라를 지키고 있습니다.
㉡ 부모님께서 학교에 보내 주셔서 우리가 열심히 공부합니다.
㉢ 부모님께서 내신 세금으로 학교, 지하철 등이 만들어집니다.

( )

㉠~㉢은 어떤
의무와 관련된 생활
모습인지 써 보자.

- ㉠ ➔ ○○의 의무
- ㉡ ➔ ○○의 의무
- ㉢ ➔ ○○의 의무

4일 권리와 의무의 관계

공공의 이익이 가장 중요할까?

그 문서를 보여 줬다가 쟤 혼자 보물을 찾아 도망가면 어떡해요?
힘이 세지 못해서 들고 도망갈 수도 없을 거야.

만약 공공의 이익을 위한다면서 국가에 반납해 버리면요?
현수는 똑똑한 아이라서 오로지 공공의 이익만 강조해선 안 된다는 것 정도는 알 거예요.

흠, 아무튼 전 반대예요.
저도 찬성이요.
나도 찬성!
난 찬성.

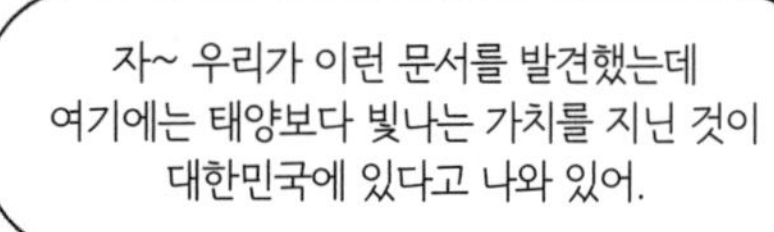

자~ 우리가 이런 문서를 발견했는데 여기에는 태양보다 빛나는 가치를 지닌 것이 대한민국에 있다고 나와 있어.

척

그런데 이건 옛날 문서라 제가 읽을 수가 없네요.
거봐요. 보여줘 봤자라니까요.

그런데 뒷면에도 뭐라고 적혀 있네요?
헹? 뒷면에도?

용어 체크

공공의 이익

국가나 사회 구성원에게 물질적으로나 정신적으로 두루 보탬이 되는 것

예 공공 기관이란 개인이 아닌 ❶ [   ] 을 위해 일을 하는 곳으로, 사람들이 편리한 생활을 할 수 있도록 도와준다.

▲ 우리의 편리한 생활을 위한 도서관

정답 ❶ 공공의 이익

그래서 보물은 무엇이지?

태양보다 빛나는 가치를 지닌 것은 바로 한국인의 정이다. 그래서 한국인들은 의견 충돌이 있을 때도 자신의 이익만을 강조하지 않고 서로의 입장을 이해하며 조화롭게 살아간다.

정이 뭐야? 보석 이름이야?
?
정이라면 벌써 많이들 느끼셨을 텐데요.

맞아! 경찰서에서도 느꼈고 현수가 도와준 것도 순수한 정이었지.
여기 있는 동안 보물로도 살 수 없는 따뜻한 정을 느끼고 가는 것 같아요.

하지만 난 전 재산을 날렸다고!!!
또 벌면 되죠.
꺼이
꺼이
저희가 열심히 일할게요~

4주

용어 체크

충돌

서로 맞부딪치거나 맞섬.

예 그들의 의견은 서로 완전히 반대되기 때문에 ❶ ______ 이 예상된다.

조화

서로 잘 어울림.

예 인간은 자연과 함께 ❷ ______ 를 이루면서 살아가고 있다.

정답 ❶ 충돌 ❷ 조화

4일 개념 익히기

1 우리 생활에서 권리와 의무는 어떤 모습으로 나타날까?

○○시는 멸종 위기종이 발견된 지역을 생태 보호 지역으로 지정할 계획을 세우고 그 인근의 땅을 개발하지 못하도록 제한했습니다.

이 과정에서 땅 주인과 ○○시 사이에 의견이 서로 충돌하고 있습니다.

권리와 의무의 충돌 사례

자신의 재산을 자유롭게 사용할 수 있는 권리	환경을 보호해야 하는 의무

땅 주인
이곳은 제 땅입니다. 개인의 땅을 개발하지 못하게 하는 것은 자유권을 침해한다고 생각합니다.

VS

○○시 관계자
환경을 지켜야 할 책임과 의무는 우리 모두에게 있습니다. 이 지역을 생태 보호 지역으로 지정해야 합니다.

☑ 권리와 의무는 서로 연결되어 있어서 종종 서로의 ❶(감정 / 입장)에 따라 충돌하기도 합니다.

2 권리와 의무가 충돌할 때는 어떻게 해야 할까?

서로의 입장을 이해하고 공감해야 함. — **권리와 의무가 충돌할 때** — 권리와 의무를 조화롭게 실천하기 위해 노력함.

권리와 의무가 충돌할 때에는 두 가지를 ❷(분리 / 조화)시킬 수 있는 방법을 찾아야 합니다.

정답 ❶ 입장 ❷ 조화

개념 체크

정답과 풀이 14쪽

1 권리와 의무는 서로 긴밀하게 ☐☐되어 있습니다.

2 권리와 의무는 각자의 ☐☐에 따라 종종 충돌하기도 합니다.

3 권리와 의무가 충돌할 때는 서로의 입장에 따라 ☐☐하는 태도가 필요합니다.

보기
- 연결
- 분리
- 생각
- 평등
- 강조
- 공감

4일 개념 확인하기

[1~3] 다음은 ○○시에서 일어난 일입니다.

○○시는 멸종 위기 종이 발견된 지역을 생태 보호 지역으로 지정할 계획을 세우고 그 인근의 땅을 개발하지 못하도록 제한했습니다. 이 과정에서 땅 주인과 ○○시의 의견이 서로 다르게 나타나고 있습니다.

개인의 땅을 개발하지 못하게 하는 것은 [㉠]을 침해하는 행위라고 생각합니다.

우리에게는 [㉡]의 의무가 있습니다. 멸종 위기에 처한 동물을 보호하려면 이 지역을 생태 보호 지역으로 지정해야 합니다.

1 위 대화의 ㉠에 들어갈 알맞은 말을 다음 설명을 참고하여 쓰시오.

> 헌법으로 보장되는 국민의 기본적인 권리 중 하나로, 자유롭게 생각하고 행동할 수 있는 권리를 [㉠]이라고 합니다.

( )

2 위 대화의 ㉡에 들어갈 알맞은 말은 어느 것입니까? ( )

① 근로 ② 납세 ③ 교육
④ 국방 ⑤ 환경 보전

3 위와 같은 상황을 가리키는 말로 알맞은 것은 어느 것입니까? ( )

① 자유의 보장 ② 기본권의 보장
③ 근로의 의무 실천 ④ 권리와 의무의 조화
⑤ 권리와 의무의 충돌

권리와 의무의 관계

4 권리와 의무에 대해 알맞게 말한 어린이는 누구인지 쓰시오.

권리와 의무는
서로 어떠한
관련도 없어.

▲ 민구

권리와 의무 중
어느 하나만
강조해서는 안 돼.

▲ 채윤

( )

집중 연습 문제 권리와 의무의 충돌

5 다음 상황에서 충돌할 수 있는 권리와 의무를 알맞게 짝 지은 것은 어느 것입니까? ( )

> ○○시는 사라질 위기에 처한 동물을 살리기 위해 생태 보호 지역으로 지정할 계획을 세우고 그 인근의 땅을 개발하지 못하도록 제한했습니다.

① 재판을 받을 권리, 교육의 의무
② 국가의 정치에 참여할 권리, 납세의 의무
③ 거주지를 자유롭게 옮길 권리, 국방의 의무
④ 쾌적한 환경에서 생활할 권리, 근로의 의무
⑤ 자신의 재산을 자유롭게 사용할 권리, 환경 보전의 의무

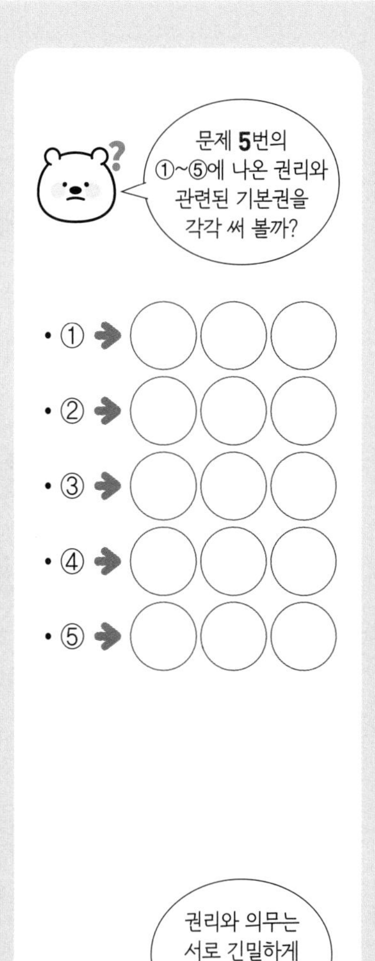

문제 5번의
①~⑤에 나온 권리와
관련된 기본권을
각각 써 볼까?
• ①
• ②
• ③
• ④
• ⑤
권리와 의무는
서로 긴밀하게
연결되어 있어.

6 권리와 의무가 충돌할 때 해결하는 방법으로 알맞은 것은 어느 것입니까? ( )

① 권리를 더 강조한다.
② 힘이 센 사람의 의견을 따른다.
③ 권리와 의무를 조화롭게 실천한다.
④ 나이가 더 많은 사람의 의견을 따른다.
⑤ 권리보다는 의무를 더 중요하게 생각한다.

5일 4주 마무리하기

1 헌법의 의미와 역할

헌법을 바탕으로 여러 법이 만들어져.

① 헌법의 뜻 : 법 중에서 가장 기본이 되는 우리나라 최고의 법을 말합니다.

② 헌법에 담긴 내용

- 국민이 누려야 할 권리와 지켜야 할 의무
- 국가 기관을 조직하고 운영하는 기본 원칙
- 모든 국민이 존중받고 행복한 삶을 살아가는 데 필요한 내용

▲ 헌법 재판소

③ 헌법의 역할 : 개인이 가진 인권을 분명하게 확인하고 이를 보장해 줍니다.

④ 헌법 재판소 : 법이 헌법에 어긋나는지, 국가 권력이 국민의 권리를 침해하는지 등을 심판합니다.

2 헌법에 나타난 국민의 기본권

① 기본권의 뜻 : 헌법으로 보장되는 국민의 기본적인 권리입니다.

② 기본권의 종류

평등권

법을 공평하게 적용받아 차별받지 않을 권리

자유권

자유롭게 생각하고 행동할 수 있는 권리

참정권

국가의 정치 의사 형성 과정에 참여할 수 있는 권리

기본권을 보호하려면 그에 따른 책임이 필요해.

청구권

기본권이 침해되었을 때 국가에 어떤 일을 해 달라고 요구할 수 있는 권리

사회권

인간답게 살 수 있도록 국가에 요구할 수 있는 권리

③ 기본권의 제한

- 국가의 안전 보장, 공공의 이익, 사회 질서 유지 등을 위해 필요한 경우 법률에 따라 제한될 수 있습니다.
- 기본권을 제한할 수 있는 경우에도 근본적인 내용은 함부로 제한할 수 없습니다.

3 헌법에 나타난 국민의 의무

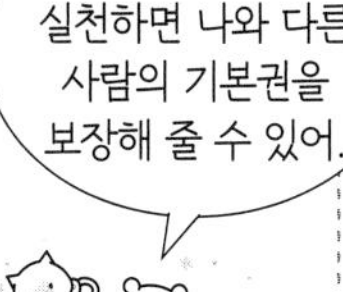

의무를 잘 실천하면 나와 다른 사람의 기본권을 보장해 줄 수 있어.

① 의무의 종류

교육의 의무

자녀가 잘 성장할 수 있도록 교육을 받게 할 의무가 있음.

납세의 의무

세금을 내야 할 의무가 있음.

근로의 의무

개인과 나라의 발전을 위해 일할 의무가 있음.

국방의 의무

모두의 안전을 위해 나라를 지킬 의무가 있음.

환경 보전의 의무

환경을 보전하기 위해 노력해야 할 의무가 있음.

② 의무를 성실하게 실천함으로써 나라를 유지하고 발전시킬 수 있습니다.

100%

갑자기 궁금한 게 생겼어! 법원에서 사람들을 심판하는 법이 헌법에 어긋나는지 아닌지는 어떻게 알 수 있을까?

법이 헌법에 어긋나는지를 심판하는 기관은 따로 있지. 바로 헌법 재판소! 그리고 헌법 재판소에서는 국가 권력이 국민의 권리를 침해하는지에 대해서도 심판을 해 준대.

만약 헌법 재판에서 법이 국민의 인권을 침해한다고 결정이 나면 그 법은 개정되거나 폐지될 수 있어.

오호, 헌법 재판소에서도 우리의 기본권을 보장해 주는 일을 하는구나!

4주 마무리하기

1일 헌법의 의미와 역할

1 다음은 여진이가 헌법에 대해 정리한 내용입니다. 알맞지 않은 것을 모두 찾아 기호를 쓰시오.

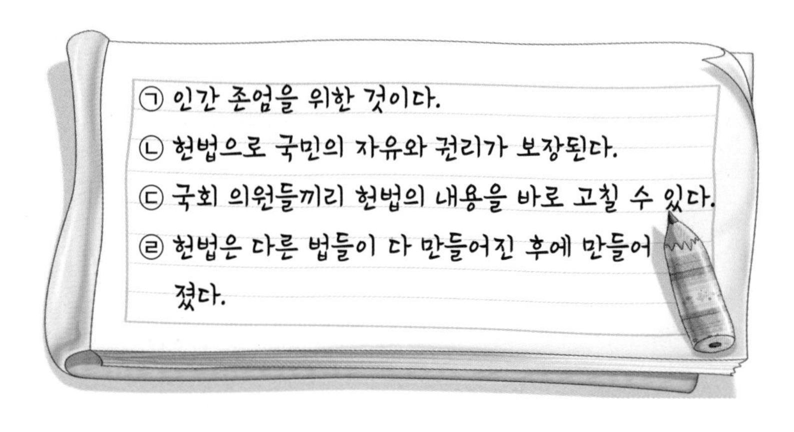

㉠ 인간 존엄을 위한 것이다.
㉡ 헌법으로 국민의 자유와 권리가 보장된다.
㉢ 국회 의원들끼리 헌법의 내용을 바로 고칠 수 있다.
㉣ 헌법은 다른 법들이 다 만들어진 후에 만들어졌다.

(,)

2 다음 헌법의 내용 중 □ 안에 들어갈 알맞은 말은 어느 것입니까? ( )

제11조 제1항 모든 □ 은/는 법 앞에 평등하다.

① 국가 ② 기업 ③ 학교
④ 국민 ⑤ 국회

3 헌법의 내용을 새로 정하거나 고칠 때 국민 투표를 하는 까닭은 어느 것입니까? ( )

① 헌법을 빠르게 고치기 위해
② 국민들의 개인 정보를 수집하기 위해
③ 국민들에게 재판의 기회를 주기 위해
④ 국민이 헌법의 내용을 잘 살펴보도록 하기 위해
⑤ 헌법의 내용이 너무 많아 일을 나눠서 하기 위해

빠른 정답 보기
정답과 풀이 14쪽

2일 기본권

4 다음 사진과 관련 있는 기본권으로 가장 알맞은 것은 어느 것입니까? (　　　)

① 자유권
② 평등권
③ 참정권
④ 청구권
⑤ 사회권

▲ 교실에서 공부하는 모습

5 참정권에 대해 알맞게 말한 어린이는 누구입니까? (　　　)

① 재근 : 기본권이 침해되었을 때 재판을 청구할 수 있어.
② 다은 : 법을 공평하게 적용받아 차별받지 않을 권리를 말해.
③ 규현 : 우리 부모님이 세금을 내시는 것도 참정권 때문이지.
④ 우민 : 인간답게 살 수 있도록 국가에 요구할 수 있는 권리야.
⑤ 은영 : 모든 국민은 법률이 정하는 바에 의하여 선거권을 가질 수 있어.

6 다음 모습은 우리 생활 속에서 어떤 기본권을 보장받는 모습인지 쓰시오.

- 내가 미래에 하고 싶은 직업을 선택할 수 있습니다.
- 나의 의견이나 생각을 자유롭게 이야기할 수 있습니다.

(　　　　　　　　)

7 기본권이 제한될 수 있는 경우로 알맞은 것은 어느 것입니까? (　　　)

① 대통령이 바뀌었을 때
② 국민들의 투표율이 낮을 때
③ 국가의 출산율이 늘어났을 때
④ 국민들이 세금을 잘 납부할 때
⑤ 공공의 이익을 위해 필요하다고 생각할 때

3일 국민의 의무

8 다음 내용과 관련 있는 국민의 의무로 알맞은 것은 어느 것입니까? (　　　　)

> 사촌 오빠는 얼마 전에 군대에 입대하여 훈련을 받고 나라를 지키고 있습니다.

① 납세의 의무　② 국방의 의무　③ 근로의 의무
④ 교육의 의무　⑤ 환경 보전의 의무

서술형

9 다음은 국민의 의무를 성실하게 실천하고 있는 모습입니다.

(1) 위 그림과 공통으로 관련된 국민의 의무를 쓰시오.

(　　　　　　　　　　)의 의무

(2) 생활 속에서 볼 수 있는 위 의무의 실천 사례를 한 가지만 쓰시오.

____

____

10 환경 보전의 의무를 실천하기 위해 우리가 당장 실천할 수 있는 일로 알맞은 것은 어느 것입니까? (　　　　)

① 군대에 입대하여 훈련을 받는다.
② 나라의 발전을 위해 열심히 일한다.
③ 집에서 나온 쓰레기는 학교에 버린다.
④ 길가에 쓰레기를 함부로 버리지 않는다.
⑤ 멸종 위기 동물을 보호하기 위해 생태 보호 지역을 지정한다.

4일 권리와 의무의 관계

11 다음 '권리와 의무의 관계' ○× 퀴즈의 답이 알맞지 않은 것의 기호를 쓰시오.

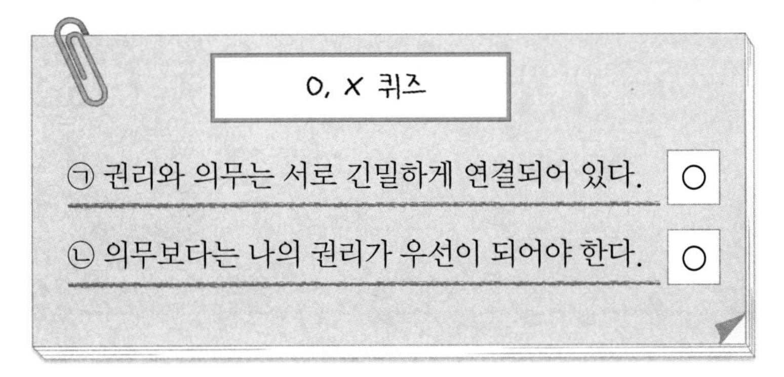

O, X 퀴즈
㉠ 권리와 의무는 서로 긴밀하게 연결되어 있다. ○
㉡ 의무보다는 나의 권리가 우선이 되어야 한다. ○

( )

12 권리와 의무가 충돌할 때 필요한 자세를 알맞게 말한 어린이를 쓰시오.

진솔 : 나라의 발전을 위해 언제나 의무의 실천을 더 강조해야 해요.
민혜 : 서로의 입장을 이해하면서 권리와 의무를 조화롭게 실천해야 해요.

( )

똑똑한 하루 퀴즈

13 현우가 놀이터에서 보물 상자를 발견했습니다. 한 주 동안 배운 내용에 대한 알맞은 설명 앞에 적힌 번호를 작은 것부터 나열하면 상자의 비밀번호를 풀 수 있습니다. 비밀번호를 완성해서 상자를 열어 보세요.

- 7 헌법은 우리의 권리를 보장해 줍니다.
- 2 모든 국민은 개인과 나라의 발전을 위해 일할 의무가 있습니다.
- 1 납세권은 헌법으로 보장되는 기본권입니다.
- 9 제헌절은 7월 7일입니다.
- 5 국가는 함부로 국민의 권리를 침해할 수 없습니다.

누구나 100점 TEST

맞은 개수 /10개

1 헌법에 대해 바르게 말한 어린이는 누구인지 쓰시오.

외국인의 권리를 보장하기 위해 만들어졌어.
국민의 권리와 의무에 대한 내용이 담겨 있어.

▲ 누리 ▲ 충재

( )

2 다음 사진 속 장소에서 하는 일로 알맞은 것은 어느 것입니까? ( )

▲ 헌법 재판소

① 헌법을 만든다.
② 대통령을 뽑는다.
③ 사회 보장 제도를 시행한다.
④ 범죄 예방을 위해 순찰을 한다.
⑤ 법이 헌법에 어긋나는지 심판한다.

3 다음에서 설명하는 기본권은 무엇인지 보기에서 찾아 쓰시오.

미래에 내가 하고 싶은 직업을 선택할 수 있어!

보기
• 참정권 • 평등권 • 자유권

( )

4 참정권에 대한 설명으로 알맞은 것을 보기에서 찾아 기호를 쓰시오.

보기
㉠ 법을 공평하게 적용받아 차별받지 않을 권리입니다.
㉡ 국가의 정치 의사 형성 과정에 참여할 수 있는 권리입니다.

( )

5 다음 재판을 받는 사진과 가장 관련 있는 기본권은 어느 것입니까? ( )

① 평등권 ② 자유권 ③ 청구권
④ 참정권 ⑤ 사회권

6 다음에서 설명하는 국민의 의무는 어느 것입니까? (　　　)

> 모든 국민은 세금을 내야 할 의무가 있습니다.

① 교육의 의무　② 국방의 의무
③ 납세의 의무　④ 근로의 의무
⑤ 환경 보전의 의무

7 다음 사진과 관련 있는 국민의 의무는 무엇인지 보기 에서 찾아 쓰시오.

▲ 쓰레기를 분리배출하는 모습

보기
• 국방　• 교육　• 환경 보전

(　　　　　　　)의 의무

8 부모님, 삼촌 등이 모두 열심히 일하시는 것과 가장 관련 있는 국민의 의무는 어느 것입니까? (　　　)

① 교육의 의무　② 국방의 의무
③ 납세의 의무　④ 근로의 의무
⑤ 환경 보전의 의무

9 의무에 대한 설명으로 알맞은 것을 보기 에서 모두 찾아 기호를 쓰시오.

보기
㉠ 의무를 실천하면 다른 사람에게만 좋습니다.
㉡ 의무를 성실하게 실천하면 나라를 발전시킬 수 있습니다.
㉢ 의무를 실천하는 일은 나와 다른 사람의 기본권을 보장해 줄 수 있는 바탕이 됩니다.

(　　　　,　　　　)

10 권리와 의무가 충돌할 때의 해결 방법을 알맞게 말한 어린이를 쓰시오.

무조건 힘이 센 사람의 말을 따라요.
▲ 민성

서로의 입장을 이해하고 공감해요.
▲ 민희

(　　　　　　)

4주

4주 특강 생활 속 사회

제시된 만화를 보고 헌법에 제시된 국민의 의무를 살펴봅니다.

생활 속에서 실천할 수 있는 국민의 의무

저번에 세금을 내는 것이 대한민국 국민의 의무라고 했지?

네. 납세의 의무는 국민의 여러 의무 중 하나예요.
납세 말고 또 있어?

그럼요. 그 대신 국가도 우리에게 많은 권리를 보장해 주고 있거든요.

흠, 그럼 다른 의무는 뭔데? 외국에서 왔지만 우리도 할 수 있으면 같이 체험해 볼까 해서…….
뭐라고?

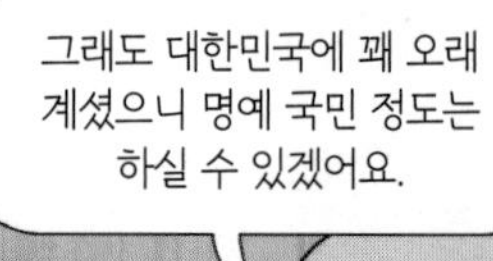

너무 힘든 건 싫은데!
그래도 대한민국에 꽤 오래 계셨으니 명예 국민 정도는 하실 수 있겠어요.

나머지 의무로는 교육, 근로, 국방, 환경 보전의 의무가 있어요. 마침 할머니의 일을 도와야 하니 근로의 의무를 실천해 볼까요?
좋아!

낑
하하 들켰네!
낑
몇 시간 후
다른 의무도 체험해 보실래요?
헉
헉
대한민국 명예 국민 포기할래!

정답과 풀이 16쪽

1 다음 국민의 의무에 대한 문제에서 □ 안에 들어갈 말을 말 상자에서 모두 찾아 ○표를 하세요. 말 상자의 낱말은 가로, 세로, 대각선에 숨어 있어요.

1. □의 의무를 지키기 위해 부모님이 열심히 일하십니다.
2. 납세의 의무를 지켜야 하기 때문에 국민들은 □을 냅니다.
3. 국민의 의무는 □에 제시되어 있습니다.
4. 사촌 오빠가 군대에서 훈련을 받는 것은 □의 의무를 실천하는 것입니다.
5. 우리가 학교에서 열심히 공부하는 것은 □의 의무와 관련이 있습니다.

사	회	권	제	헌	절
교	육		보	청	법
칙	조	리	근	로	
환	경	보	전	판	국
세		평	재	방	보
금	인	권	등	교	장

4주

4주 특강 사고 쑥쑥

헌법에 제시된 국민의 기본권에 대해 살펴봅니다.

2 국민의 기본권에 대한 문제를 풀어 할머니 댁에 무사히 도착할 수 있게 도와주세요.

출발
어린이는 기본권을 가질 수 없어요.
접근 금지
부모님께서 투표를 하시는 것은 평등권과 관련이 있어요.
국민들은 기본권이 침해되었을 때 청구권에 의해 재판을 받을 수 있어요.
모든 국민은 직업 선택의 자유를 가져요.
헌법으로 보장되는 기본권에는 참정권, 사회권, 국방권 등이 있어요.
기본권은 공공의 이익 등을 위해 법률에 따라 제한될 수도 있어요.
도착

3 지민이가 헌법에 대해 정리한 공책에 주스를 엎어 버렸어요.

(1) 다음 ㉠에 대해 잘못 말한 어린이의 이름을 쓰세요.

내용을 고칠 때는 국민 투표를 해야 해.
인간 존엄을 위해 만들어졌어.
국가의 주인은 대통령이라고 나와 있어.
유현
민준
해나

( )

(2) 다음 중 ㉡을 보장받고 있는 모습을 찾아 ○표를 하세요.

원하는 사람에게 투표할 거야.
투표함
세금 내는 곳
오늘은 세금을 내는 날이야.
열심히 일을 해야지.

창의·융합·코딩

4주 특강 논리 탄탄

제시된 만화를 보고 헌법 재판소의 역할에 대해 알아봅니다.

4 다음 만화를 보고, 암호를 풀어 보세요.

암호 해독표

a	b	c	d	e	f	g	h	i	j	k	l	m	n
ㄱ	ㄴ	ㄷ	ㄹ	ㅁ	ㅂ	ㅅ	ㅇ	ㅈ	ㅊ	ㅋ	ㅌ	ㅍ	ㅎ

①	②	③	④	⑤	⑥	⑦	⑧	⑨	⑩	⑪	⑫	⑬	⑭
ㅏ	ㅑ	ㅓ	ㅕ	ㅗ	ㅛ	ㅜ	ㅠ	ㅡ	ㅣ	ㅐ	ㅒ	ㅔ	ㅖ

해독한 암호

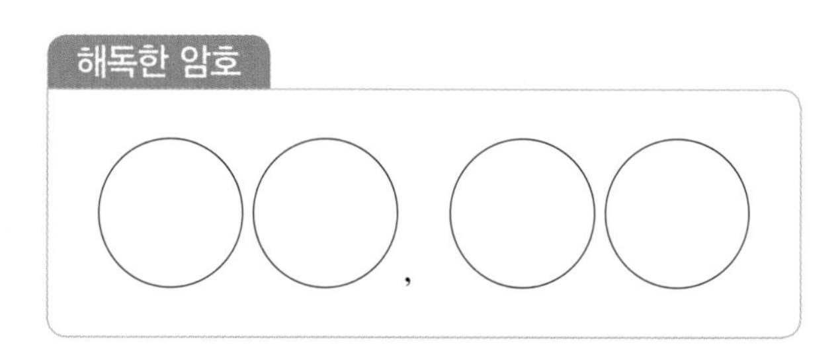

컴퓨터의 표현 방법을 이용하여 헌법에 대해 알아봅니다.

5 다음 **보기**에서 헌법에 대한 알맞은 설명이 적힌 숫자를 모두 찾아 네모 칸을 색칠해 보세요.

보기

1. 국민의 권리를 침해하기 위해 만들어진 법입니다.
2. 법 중에서 가장 기본이 되는 법입니다.
3. 헌법의 내용은 절대 고칠 수 없습니다.
4. 개인이 가진 인권을 분명하게 확인하고 보장해 주는 역할을 합니다.
5. 국민의 다양한 기본권과 의무가 담겨 있습니다.
6. 국가 기관을 조직하고 운영하는 기본 원칙이 담겨 있습니다.
7. 헌법을 만들어서 국민에게 알린 날을 개천절이라고 합니다.

4주

1	5	2	3	5	6	7
4	3	7	4	1	1	5
2	1	7	5	7	1	6
6	3	7	1	3	3	4
1	5	3	1	7	2	3
3	3	5	7	6	1	7
7	1	3	4	7	3	1

컴퓨터는 픽셀이라는 점으로 그림과 글씨를 표현해.

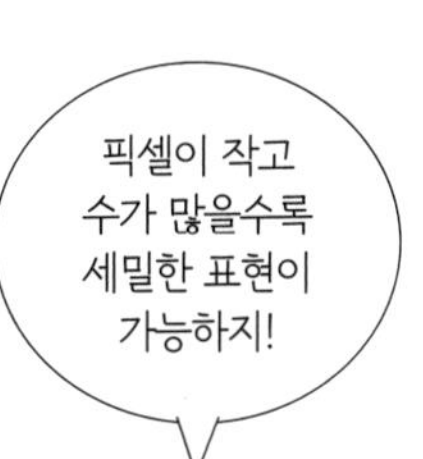

픽셀이 작고 수가 많을수록 세밀한 표현이 가능하지!

용어 모음

1~4주 동안 공부한
사회 용어를
ㄱㄴㄷ 순서로 정리했어요!

용어	뜻	쪽
멸종	생물의 한 종류가 아주 없어지는 것	156쪽
물류	생산자가 만든 상품을 소비자에게 수송, 운반, 보관하는 과정	30쪽

용어	뜻	쪽
반도	삼면이 바다로 둘러싸이고 한 면은 육지에 이어진 땅	12쪽
방위표	지도에서 동서남북의 방향을 알려 주는 표시	12쪽
범죄	법규를 어기고 저지른 잘못	115쪽
법	국가가 만든 강제성이 있는 규칙	108쪽
변호인	피고인을 대신해 권리를 주장하여 피고인이 억울한 부분이 없도록 노력하는 사람	114쪽
본초 자오선	경도의 기준이 되는 선 예 본초 자오선은 영국의 그리니치 천문대를 지나는 선으로 정한다.	12쪽

용어	뜻	쪽
사회 질서	사회를 구성하는 여러 요소와 집단이 조화롭게 균형을 이룬 상태	115쪽
사회권	인간답게 살 수 있도록 국가에 요구할 수 있는 권리	144쪽
산맥	산지의 여러 산들이 이어진 지형	18쪽
산지	높이 솟은 산들이 모여 이룬 지형	54쪽
상언	백성이 임금에게 글을 올리던 일	97쪽
생활권	행정 구역과는 관계없이 통학이나 통근, 쇼핑, 오락 등의 일상생활을 하느라고 활동하는 범위	31쪽
신도시	계획적으로 새로 개발된 도시	25쪽
신문고	백성들의 억울한 일을 해결하여 줄 목적으로 대궐 밖에 달았던 북	95쪽

용어	뜻	쪽
양심	사물의 가치를 변별하고 자기의 행위에 대하여 옳고 그름과 선과 악의 판단을 내리는 도덕적 의식	108쪽
영공	한 나라의 주권이 미치는 하늘의 범위	13쪽
영역	한 나라의 주권이 미치는 범위 예 우리나라의 영역은 우리들이 사는 삶의 터전이다.	13쪽
영토	한 나라의 주권이 미치는 땅의 범위	13쪽
영해	한 나라의 주권이 미치는 바다의 범위	13쪽
우데기	가옥의 바깥쪽에 지붕의 처마 끝에서부터 땅에 닿는 부분까지 둘러치는 벽	67쪽
위선	지구 표면을 가로로 지나도록 적도에 평행하게 그은 가상의 선	12쪽
유출	귀중한 물품이나 정보 따위를 불법적으로 나라나 조직의 밖으로 내보내는 것	102쪽
유포	세상에 널리 퍼뜨리는 행위	114쪽
의무	규범에 의하여 부과되는 부담이나 구속	138쪽
인구 밀도	인구의 밀집 정도를 나타내는 것으로, 일정한 넓이($1\,km^2$) 안에 거주하는 인구	24쪽
인구 피라미드	특정 지역이나 나라의 연령별, 남녀별 인구를 피라미드 모양으로 나타낸 그래프	34쪽
인구분포도	사람들이 어디에 얼마나 모여 살고 있는지 나타낸 지도	24쪽
인권	인간으로서 당연히 가지는 기본적 권리	96쪽

ㅈ

용어	뜻	쪽
자연재해	피할 수 없는 자연 현상으로 일어나는 피해	72쪽
자유권	자유롭게 생각하고 행동할 수 있는 권리	144쪽
재판	구체적인 소송 사건을 해결하기 위해 법원 또는 법관이 판결을 내리는 일	114쪽
저수지	물을 모아 두기 위해 하천이나 골짜기를 막아 만든 큰 못	67쪽
저작권	음악, 영화, 출판물 등을 만든 사람이 창작물에 행사하는 권리	109쪽
저출산	태어나는 아이의 수가 줄어드는 현상	24쪽
제방	홍수를 예방하거나 물을 저장하기 위해 물가에 흙이나 돌, 콘크리트 등으로 쌓은 둑	72쪽
주권	다른 나라의 간섭 없이 나라의 중요한 일을 스스로 결정하는 권리	13쪽
지진	땅이 지구 내부의 힘을 받아 흔들리고 갈라지는 현상	73쪽
지형	땅의 생김새 예 우리나라에는 산지, 하천, 평야, 해안 등 다양한 지형이 있다.	54쪽

ㅊ

용어	뜻	쪽
참정권	국가의 정치 의사 형성 과정에 참여할 수 있는 권리	144쪽
철령관	군사적으로 매우 중요한 고개인 철령에 외적의 침입을 막으려고 건설한 요새	19쪽
청구권	기본권이 침해되었을 때 국가에 어떤 일을 해 달라고 요구할 수 있는 권리	144쪽

ㅌ

용어	뜻	쪽
태풍	북태평양 서남부에서 발생하여 아시아 대륙 동부로 불어오는, 폭풍우를 수반한 맹렬한 열대 저기압	72쪽
터돋움집	침수 피해를 막기 위해 집터를 주변보다 높여서 지은 집	67쪽

ㅍ

용어	뜻	쪽
편견	공정하지 못하고 한쪽으로 치우친 생각	102쪽
평등권	법을 공평하게 적용받아 차별받지 않을 권리	144쪽
평야	기복이 매우 작고, 지표면이 평평하고 너른 들	54쪽
폭설	한꺼번에 눈이 많이 내리는 현상	72쪽
폭염	하루 최고 기온이 33℃ 이상으로 올라가는 매우 심한 더위	70쪽

ㅎ

용어	뜻	쪽
한반도	우리나라가 있는 반도	13쪽
한파	겨울철에 기온이 갑자기 내려가면서 발생하는 추위	72쪽
해리	항해, 항공 등에서 사용하는 길이의 단위(1해리 = 1,852 m)	13쪽
해안	바다와 맞닿은 육지 부분	54쪽
해일	해저의 지각 변동이나 해상의 기상 변화에 의하여 갑자기 바닷물이 크게 일어서 육지로 넘쳐 들어오는 것 또는 그런 현상	73쪽
행정 구역	나라를 효율적으로 관리하려고 나눈 지역	18쪽
헌법 재판소	법률이 헌법에 어긋나는지, 그렇지 않은지 등을 판단하여 헌법을 지키고 국민의 권리를 보호하는 기관	139쪽
헌법	국민의 자유와 권리를 보장하기 위해 만든 우리나라 최고의 법	138쪽
홍수	비가 많이 내려 하천이 흘러넘쳐 주변의 도로나 건물 등이 물에 잠기는 재해	72쪽
황사	중국이나 몽골의 사막에서 발생한 미세한 모래 먼지가 우리나라까지 날아와 가라앉는 현상	72쪽
휴전선	6·25 전쟁의 휴전에 따라서 한반도의 가운데를 가로질러 설정된 군사 경계선	18쪽

정답과 풀이

1주 우리 국토와 인문 환경

1일 국토의 위치와 영역

13쪽 개념 체크

1 세로　2 동경　3 영토

14~15쪽 개념 확인하기

1 ㉡　2 ②　3 ㉠ 중국 ㉡ 일본
4 하율　5 (1) ㉢ (2) ㉠ (3) ㉡　6 ⑤

똑똑한 하루 퀴즈

7 ㉠ 마라도 ㉡ 독도

풀이

1 지구본에 있는 가로로 그어진 선은 위도를 나타내는 위선입니다. ㉠ 경선은 세로로 그어진 선이며, ㉢ 본초 자오선은 경도의 기준이 되는 선입니다.

2 우리 국토는 아시아 대륙의 동쪽에 위치한 반도입니다.

3 우리나라 주변에는 러시아, 몽골, 중국, 일본 등의 나라가 있습니다.

4 우리 국토는 북위 33°~43°, 동경 124°~132°에 위치해 있습니다.

왜 틀렸을까?

건후 : 우리 국토는 북반구에 있어.
다인 : 우리 국토는 육지와 바다 모두 접하고 있어.
이안 : 우리 국토는 아시아 대륙의 동쪽에 위치한 반도야.

5 영토, 영해, 영공은 각각 한 나라의 주권이 미치는 땅의 범위, 바다의 범위, 하늘의 범위입니다.

6 우리나라의 영해는 영해를 설정하는 기준선으로부터 12해리까지입니다.

7 영토가 어디인지에 따라 영해와 영공이 정해지기 때문에 우리 영토의 끝이 어디까지인지 아는 것이 중요합니다.

2일 국토의 구분

19쪽 개념 체크

1 대구　2 남쪽　3 관서

20~21쪽 개념 확인하기

1 행정 구역　2 ㉠ 전주 ㉡ 부산광역시　3 ③
4 ④

집중 연습 문제

5 ㉡
- ㉠ ➡ 호서 지방
- ㉡ ➡ 호남 지방
- ㉢ ➡ 영남 지방

6 ㉢

풀이

1 자연환경 이외에 행정 구역으로 지역을 구분하기도 합니다. 행정 구역은 나라를 효율적으로 관리하려고 나눈 지역을 말합니다.

2 전라북도청은 전주에 있습니다. 특별시, 특별자치시, 광역시에는 시청이 있고, 도와 특별자치도에는 도청이 있습니다. 시청과 도청은 대부분 시·도의 중심에 위치하고 있습니다.

3 남북으로 긴 우리나라는 북부, 중부, 남부 지방으로 구분할 수 있습니다. 북부 지방은 지금의 북한 지역을 말합니다. 중부 지방은 휴전선 남쪽으로 소백산맥과 금강 하류까지이며, 남부 지방은 중부 지방의 남쪽 지역을 의미합니다.

4 철령관은 군사적으로 매우 중요한 고개인 철령에 외적의 침입을 막으려고 건설한 요새입니다. 철령관의 북쪽을 관북 지방, 서쪽을 관서 지방, 동쪽을 관동 지방이라고 부릅니다.

5 금강(옛 이름 호강)의 남쪽에 있어서 '호남'이라고 부릅니다. 제시된 지도에서 ㉠은 호서 지방이고, ㉢은 영남 지방입니다.

6 호남 지방에 있는 우산 표시를 통해 비가 내리는 곳이 있음을 알 수 있습니다.

3일 인구와 도시

25쪽 개념 체크

1 늘고 2 대도시 3 포항

26~27쪽 개념 확인하기

1 ㉠ 2 ⑤ 3 남서 4 ②
5 ③

똑똑한 하루 퀴즈

6

촌	락	저	신	
고		출	도	인
	령	산	시	구
분	포	사		밀
수	도	권	회	도

❶ 인구 밀도 ❷ 고령 사회 ❸ 수도권

풀이

1 인구 구성은 연령별로 크게 14세 이하의 유소년층, 15~64세의 청장년층, 65세 이상의 노년층으로 나눌 수 있습니다. ㉠은 65세 이상, ㉡은 15~64세, ㉢은 14세 이하를 나타냅니다.

2 오늘날 우리나라의 연령별 인구 구성 비율은 저출산·고령 사회의 특징을 잘 보여 주고 있습니다.

3 1960년대 이전에는 기후가 온화하고 평야가 넓어 농사짓기에 유리한 남서쪽의 인구 밀도가 높았습니다.

4 제시된 지도의 범례에서 원은 도시를, 원의 크기는 도시의 인구를 나타냅니다. 1960년과 비교해 볼 때 도시 수가 가장 많이 늘어난 지역은 수도권(경기도) 지역입니다.

5 1960년대에 사람들이 일자리를 찾아 도시로 이동하면서 서울, 인천, 부산, 대구 등의 인구가 급속히 증가했습니다.

6 ❶은 인구 밀도, ❷는 고령 사회, ❸은 수도권에 대한 설명입니다.

4일 산업과 교통

31쪽 개념 체크

1 관광 2 동해 3 경부

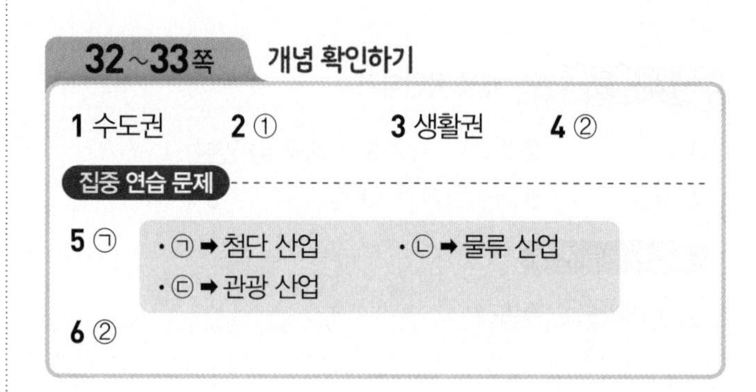
32~33쪽 개념 확인하기

1 수도권 2 ① 3 생활권 4 ②

집중 연습 문제

5 ㉠
- ㉠ ➡ 첨단 산업
- ㉡ ➡ 물류 산업
- ㉢ ➡ 관광 산업

6 ②

풀이

1 서울특별시와 인천광역시, 경기도 일대를 수도권이라고 합니다. 수도권 공업 지역은 편리한 교통, 넓은 소비 시장 등을 바탕으로 다양한 산업이 발달한 우리나라 최대의 종합 공업 지역입니다.

2 자연환경과 인문 환경의 차이에 따라 지역별로 각기 다른 산업이 발달했습니다.

왜 틀렸을까?
② 대전은 첨단 산업, ③ 동해는 시멘트 산업, ④ 광주는 자동차 산업, ⑤ 제주는 관광 산업이 발달했습니다.

3 통학, 통근 등 사람이 일상생활을 할 때 활동하는 범위를 생활권이라고 합니다. 교통이 발달하면서 생활권은 더욱 넓어졌습니다.

4 오늘날에는 다양한 교통 시설이 국토의 구석구석을 그물망처럼 연결하고 있습니다. 교통의 발달로 지역 간의 이동 시간은 줄어들었으며, 지역 간 연결이 원활해져서 교류가 더욱 활발해졌습니다.

5 대전에서는 연구소와 대학교가 서로 협력해 연구하기 때문에 첨단 산업이 발달했습니다.

6 동해는 시멘트의 주원료인 석회석이 풍부해 시멘트 산업이 발달했습니다.

5일 1주 마무리하기

36~39쪽 마무리하기 문제

1 ③, ④　　2 ㉠ 영토 ㉡ 영공　　3 ④
4 ②　　5 ㉠ 소백 ㉡ 금강　　6 ③
7 예 전체 인구에서 노년층이 차지하는 비율은 계속해서 늘고 있다.　　8 ④　　9 (2) ○　　10 ⑤
11 ④　　12 교통

똑똑한 하루 퀴즈

13 파이팅

풀이

1 본초 자오선을 기준으로 동쪽에 있는 우리 국토는 동경 124°에서 132° 사이에 위치해 있습니다.

2 영토는 땅, 영해는 바다, 영공은 하늘에서의 영역입니다.

3 해리는 항해, 항공 등에서 사용하는 길이의 단위로 1해리는 1,852 m입니다.

4 제주는 특별자치도입니다.

5 남북으로 긴 우리나라는 큰 산맥과 하천을 중심으로 북부, 중부, 남부 지방으로 구분할 수 있습니다.

6 영남 지방을 나누는 기준은 조령 고개입니다.

7 평균 수명이 점차 길어지고 노인 인구가 늘어나면서 우리나라는 2000년에 고령화 사회로 진입했고, 2018년에는 고령 사회에 도달했습니다.

인정 답안

제시된 그래프에 나타난 65세 이상 노년층의 변화에 대해 알맞게 썼으면 정답으로 인정합니다.

인정 답안의 예

전체 인구에서 65세 이상의 노년층이 차지하는 비율은 점점 늘고 있다.

8 1960년대 이전에는 남서쪽의 평야 지역에 사람들이 많이 모여 살았으며, 북동쪽의 산지 지역에는 지형의 영향으로 상대적으로 인구가 적었습니다.

9 1960년에 인구가 100만 명이 넘는 도시는 서울과 부산 두 곳입니다.

10 주변에 바다가 있으면 수출·수입을 하는 데 편리합니다.

11 제주도는 다른 지역에서 볼 수 없는 독특한 자연환경이 있어 관광 산업이 발달했습니다.

12 교통의 발달로 지역 간 거리는 점점 가깝게 느껴지고 있습니다.

13 한 나라의 영역은 영토, 영해, 영공으로 이루어지며, 우리나라의 2000년대 이후 출산율은 세계 최저 수준으로 떨어졌습니다.

1주 | TEST+특강

40~41쪽 누구나 100점 TEST

1 예서　　2 ㉠ 영토 ㉡ 영해　　3 ①
4 ⑤　　5 남쪽　　6 ①　　7 높
8 ③　　9 ④　　10 ㉡

풀이

1 우리 국토는 중국의 동쪽, 아시아 대륙의 동쪽에 있습니다.

2 한 나라의 영역은 영토, 영해, 영공으로 이루어집니다.

3 우리 국토의 동쪽 끝에 위치한 독도는 우리나라 사람들이 살고 있는 삶의 터전입니다.

4 우리나라는 북한 지역을 제외하면 특별시 1곳과 특별자치시 1곳, 광역시 6곳, 그리고 도 8곳과 특별자치도 1곳으로 이루어져 있습니다.

5 남북으로 긴 우리나라는 큰 산맥과 하천을 중심으로 북부, 중부, 남부 지방으로 구분할 수 있습니다.

6 철령관 동쪽에 위치한 관동 지방은 태백산맥을 기준으로 다시 지역을 구분할 수 있습니다.

7 1960년대 이후 도시를 중심으로 산업화가 되면서 촌락에 사는 사람들이 일자리를 찾아 도시로 이동했습니다.

8 1960년에 인구가 100만 명이 넘었던 도시는 서울과 부산 두 곳입니다.

9 대구는 풍부한 노동력을 바탕으로 섬유와 패션 산업이 성장했습니다.

10 2004년에 고속 철도가 개통되면서 반나절 생활권이 가능해졌습니다.

43쪽 생활 속 사회 융합

❶ (1) 독도

(2)

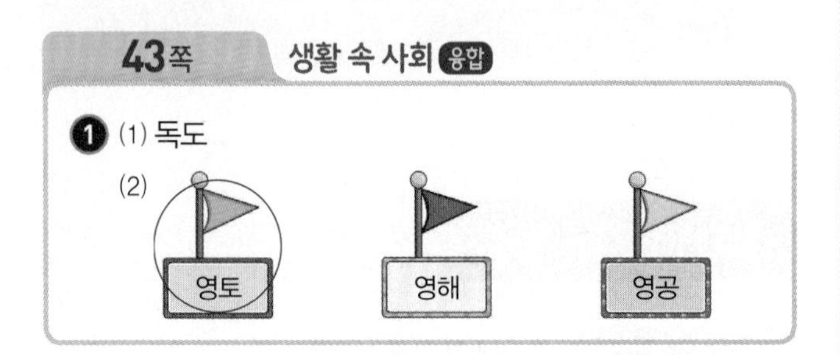

풀이

❶ (1) 우리나라 영토의 동쪽 끝은 경상북도 울릉군 독도입니다.

(2) 영토는 땅, 영해는 바다, 영공은 하늘에서의 영역을 말합니다.

44~45쪽 사고 쑥쑥 창의

❷ (1)

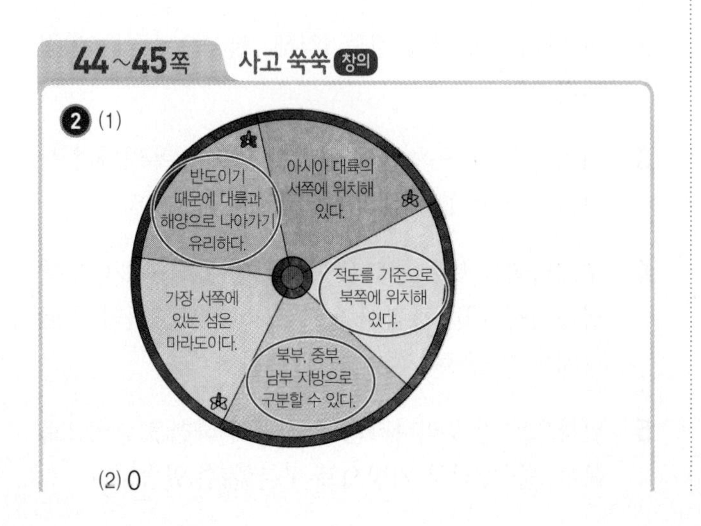

(2) 0

❸

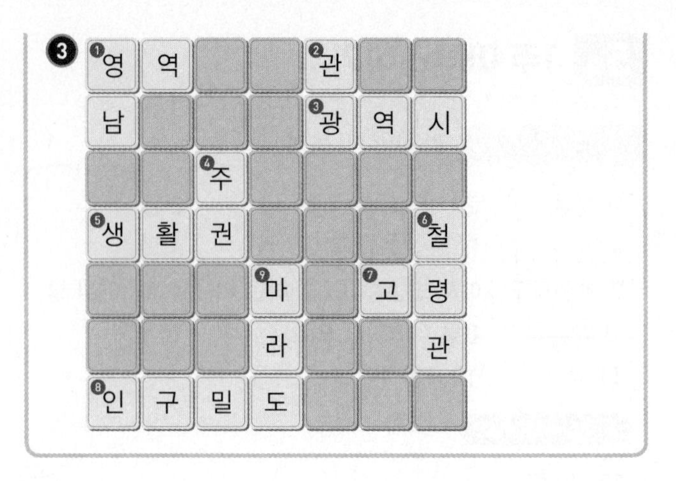

풀이

❷ (1) 우리 국토는 아시아 대륙의 동쪽에 위치해 있으며, 마라도는 우리나라에서 가장 남쪽에 있는 섬입니다.

(2) 인디 박사가 얻은 점수는 +10점, −5점, −5점으로 총 0점입니다.

❸ 우리를 둘러싸고 있는 모든 것 중 시설, 교통, 문화, 산업 등 사람이 자연을 토대로 만든 환경을 인문 환경이라고 합니다.

46~47쪽 논리 탄탄 코딩

❹ ❼ ❶ ❹ ❻

❺

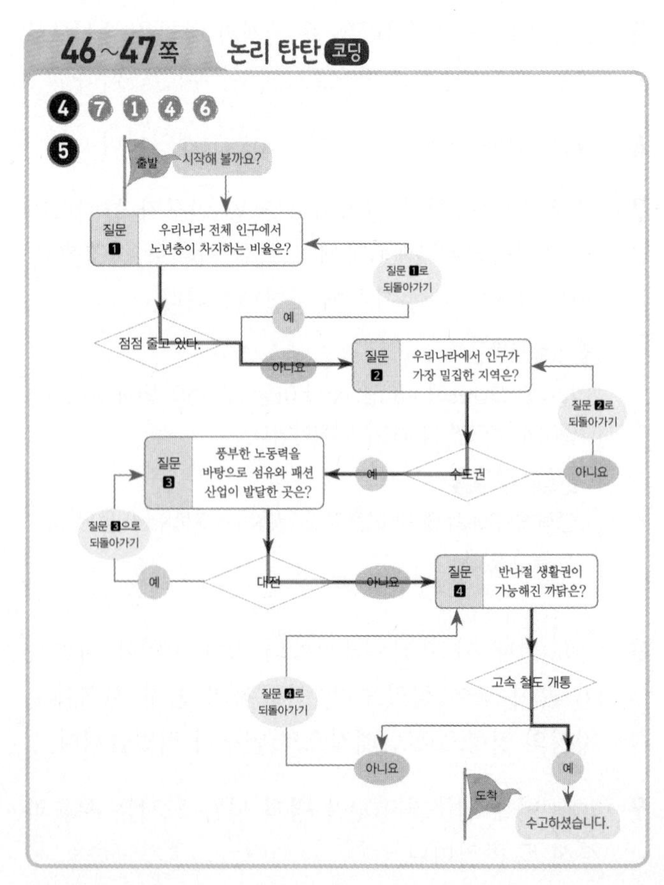

풀이

❹ 우리나라는 저출산·고령 사회로 들어섰습니다. 그리고 시멘트 산업이 발달한 곳은 동해이고, 물류 산업이 발달한 곳은 부산입니다.

❺ 전체 인구에서 노년층이 차지하는 비율은 계속해서 늘고 있으며, 풍부한 노동력을 바탕으로 섬유와 패션 산업이 발달한 곳은 대구입니다.

2주 자연환경

1일 우리나라의 지형

55쪽 개념 체크

1 산지 2 평야 3 서쪽

56~57쪽 개념 확인하기

1 ㉠ 산지 ㉡ 평야 2 ③ 3 ㉢
4 (2) ○ 5 ⑤ 6 동해안

똑똑한 하루 퀴즈

7 ❶ 산지 ❷ 해안

풀이

1 높이 솟은 산들이 모여 이룬 지형을 산지라고 하며, 하천 주변으로 넓고 평탄한 땅인 평야가 있습니다.

2 하천은 산지에서 시작해 바다로 흘러갑니다.

3 하천 중·하류 주변 평야에서는 논농사를 많이 짓습니다.

4 우리나라는 대체로 동쪽이 높고 서쪽이 낮은 동고서저의 지형을 이루고 있습니다.

5 높고 험한 산은 대부분 북쪽과 동쪽에 많고, 비교적 낮은 평야는 서쪽에 발달했습니다.

6 동해안은 해안선이 단조로운 반면, 서해안과 남해안은 해안선의 드나듦이 복잡하고 섬이 많습니다.

7 ❶ 산지와 ❷ 해안은 우리나라에서 볼 수 있는 지형입니다.

2일 우리나라의 기후

61쪽 개념 체크

1 기후 2 남동 3 높은

62~63쪽 개념 확인하기

1 기후 2 이현 3 ⑤ 4 ③

집중 연습 문제

5 강릉 6 ❶ 태백 ❷ 깊은

풀이

1 어떤 장소에서 장기간에 걸쳐 나타나는 대기의 평균적인 상태를 종합적으로 나타낸 것을 기후라고 합니다. 기후는 기온, 강수, 바람 등의 특성으로 나타낼 수 있으며 이를 기후 요소라고 합니다.

2 우리나라는 중위도에 위치해 있어 사계절이 나타납니다.

3 우리나라는 계절에 따라 불어오는 바람이 다른데, 겨울에는 북서쪽에서 차갑고 건조한 바람이 불어옵니다.

4 대체로 남쪽으로 갈수록 기온이 높아져 더 따뜻하고, 북쪽으로 갈수록 기온이 낮아져 더 춥습니다.

5 동해안에 위치한 강릉은 비슷한 위도에 있는 인천, 서울보다 겨울에 덜 춥습니다.

6 태백산맥이 차가운 바람을 막아 주고, 동해의 수심이 깊어 바닷물이 빨리 식지 않기 때문에 동해안의 겨울 기온은 서해안보다 높은 편입니다.

3일 강수량

67쪽 개념 체크

1 남부　2 울릉도　3 터돋움집

68~69쪽 개념 확인하기

1 ①, ④　2 ㉠　3 ③　4 터돋움집
5 ④

똑똑한 하루 퀴즈

6 ㉠

풀이

1 범례의 색이 파란색으로 진해질수록 강수량이 많다는 것을 의미합니다. 그리고 범례의 색이 연해지거나 갈색이 될수록 강수량이 적다는 것을 의미합니다.

2 대체로 남부 지방은 강수량이 많고, 북부 지방은 강수량이 적습니다.

왜 틀렸을까?
㉡ 우리나라는 연평균 강수량의 절반 이상이 여름에 집중됩니다.
㉢ 우리나라는 지역과 계절에 따라 강수량의 차이가 크게 나타납니다.

3 우리나라는 계절에 따른 강수량의 차이가 커서 연평균 강수량의 절반 이상이 여름에 집중됩니다. 여름에는 장마와 태풍의 영향으로 일시적으로 비가 많이 내립니다.

4 지역에 따라 그 지역의 기후를 반영한 생활 모습이 나타납니다.

5 우리나라는 계절에 따라 강수량의 차이가 크기 때문에 가뭄에 대비하려고 저수지를 만들었습니다.

6 겨울에 눈이 많이 내리는 울릉도에서는 눈이 집으로 들어오는 것을 막고 집 안에서 생활하기 편리하도록 우데기라는 외벽을 설치했습니다.

4일 자연재해

73쪽 개념 체크

1 가뭄　2 지진　3 기상청

74~75쪽 개념 확인하기

1 ④　2 (1) ㉠ (2) ㉢ (3) ㉡　3 ①
4 기상 특보

집중 연습 문제

5 ㉡　• ㉠ ➡ 가뭄　• ㉡ ➡ 홍수　6 ①

풀이

1 우리나라에서 주로 봄에 발생하는 자연재해에는 가뭄, 황사 등이 있습니다.

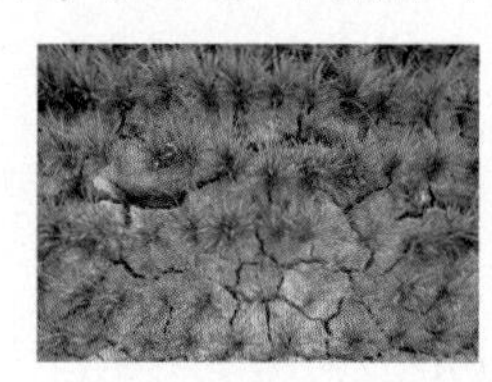
▲ 가뭄

▲ 황사

2 폭설은 한꺼번에 눈이 많이 내리는 현상을, 한파는 겨울철에 기온이 갑자기 내려가면서 발생하는 추위를 말합니다. 그리고 중국이나 몽골에서 발생한 미세한 모래 먼지가 우리나라까지 날아와 가라앉는 현상을 황사라고 합니다.

3 지진으로 각종 시설이 파손되거나 붕괴되고 화재, 지진 해일, 산사태 등이 함께 발생해 인명과 재산에 막대한 피해를 입히기도 합니다.

왜 틀렸을까?
②는 폭염, ③은 황사, ④는 폭설을 나타낸 사진입니다.

4 기상 특보를 주의 깊게 살피면서 각 재해 상황에 어떻게 대처하는지를 잘 알아 두어야 피해를 예방할 수 있습니다.

5 홍수는 ㉡과 같이 비가 많이 내려 하천이 흘러넘쳐 주변의 도로나 건물 등이 물에 잠기는 재해입니다. ㉠은 가뭄 피해를 나타낸 사진입니다.

6 ②는 폭설, ③은 지진, ④는 한파, ⑤는 황사 피해를 줄이기 위한 노력과 관련 있습니다. 자연재해의 피해를 줄이려면 재해가 발생했을 때의 행동 요령과 안전 수칙을 알고 실천하는 태도가 필요합니다.

5일 2주 마무리하기

78~81쪽 마무리하기 문제

1 ② 2 ㉠, ㉡ 3 다목적 댐 4 ①
5 ① 6 ㉮ 태백산맥이 차가운 북서풍을 막아 주고, 동해의 수심이 깊기 때문이다. 7 ㉢
8 ①, ③ 9 우데기 10 ④ 11 ③

똑똑한 하루 퀴즈

12 지진

풀이

1 ②는 높이 솟은 산들이 모여 이룬 지형인 산지입니다. 기복이 매우 작고 지표면이 평평하고 너른 들을 평야라고 합니다.

2 높고 험한 산은 대부분 북쪽과 동쪽에 많으며, 동고서저 지형의 특징에 따라 큰 하천은 대부분 동쪽에서 서쪽으로 흘러갑니다.

3 수력 발전이나 농업 및 공업용수 공급, 홍수 조절 등의 목적으로 이용하기 위해 만든 댐을 다목적 댐이라고 합니다.

4 기후를 설명할 때는 기온은 어떠한지, 비나 눈은 얼마나 오는지, 또 어떤 바람이 부는지를 알려 줘야 합니다.

5 우리나라는 중위도에 위치해 봄, 여름, 가을, 겨울 사계절이 나타납니다.

왜 틀렸을까?
② 계절별로 기온의 차이가 큽니다.
③ 대체로 남쪽으로 갈수록 기온이 높아져 더 따뜻합니다.
④ 겨울에는 북서쪽에서 차갑고 건조한 바람이 불어옵니다.
⑤ 여름에는 남동쪽에서 덥고 습한 바람이 불어옵니다.

6 태백산맥과 동해의 영향으로 동해안의 겨울 기온은 서해안보다 높은 편입니다.

인정 답안
동해안의 겨울 기온이 서해안보다 높은 까닭을 태백산맥, 동해와 관련지어 썼으면 정답으로 인정합니다.
인정 답안의 예
• 태백산맥이 차가운 북서풍을 막아 주기 때문이다.
• 동해의 수심이 깊기 때문이다.

7 울릉도는 다른 지역에 비해 일 년 내내 강수량이 고르게 나타납니다.

8 우리나라는 내륙 지역보다는 해안 지역이, 북부 지방보다는 남부 지방의 강수량이 더 많습니다.

9 우데기는 가옥의 바깥쪽에 지붕의 처마 끝에서부터 땅에 닿는 부분까지 둘러치는 벽으로, 울릉도에서 볼 수 있습니다.

10 폭설과 한파는 주로 겨울에 발생하는 자연재해입니다.

11 하루 최고 기온이 33℃ 이상으로 올라가는 매우 심한 더위를 폭염이라고 합니다. 폭염으로 온열 질환이 유발될 수 있으므로 야외 활동을 자제하고 수분을 충분히 섭취하는 것이 중요합니다.

12 2016년 9월, 경상북도 경주 지역에서 일어난 지진으로 경주 불국사 다보탑이 파손되었습니다.

2주 | TEST+특강

82~83쪽 누구나 100점 TEST

1 ㉠ 하천 ㉡ 평야 2 ② 3 기후
4 ㉡ 5 ⑤ 6 ④ 7 ③
8 ③ 9 ① 10 ④, ⑤

풀이

1 하천 주변으로 넓고 평탄한 땅인 평야가 있습니다.

2 동해안은 해안선이 단조로운 반면, 서해안과 남해안은 해안선이 복잡합니다.

3 날씨는 짧은 기간의 대기 상태를 말하고, 지형은 땅의 생김새를 말합니다.

4 여름에는 남동쪽에서 덥고 습한 바람이 불어오고, 겨울에는 북서쪽에서 차갑고 건조한 바람이 불어옵니다.

5 1월 평균 기온이 가장 높은 곳은 서귀포이고, 가장 낮은 곳은 중강진입니다.

6 여름에는 장마와 태풍의 영향으로 일시적으로 비가 많이 내립니다.

7 황사가 발생하면 외출할 때 마스크를 쓰고, 집에 돌아와서는 손발을 잘 씻어야 합니다.

8 가뭄의 피해를 줄이려고 저수지, 댐 등을 만듭니다.

9 지진으로 각종 시설이 파손되거나 붕괴됩니다.

10 기상 특보는 휴대 전화의 긴급 재난 문자, 방송 매체, 행정안전부나 기상청 누리집, 스마트폰 응용 프로그램 등에서 확인할 수 있습니다.

85쪽 생활 속 사회 융합

풀이

❶ 승강기에 있을 때 지진이 발생하면 모든 층의 버튼을 눌러 가장 먼저 열리는 층에서 내린 후 계단을 이용해 건물 밖으로 신속히 대피해야 합니다.

86~87쪽 사고 쑥쑥 창의

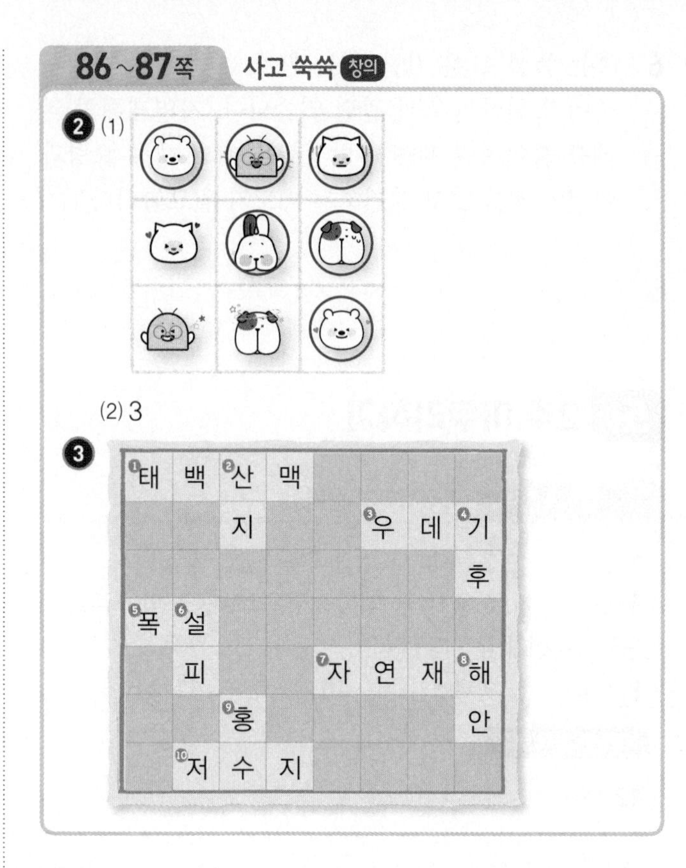

풀이

❷ (1) 우리나라는 국토의 약 70 %가 산지이며, 높고 험한 산은 대부분 북쪽과 동쪽에 많습니다. 동해안은 해안선이 단조롭습니다.

(2) 완성된 빙고는 가로, 세로, 대각선 모두 합해 3줄입니다.

88~89쪽 논리 탄탄 코딩

❹ 소금, 젓갈

❺ (1) 가뭄 (2) 제시

풀이

❹ 남쪽 지방에서는 소금과 젓갈이 많이 들어간 음식이 발달했고, 북쪽 지방에서는 싱거운 음식이 발달했습니다.

❺ (1) 가뭄은 오랫동안 비가 오지 않거나 적게 오는 기간이 지속되는 현상으로, 늦봄이나 초여름에 주로 발생합니다.

(2) 현수는 황사, 인디 박사는 폭설과 관련된 노력을 이야기하고 있습니다.

3주 인권과 법

1일 인권과 인권 신장

97쪽 개념 체크

1 사람 2 어린이 3 억울함

98~99쪽 개념 확인하기

1 ③ 2 ㉡ 3 ④ 4 격쟁
5 ②

똑똑한 하루 퀴즈

6 방정환

풀이

1 인권은 인간으로서의 행복과 안전을 누릴 수 있는 권리로, 다른 사람이 빼앗을 수 없고 모든 사람에게 평등하게 주어집니다.

2 키가 작은 어린이를 위해 설치한 낮은 세면대를 주변에서 볼 수 있습니다.

3 마틴 루서 킹은 흑인도 백인과 똑같은 인간으로서 존엄성을 가지며 동일하게 대우해야 한다고 주장했습니다.

왜 틀렸을까?
①, ③은 허균, ②는 테레사 수녀, ⑤는 방정환에 대한 설명입니다.

4 일반 백성들은 징과 꽹과리를 이용해서 억울한 일을 임금에게 직접 말하기도 했습니다.

5 삼복제는 무거운 형벌을 내릴 때 신분과 관계없이 세 번의 재판을 거치게 했던 제도로, 오늘날에는 삼심제로 이어지고 있습니다. 이외에도 옛날 사람들은 상언, 격쟁 등의 제도를 통해 억울한 일을 해결했습니다.

6 방정환은 어린이를 미래를 이끌어 갈 주인공으로 생각하여 어린이날을 만들었습니다.

2일 인권 침해와 인권 보장

103쪽 개념 체크

1 사이버 2 시각 3 국가

104~105쪽 개념 확인하기

1 ㉠ 2 ④ 3 ③
4 지방 자치 단체 5 ⑤

똑똑한 하루 퀴즈

6 사회 보장 제도

풀이

1 친구의 수첩을 허락 없이 보는 것은 친구의 사생활을 침해하는 행위입니다.

왜 틀렸을까?
㉡은 남자와 여자를 구별하는 편견을 가지고 차별하는 모습입니다.

2 다른 사람의 개인 정보를 허락 없이 유출하는 것은 인권을 침해하는 행위입니다.

3 점자 블록은 시각 장애인이 안전하게 다닐 수 있도록 건물의 바닥이나 도로에 깐 블록을 말합니다.

4 시·도청, 시·군·구청, 시·도 의회, 시·군·구 의회 등 지역 주민들이 구성한 자치 단체를 지방 자치 단체라고 합니다.

5 몸이 불편해 병원에 가기 힘든 노인을 돕기 위해서는 국가에서 쉽게 이용할 수 있는 교통수단을 마련해야 합니다.

6 시민들의 힘만으로는 할 수 없는 일도 있기 때문에 국가와 지방 자치 단체는 사회 보장 제도를 만들어 시행합니다.

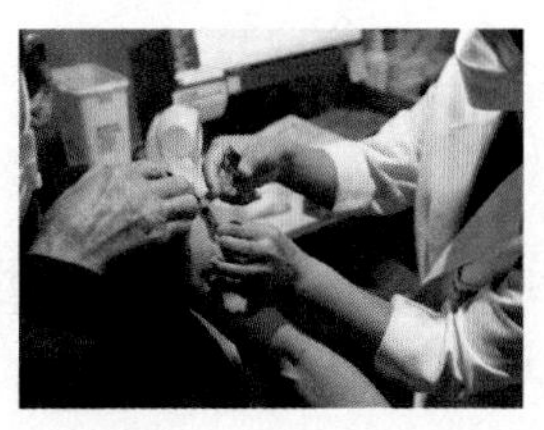

◀ 사회 보장 제도 중 하나인 무료 예방 접종

정답과 풀이

3일 법과 도덕

109쪽 개념 체크

1 강제성　2 건강　3 저작권

110~111쪽 개념 확인하기

1 도덕　2 ③, ④　3 ㉠　4 ⑤

집중 연습 문제

5 ㉠
- ㉠ ➡ 법
- ㉡ ➡ 도덕
- ㉢ ➡ 인권

6 ②

풀이

1 도덕은 사회의 구성원들이 양심 등에 비추어 스스로 마땅히 지켜야 할 모든 규범으로, 법과 달리 사람들이 자율적으로 지키는 것입니다.

2 도덕을 지키지 않았을 때 주위 사람들의 따가운 시선을 받을 수 있지만 법으로 제재를 받지는 않습니다.

3 「식품 위생법」은 식품 영양의 질을 높여 국민의 건강 증진을 목적으로 하는 법으로, 학교 급식도 「식품 위생법」의 적용을 받고 있습니다.

4 「장애인 차별 금지법」은 장애인들이 차별받지 않도록 하는 법으로 소수자의 인권을 보호하기 위한 법입니다.

왜 틀렸을까?
①, ④는 「식품 위생법」, ②는 「어린이 놀이 시설 안전 관리법」, ③은 「저작권법」에 대한 설명입니다.

5 법은 국가가 만든 강제성이 있는 규칙으로 가정과 학교 등을 비롯해 일상생활 곳곳에서 적용되고 있습니다.

6 법이 사회의 변화에 맞지 않거나 인권을 침해할 때에는 법을 바꾸거나 다시 만들 수 있습니다.

4일 법의 역할과 준수

115쪽 개념 체크

1 저작권　2 재판　3 범죄

116~117쪽 개념 확인하기

1 ①　2 지윤　3 ①　4 경찰

집중 연습 문제

5 ㉡
- 법의 역할 ➡ ㉠

6 ①

풀이

1 최신 영화를 누리집에 유포하는 것은 「저작권법」에 어긋나는 행위입니다. 「저작권법」은 창작물을 만든 사람의 권리를 보호하기 위한 법입니다.

2 법을 지키면 나의 권리뿐 아니라 다른 사람의 권리도 보장할 수 있습니다. 나와 다른 사람의 권리를 지키고 사회 질서를 유지하기 위해 법을 준수해야 합니다.

3 법은 개인 정보를 보호해 주는 등 우리의 권리를 보장해 주는 역할을 합니다.

4 법을 어기면 타인에게 피해를 주기 때문에 그 사람의 권리를 제한하기 위해 재판을 진행합니다. 재판에는 판사, 검사, 피고인, 변호인 등이 참여합니다.

5 법은 사고로부터 사람들을 보호하고 안전하게 살아갈 수 있게 해 주며 사회 질서를 유지해 줍니다.

6 어린이 보호 구역을 법으로 정해서 교통사고를 예방할 수 있게 해 줍니다.

◀어린이 보호 구역

5일 3주 마무리하기

120~123쪽 마무리하기 문제

1 ㉠	2 ③	3 상언 제도	4 ⑤
5 (1) ○	6 ㉡	7 법	8 ㉡
9 ⑤	10 ④	11 ④	

12 예 개인의 권리를 보장해 준다.

똑똑한 하루 퀴즈

13

신	법	인	재	판
질	문	원	검	사
테	권	고	삼	변
도	덕	피	복	호
균	삼	심	제	인

❶ 신문고 ❷ 판사 ❸ 도덕 ❹ 삼복제

풀이

1 인권은 사람이기 때문에 당연히 누리는 권리로, 어떠한 이유로도 빼앗길 수 없습니다.

2 방정환, 테레사 수녀, 허균, 마틴 루서 킹 등은 모두 인권 신장을 위해 노력한 사람들입니다.

3 옛날에는 상언, 격쟁 등의 제도를 통해 억울함을 해결할 수 있었습니다.

4 피부색이 다르다고 해서 친구를 함부로 대하면 안 됩니다.

5 다른 친구의 수첩을 몰래 보는 것은 친구의 사생활을 침해하는 행동입니다. 인권을 침해하면 인권 침해를 당하는 친구는 마음에 심한 상처를 입을 것입니다.

6 점자 블록은 시각 장애인이 안전하게 다닐 수 있도록 건물의 바닥이나 도로에 깐 블록입니다. 우리 주변에서는 서로의 차이를 존중하며 인권을 지키는 모습을 볼 수 있습니다.

왜 틀렸을까?

㉠은 키가 작은 어린이를 위해 설치한 낮은 세면대입니다.

7 법은 모든 사람이 함께 지키기로 약속한 국가의 규칙입니다.

8 이웃 어른을 보고 인사하지 않았을 때 주위 사람들의 따가운 시선을 받을 수 있지만 법으로 제재를 받지는 않습니다.

9 법은 우리 일상생활 곳곳에서 적용되고 있으며 아이가 태어나면 출생 신고를 하는 것, 일정한 나이가 되면 학교에 입학하는 것 등 많은 일들이 법에 따라 이루어지고 있습니다.

10 저작권은 음악, 영화, 출판물 등을 만든 사람이 작품에 행사하는 권리를 말합니다.

11 법은 범죄로부터 사람들을 보호하고 안전하게 살아갈 수 있게 해 주며 사회 질서를 유지해 줍니다.

12 우리 생활 속에서 법은 개인의 재산과 생명을 보호하는 역할을 합니다.

인정 답안

권리를 보장해 준다는 내용이 들어가면 정답으로 인정합니다.

인정 답안의 예

사람들의 권리를 보장해 준다.

3주 | TEST+특강

124~125쪽 누구나 100점 TEST

1 선일	2 ④	3 격쟁	4 ⑤
5 ①	6 ㉢	7 ①, ③	
8 「장애인 차별 금지법」		9 ④	10 ④

풀이

1 인권은 사람이기 때문에 당연히 누리는 권리라서 다른 사람들이 절대 빼앗을 수 없습니다.

2 테레사 수녀와 마틴 루서 킹은 인권 신장을 위해 노력했던 다른 나라의 사람들입니다.

3 일반 백성들은 징과 꽹과리를 이용해서 억울한 일을 임금에게 직접 말하기도 하였습니다.

4 친구의 수첩을 허락 없이 보는 것은 친구의 사생활을 침해하는 행동입니다.

5 점자 블록은 시각 장애인의 안전을 위해 설치하는 편의 시설입니다.

6 도덕은 사회의 구성원들이 양심 등에 비추어 스스로 마땅히 지켜야 할 모든 규범입니다.

7 학교의 물건을 훼손하는 것, 횡단보도가 아닌 곳에서 길을 건너는 것은 모두 법으로 제재를 받는 상황입니다.

8 「장애인 차별 금지법」은 장애인들이 차별받지 않고 일할 수 있도록 하는 법입니다.

9 최신 영화를 누리집에 불법으로 올리면 영화를 만든 사람들이 정당하게 돈을 벌 기회를 잃어버리고 권리를 제대로 존중받지 못하게 됩니다.

10 어린이 보호 구역을 법으로 정해 교통사고를 예방하면서 사회 질서를 유지합니다.

127쪽 생활 속 사회 융합

❶

나는 누구일까요?

내 이름은 무엇일까요?

방정환 / 마틴 루서 킹 / 테레사 수녀

내가 한 말은 무엇일까요?

가난한 사람들에게 필요한 것은 동정이 아니라 사랑입니다. / 아이들이 피부색이 아니라 인격으로 평가받아야 합니다. / 어른과 동등한 하나의 인격체로 어린이를 존중해야 합니다.

풀이

❶ 인권 신장을 위해 노력했던 사람들에는 마틴 루서 킹, 테레사 수녀, 방정환, 허균 등이 있습니다. 마틴 루서 킹은 백인에게 차별받는 흑인의 인권을 신장하고자 노력했고, 테레사 수녀는 가난하고 아픈 사람들을 위해 평생을 바쳤습니다. 어린이를 소중하게 생각했던 방정환은 어린이들의 인권 신장을 위해 어린이날을 만들었습니다.

128~129쪽 사고 쑥쑥 창의

❷

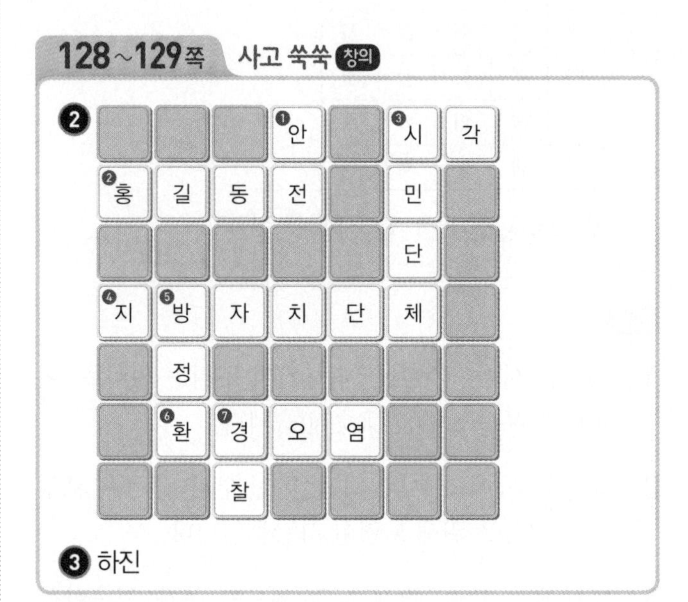

❸ 하진

풀이

❸ 옛날에도 인권 신장을 위해 노력했던 많은 인물들이 있었고, 인권 신장을 위한 여러 제도가 마련되어 있었습니다.

130~131쪽 논리 탄탄 코딩

❹ 국가, 강제성

❺ ㉢

풀이

❹ 법에 대한 주어진 암호를 풀면 국가와 강제성이 나옵니다. 법은 국가에서 만든 강제성이 있는 규칙으로, 도덕과 달리 지키지 않았을 때 제재를 받습니다.

❺ 「저작권법」은 음악, 영화, 출판물 등 창작물을 만든 사람의 저작권을 보호하기 위한 법입니다.

4주 국민을 위한 헌법

1일 헌법의 의미와 역할

139쪽 개념 체크

1 헌법　**2** 의무　**3** 청소년

140~141쪽 개념 확인하기

1 ③　**2** 제헌절　**3** ④　**4** ㉢

집중 연습 문제

5 행복　**6** ㉢

- ㉠ ➡ 사회 보장
- ㉡ ➡ 격쟁
- ㉢ ➡ 국민 투표

풀이

1 헌법은 여러 법들 중 가장 기본이 되는 법으로, 헌법을 바탕으로 다른 법들이 만들어집니다.

2 제헌절은 우리나라의 헌법을 제정하고 공포한 것을 기념하기 위한 국경일입니다.

3 헌법은 국민이 건강하게 살아갈 권리를 보장하고 있어서 늦은 시간에 학원 수업을 하지 못하도록 법으로 제한하고 있습니다.

4 헌법 재판소는 법률이 헌법에 어긋나는지, 그렇지 않은지를 판단하여 헌법을 지키고 국민의 권리를 보호하는 기관입니다.

5 우리가 행복을 추구하는 것도 헌법에서 보장하는 권리입니다.

6 국가의 주인인 국민이 헌법의 내용을 잘 살펴보도록 하기 위해 헌법의 내용을 새로 정하거나 고칠 때는 국민 투표를 실시합니다.

2일 기본권

145쪽 개념 체크

1 사회권　**2** 재판　**3** 제한

146~147쪽 개념 확인하기

1 기본권　**2** ㉢　**3** ⑤　**4** 평등권
5 ③, ④　**6** ㉡

똑똑한 하루 퀴즈

7 공무 담임권

풀이

1 기본권이란 헌법으로 보장되는 국민의 기본적인 권리입니다.

2 기본권은 국가의 안전 보장, 공공의 이익, 사회 질서 유지 등을 위해 필요한 경우 법률에 따라 제한될 수 있습니다.

3 국민이 재판을 받을 수 있는 권리는 청구권과 관련되어 있습니다.

4 평등권은 법을 공평하게 적용받아 차별받지 않을 권리를 말합니다.

5 참정권은 국가의 정치 의사 형성 과정에 참여할 수 있는 권리로, 선거권과 공무 담임권이 이에 속합니다.

6 청구권은 기본권이 침해되었을 때 국가에 어떤 일을 해 달라고 요구할 수 있는 권리입니다.

7 공무 담임권은 국민이 선거의 후보로 출마하거나, 공무원에 임명될 수 있는 권리를 말합니다.

3일 국민의 의무

151쪽 개념 체크

1 교육　**2** 근로　**3** 책임

152~153쪽 개념 확인하기

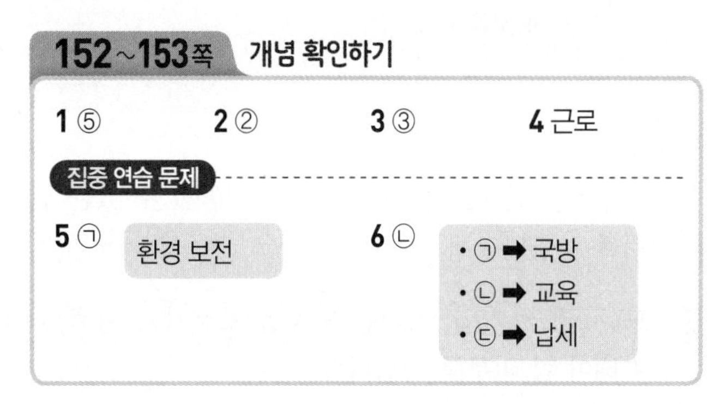

1 ⑤　**2** ②　**3** ③　**4** 근로

집중 연습 문제

5 ㉠ 환경 보전　**6** ㉡

- ㉠ ➡ 국방
- ㉡ ➡ 교육
- ㉢ ➡ 납세

정답과 풀이

풀이

1 쓰레기를 분리배출하고, 주변 환경을 함부로 훼손하지 않는 것은 환경 보전의 의무를 지키는 모습입니다.

2 의무를 성실하게 실천함으로써 나라를 유지하고 발전시킬 수 있습니다.

3 모든 국민은 세금을 내야 할 의무가 있습니다.

4 우리 주변의 부모님, 선생님 등이 열심히 일을 하는 것은 근로의 의무와 관련이 있습니다.

5 우리가 학교에서 열심히 공부하는 것은 교육의 의무와 관련 있는 모습입니다.

6 모든 국민은 자녀가 잘 성장할 수 있도록 교육을 받게 할 의무가 있습니다.

4일 권리와 의무의 관계

157쪽 개념 체크

1 연결　2 생각　3 공감

158~159쪽 개념 확인하기

1 자유권　2 ⑤　3 ⑤　4 채윤

집중 연습 문제

5 ⑤
- ① ➡ 청구권
- ② ➡ 참정권
- ③ ➡ 자유권
- ④ ➡ 사회권
- ⑤ ➡ 자유권

6 ③

풀이

1 모든 국민은 자유롭게 생각하고 행동할 수 있는 권리를 가집니다.

2 모든 국민, 기업, 국가는 환경을 보전하기 위해 노력해야 할 의무를 가집니다.

3 다양한 사람들이 살아가는 사회에서는 권리와 의무가 서로의 입장에 의해 충돌하기도 합니다.

4 권리와 의무 어느 하나만을 강조하는 것이 아니라 서로의 입장을 이해하고 공감하는 자세가 필요합니다.

5 자신의 재산을 자유롭게 사용할 수 있는 권리와 환경을 보호해야 하는 의무 간에 충돌이 나타나고 있습니다.

6 헌법에 나타난 권리 보장과 의무의 실천은 우리가 행복하게 살아가기 위해 모두 필요합니다.

5일 4주 마무리하기

162~165쪽 마무리하기 문제

1 ㉢, ㉣　2 ④　3 ④　4 ⑤
5 ⑤　6 자유권　7 ⑤　8 ②
9 (1) 근로 (2) 예 부모님이 회사에서 열심히 일하신다.
10 ④　11 ㉡　12 민혜

똑똑한 하루 퀴즈

13 ❷ ❺ ❼

풀이

1 헌법을 바탕으로 다른 법이 만들어지며, 헌법의 내용을 새로 정하거나 고칠 때에는 국민 투표를 해야 합니다.

2 헌법에는 대한민국 국민이 누려야 할 권리와 지켜야 할 의무가 담겨 있습니다.

3 국가의 주인인 국민이 헌법의 내용을 잘 살펴보도록 하기 위해서 헌법의 내용을 새로 정하거나 고칠 때 국민 투표를 합니다.

4 우리가 학교에서 공부하는 것은 사회권을 보장받는 모습입니다.

5 모든 국민은 국가의 정치 의사 형성 과정에 참여할 수 있는 참정권을 지닙니다.

왜 틀렸을까?
①은 청구권, ②는 평등권, ③은 납세의 의무, ④는 사회권에 대한 설명입니다.

6 우리는 자유권을 갖고 있어서 다양한 직업을 꿈꿀 수 있으며, 자유롭게 생각하고 행동할 수 있습니다.

7 국가의 안전 보장, 공공의 이익, 사회 질서 유지 등을 위해 필요한 경우 법률에 따라 기본권이 제한될 수 있습니다.

8 모든 국민은 나와 가족, 우리 모두의 안전을 위해 나라를 지킬 의무가 있습니다.

9 모든 국민은 개인과 나라의 발전을 위해 일할 의무가 있습니다.

인정 답안
(2) 많은 사람들이 일하고 있다는 내용이 들어가면 정답으로 인정합니다.

인정 답안의 예
(2) • 고모는 자동차 공장에 다니신다.
• 선생님은 학교에서 우리를 열심히 가르치신다.
• 삼촌은 시청에서 민원을 처리하는 일을 하신다.

10 환경 보전을 위한 노력에는 주변 환경을 함부로 훼손하지 않고, 쓰레기를 분리배출하는 것 등이 있습니다.

왜 틀렸을까?
①은 국방의 의무, ②는 근로의 의무에 대한 설명입니다.

11 권리와 의무 중 어느 하나만 강조하는 것이 아니라 서로의 입장을 이해하고 공감하는 자세가 필요합니다.

12 권리와 의무가 충돌할 때는 권리와 의무를 조화시킬 수 있는 합리적인 해결 방안을 마련해야 합니다.

13 헌법은 국가의 주인인 국민의 권리를 보장해 주기 위해 만들어졌습니다.

왜 틀렸을까?
❶ 모든 국민은 세금을 내야 할 납세의 의무가 있습니다.
❾ 제헌절은 7월 17일로, 헌법이 만들어지고 발표된 것을 기념하는 날입니다.

4주 | TEST+특강

166~167쪽 누구나 100점 TEST

1 충재	2 ⑤	3 자유권	4 ㉡
5 ③	6 ③	7 환경 보전	8 ④
9 ㉡, ㉢	10 민희		

풀이

1 헌법에는 국민의 의무와 권리, 국가 기관을 조직하고 운영하는 기본 원칙 등이 담겨 있습니다.

왜 틀렸을까?
헌법은 국가의 주인인 국민의 권리를 보장하기 위해 만들어졌습니다.

2 헌법 재판소는 법이 헌법에 어긋나는지, 국가 권력이 국민의 권리를 침해하는지 등을 심판합니다. 만약 법이 국민의 인권을 침해한다고 판단되면 그 법이 개정되거나 폐지될 수 있습니다.

3 자유권이 있어서 우리는 미래에 하고 싶은 직업을 선택할 수 있습니다.

4 참정권은 국가의 정치 의사 형성 과정에 참여할 수 있는 권리입니다.

왜 틀렸을까?
㉠은 평등권에 대한 설명입니다.

5 청구권에 의해 모든 국민은 기본권이 침해되었을 때 재판을 받을 권리를 가집니다.

6 국민들은 나라의 살림이 잘 운영되도록 세금을 냅니다.

7 쓰레기를 분리배출하고 주변 환경을 함부로 훼손하지 않는 것은 환경 보전의 의무와 관련이 있습니다.

8 모든 국민은 개인과 나라의 발전을 위해 일할 의무가 있습니다.

9 의무의 실천은 나뿐만 아니라 다른 사람의 기본권을 보장할 수 있는 바탕이 됩니다.

10 권리와 의무가 충돌할 때는 서로의 입장을 이해하며 권리와 의무를 조화시킬 수 있는 방안을 마련해야 합니다.

169쪽 생활 속 사회 융합

❶

사	회	권	제	헌	절
교	육		보	청	법
칙	조	리	근	로	
환	경	보	전	판	국
세		평	재	방	보
금	인	권	등	교	장

풀이

❶ ①은 근로, ②는 세금, ③은 헌법, ④는 국방, ⑤는 교육입니다. 헌법에는 교육, 근로, 국방, 납세, 환경 보전의 의무가 제시되어 있습니다.

170~171쪽 사고 쑥쑥 창의

❷

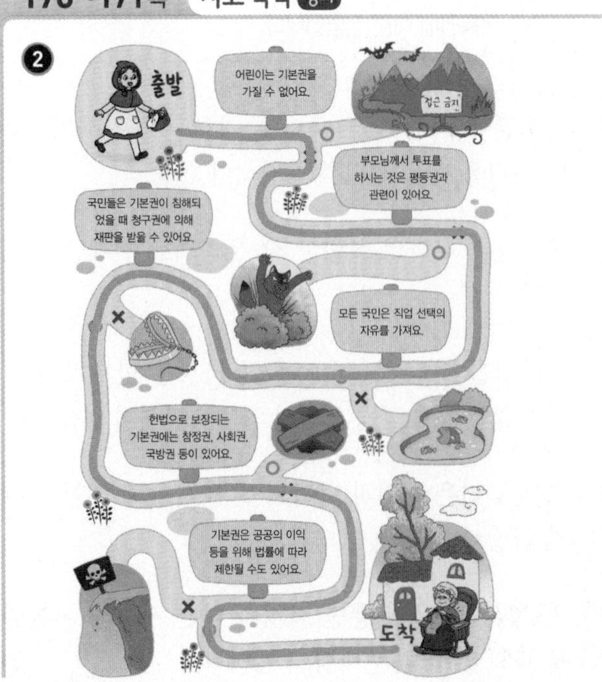
출발
어린이는 기본권을 가질 수 없어요.
접근 금지
부모님께서 투표를 하시는 것은 평등권과 관련이 있어요.
국민들은 기본권이 침해되었을 때 청구권에 의해 재판을 받을 수 있어요.
모든 국민은 직업 선택의 자유를 가져요.
헌법으로 보장되는 기본권에는 참정권, 사회권, 국방권 등이 있어요.
기본권은 공공의 이익 등을 위해 법률에 따라 제한될 수도 있어요.
도착

❸ (1) 해나

(2)

원하는 사람에게 투표할 거야.
오늘은 세금을 내는 날이야.
열심히 일을 해야지.

풀이

❷ 기본권은 누구나 가질 수 있는 권리로, 참정권, 사회권, 청구권, 평등권, 자유권 등이 있습니다.

❸ (1) 공책에서 보이지 않는 ㉠은 헌법입니다. 헌법에는 국가의 주인이 국민이라고 나와 있습니다.

(2) ㉡은 권리로, 권리를 보장받는 사례에는 투표를 하는 것, 교육을 받는 것 등이 있습니다.

172~173쪽 논리 탄탄 코딩

❹ 헌법, 국민

❺

1	5	2	3	5	6	7
4	3	7	4	1	1	5
2	1	7	5	7	1	6
6	3	7	1	3	3	4
1	5	3	1	7	2	3
3	3	5	7	6	1	7
7	1	3	4	7	3	1

풀이

❹ 헌법 재판소는 법이 헌법에 어긋나는지, 국가 권력이 국민의 기본권을 침해하는지 등을 심판합니다.

❺ 헌법은 국민의 자유와 권리를 보장하기 위해 만들어진 법으로 내용을 고칠 때는 국민 투표를 시행합니다. 헌법을 만들어서 국민에게 알린 날은 제헌절입니다.

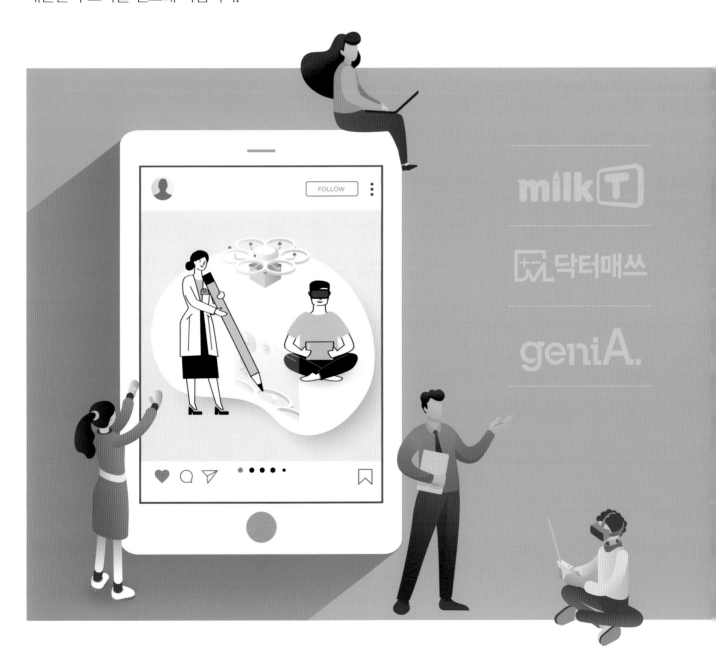

book.chunjae.co.kr

교재 내용 문의 ………… 교재 홈페이지 ▸ 초등 ▸ 교재상담
교재 내용 외 문의 ………… 교재 홈페이지 ▸ 고객센터 ▸ 1:1문의
발간 후 발견되는 오류 ………… 교재 홈페이지 ▸ 초등 ▸ 학습지원 ▸ 학습자료실

63300
ISBN 979-11-259-5902-1
정가 14,000원
어린이제품 안전 특별법에 의한 품질 표시

My name~

초등학교		
학년	반	번
이름		